ensaio
sobre
a cegueira

josé
saramago

ensaio
sobre
a cegueira

Prêmio Nobel
Companhia das Letras

*A editora manteve a grafia vigente em Portugal
no texto de Saramago, observando as regras
do Acordo Ortográfico da Língua Portuguesa de 1990.*

Capa e projeto gráfico
Raul Loureiro

Imagem de capa
Portage, de William Kentridge, 2000. Colagem chinesa
de papel cartonado preto em páginas da enciclopédia
Le Nouveau Larousse (*c.* 1906) e lápis colorido.
Dezessete partes, 26 cm × 13,3 cm a 26 cm × 47,6 cm.
Presente do artista para a coleção MCA. Cortesia do artista
e da Marian Goodman Gallery. ©William Kentridge

Revisão
Huendel Viana
Ana Maria Barbosa

Dados Internacionais de Catalogação na Publicação (CIP)
(Câmara Brasileira do Livro, SP, Brasil)

Saramago, José, 1922-2010
Ensaio sobre a cegueira : romance / José Saramago.
— 1ª ed. — São Paulo : Companhia das Letras, 2022.

ISBN 978-65-5921-188-3

1. Romance português I. Título.

22-107245   CDD-869.3

Índice para catálogo sistemático:
1. Romances : Literatura portuguesa 869.3
Cibele Maria Dias — Bibliotecária — CRB-8/9427

[2022]
Todos os direitos desta edição reservados à
EDITORA SCHWARCZ S.A.
Rua Bandeira Paulista, 702, cj. 32
04532-002 — São Paulo — SP
Telefone: (11) 3707-3500
www.companhiadasletras.com.br
www.blogdacompanhia.com.br
facebook.com/companhiadasletras
instagram.com/companhiadasletras
twitter.com/cialetras

Sumário

O mundo está todo aqui dentro

Julián Fuks

Foi num restaurante em Lisboa, no alumbramento de um meio-dia. Suponho que alguma sombra tenha coberto de súbito os seus olhos pequeninos, ou, mais coerentemente, que uma luz de estranha potência tenha incidido de surpresa em suas pálpebras, obrigando-o a fechá-las, projetando sobre a pele fina uma brancura inescrutável. José Saramago estava almoçando sozinho, como raramente fazia. E, ao abrir os olhos que se desvaliam, vacilante entre a total clareza e um relance de obscuridade, sussurrou para ninguém a pergunta de que já não escaparia, a pergunta que passaria a ocupá-lo por longos dias, meses, anos: E se nós fôssemos todos cegos?

Não é difícil imaginar a vertigem de pensamentos que se apoderaram do escritor a partir desse momento. Há algo de essencial, algo de absoluto na indagação que Saramago fez a si e que se converteu no argumento deste grandioso livro. Uma única interrogação, quando justa e precisa, pode ser o ponto de partida para uma sucessão de reflexões atordoantes, pode ser o estopim de um ensaio fundamental, ou de uma narrativa perfeita. Saramago se deparou naquele meio-dia inesquecível com uma dessas interrogações fundantes, e não é difícil imaginar que o livro tenha se delineado de imediato em sua mente, com seu encadeamento rigoroso, com seu respeito irrestrito às normas do necessário, do provável, do possível. Era, para usar uma formulação cara ao autor, como se o livro já existisse antes de ter nascido.

Como Gregor Samsa convertido em inseto, eis o inominado personagem de Saramago a se ver cego em plena luz, provocando alarde e desvario; eis uma cidade bruscamente acometida por uma epidemia de cegueira. Um único elemento fantástico, ou nem isso, um único elemento incompreendido dá lugar a uma cadeia de acontecimentos inevitáveis e irredutíveis, numa rígida observação de causas e consequências. Como um personagem menor analisa, "esta deve de ser a doença mais lógica do mundo, o olho que está cego transmite a cegueira ao olho que vê". E, então, contrariando a lógica imperiosa que domina a escrita, em pouco tempo todos os cegos se veem entregues ao que há de ilógico no mundo, ao que há de absurdo, ao que há de abjeto.

Não se trata de uma cegueira qualquer, de um fenômeno cujas implicações já conhecemos. Ela não se limita, como explica o narrador, a cobrir a aparência dos seres e das coisas. Esta é uma cegueira branca, de uma brancura tão luminosa que devora, mais do que absorve, "não só as cores, mas as próprias coisas e seres, tornando-os, por essa maneira, duplamente invisíveis". Ao longo do livro, tudo será devorado por essa força implacável, a totalidade da existência será tocada pelo torvelinho de acontecimentos trágicos, pela perda, pela dor, pela morte, tudo a alterar aquilo que alguma vez concebemos como vida. "O mundo está todo aqui dentro", diz a inominada mulher que acompanhamos como protagonista, e nessa frase se revela sua clarividência, a clarividência deste livro que paradoxalmente narra as trevas.

Um homem enceguece, outros enceguecem com ele, e assim o mundo todo é posto à prova. Do pequeno dilema moral que se apresenta de partida a quem o acode, ao homem que pode ajudá-lo ou não, que pode aproveitar para roubá-lo ou não, acabamos por saltar a outros dilemas mais complexos e mais dramáticos. Pode-se desviar a comida de outro quando o corpo próprio se contorce de fome? Pode-se arriscar a vida do outro quando a existência própria está em jogo? Pode-se matar alguém se disso depende a sobrevivência de muitos? Pode-se negligenciar um corpo morto quando nos faltam por completo as forças? O mundo que aqui se apresenta exige consciência e discernimento, mas em troca oferece o horror.

Por longas páginas deste livro impressionante, não estamos bem no gênero pandêmico que há alguns anos tem atraído justas atenções. Estamos mais próximos de um terror infelizmente conhecido demais, talvez o mais brutal dos terrores: o que traz a marca da opressão oficial, a violência que emana das instituições que alguma vez julgamos garantidoras da paz. O que se lê ganha um valor de memória comunitária, é mais um retrato dos muitos holocaustos já consumados em tantas sociedades, das perseguições massivas, dos infinitos campos de concentração e de extermínio que não se apagam da nossa história. Testemunhamos um desses momentos extremos em que nossa espécie perde toda a sua humanidade, faz-se cruel e insensível, corruptora e atroz.

E, diante disso, não é impossível que também o leitor sussurre para si uma interrogação, não é impossível que indague seu próprio limite: posso continuar a ler tamanho terror? Devo reviver ficcionalmente o que tantos já puderam sofrer na crueza da carne, na mais profunda dor? E para quê narrar tudo isso, afinal, para quê mostrar com minúcia nauseante a dimensão da nossa miséria, do nosso descalabro? Que tais perguntas não escapavam ao autor é algo que se revela nas crises de consciência daquela que no livro se faz sua voz, a que não perde a visão, aquela que tristemente nasceu para ver o horror. Tantas vezes, para ela, ver se torna um ato indigno, obsceno, tantas vezes ela sente não ter o direito de olhar. E quanto a nós, temos o direito de olhar, como por um microscópio feito de palavras, o sofrimento desses sujeitos tão míseros, privados de visão e de liberdade, despidos de sua dignidade?

Em pouco tempo também somos nós esses sujeitos míseros, não pelo que deixamos de ver, mas por aquilo que vemos demais, por aquilo que a cada linha ameaça nos roubar a sanidade. Este é um livro duríssimo, que poderia nos corroer com o que revela de desumanidade, poderia nos roubar o alento e a boa vontade, poderia por si mesmo nos endurecer. Mas também é um livro de fazer chorar, um livro de enternecer, e estranhamente talvez seja pelas lágrimas que ele nos salva.

Por toda parte em suas páginas lemos sobre lágrimas, acompanhamos as mais sensíveis descrições de gotas salinas que descaem de olhos cegos, que escorrem por rostos antes impassíveis, enrijecidos. São sempre surpreendentes os prantos descritos neste livro, são sempre desnorteadores. A mulher do médico, nossa protagonista, não chora nunca pela enormidade da tragédia, e isso faz parte de sua inteligência, ela não sucumbe, não desaba como aqueles que a cercam. Mas ela chora por detalhes ínfimos, chora porque se esqueceu de dar corda no relógio, chora porque se perdeu na cidade antes tão conhecida. Um cão vem secar suas lágrimas com a língua, e esse talvez seja um dos maiores exemplos de como se manifesta ao longo do livro também a beleza, como a dureza, o caos e a imundice se deixam lavar pelos mais sensíveis momentos líricos. É ela quem sintetiza com sua lucidez costumeira: "ainda o que nos vale é sermos capazes de chorar, o choro muitas vezes é uma salvação, há ocasiões em que morreríamos se não chorássemos".

Imagino a comoção de Saramago no átimo em que abriu os olhos e vislumbrou, naquele meio-dia solitário, a imensidão que se tornaria o seu livro. Pode ter sido tão grande quanto a emoção que ele contou ter sentido ao escrever a última linha, a última frase deste romance: "A cidade ainda ali estava". Saramago diz ter respondido de imediato à sua pergunta primitiva, diz ter afirmado para si numa rara exclamação: "Mas já estamos todos cegos!". Sim, estamos todos cegos, e este livro é a mais detalhada descrição da terrível cegueira em que estamos imersos, desde o início dos tempos e até hoje — nesta como em outras décadas, quando grande parte do mundo se assombra e se ensombrece. Mas, afortunadamente, esse não é o nosso último sentimento: quando encerramos a leitura, quando pousamos o livro sobre o peito, o que nos toma é algo diverso, é o sentimento de podermos abrir os olhos por fim, para chorar ou para ver.

ensaio
sobre
a cegueira

A Pilar
A minha filha Violante

Se podes olhar, vê. Se podes ver, repara.

Livro dos Conselhos

O disco amarelo iluminou-se. Dois dos automóveis da frente aceleraram antes que o sinal vermelho aparecesse. Na passadeira de peões surgiu o desenho do homem verde. A gente que esperava começou a atravessar a rua pisando as faixas brancas pintadas na capa negra do asfalto, não há nada que menos se pareça com uma zebra, porém assim lhe chamam. Os automobilistas, impacientes, com o pé no pedal da embraiagem, mantinham em tensão os carros, avançando, recuando, como cavalos nervosos que sentissem vir no ar a chibata. Os peões já acabaram de passar, mas o sinal de caminho livre para os carros vai tardar ainda alguns segundos, há quem sustente que esta demora, aparentemente tão insignificante, se a multiplicarmos pelos milhares de semáforos existentes na cidade e pelas mudanças sucessivas das três cores de cada um, é uma das causas mais consideráveis dos engorgitamentos da circulação automóvel, ou engarrafamentos, se quisermos usar o termo corrente.

O sinal verde acendeu-se enfim, bruscamente os carros arrancaram, mas logo se notou que não tinham arrancado todos por igual. O primeiro da fila do meio está parado, deve haver ali um problema mecânico qualquer, o acelerador solto, a alavanca da caixa de velocidades que se

encravou, ou uma avaria do sistema hidráulico, bloca-
gem dos travões, falha do circuito elétrico, se é que não
se lhe acabou simplesmente a gasolina, não seria a primeira vez que se dava o caso. O novo ajuntamento de
peões que está a formar-se nos passeios vê o condutor
do automóvel imobilizado a esbracejar por trás do para-
-brisas, enquanto os carros atrás dele buzinam frenéti-
cos. Alguns condutores já saltaram para a rua, dispostos
a empurrar o automóvel empanado para onde não fique a
estorvar o trânsito, batem furiosamente nos vidros fechados, o homem que está lá dentro vira a cabeça para eles,
a um lado, a outro, vê-se que grita qualquer coisa, pelos
movimentos da boca percebe-se que repete uma palavra,
uma não, duas, assim é realmente, consoante se vai ficar a saber quando alguém, enfim, conseguir abrir uma
porta, Estou cego.

Ninguém o diria. Apreciados como neste momento é
possível, apenas de relance, os olhos do homem parecem
sãos, a íris apresenta-se nítida, luminosa, a esclerótica
branca, compacta como porcelana. As pálpebras arrega-
ladas, a pele crispada da cara, as sobrancelhas de repente revoltas, tudo isso, qualquer o pode verificar, é que se
descompôs pela angústia. Num movimento rápido, o que
estava à vista desapareceu atrás dos punhos fechados do
homem, como se ele ainda quisesse reter no interior do
cérebro a última imagem recolhida, uma luz vermelha,
redonda, num semáforo. Estou cego, estou cego, repetia com desespero enquanto o ajudavam a sair do carro,
e as lágrimas, rompendo, tornaram mais brilhantes os
olhos que ele dizia estarem mortos. Isso passa, vai ver
que isso passa, às vezes são nervos, disse uma mulher.
O semáforo já tinha mudado de cor, alguns transeuntes
curiosos aproximavam-se do grupo, e os condutores lá

de trás, que não sabiam o que estava a acontecer, protestavam contra o que julgavam ser um acidente de trânsito vulgar, farol partido, guarda-lamas amolgado, nada que justificasse a confusão, Chamem a polícia, gritavam, tirem daí essa lata. O cego implorava, Por favor, alguém que me leve a casa. A mulher que falara de nervos foi de opinião que se devia chamar uma ambulância, transportar o pobrezinho ao hospital, mas o cego disse que isso não, não queria tanto, só pedia que o encaminhassem até à porta do prédio onde morava, Fica aqui muito perto, seria um grande favor que me faziam. E o carro, perguntou uma voz. Outra voz respondeu, A chave está no sítio, põe-se em cima do passeio. Não é preciso, interveio uma terceira voz, eu tomo conta do carro e acompanho este senhor a casa. Ouviram-se murmúrios de aprovação. O cego sentiu que o tomavam pelo braço, Venha, venha comigo, dizia-lhe a mesma voz. Ajudaram-no a sentar--se no lugar ao lado do condutor, puseram-lhe o cinto de segurança, Não vejo, não vejo, murmurava entre o choro, Diga-me onde mora, pediu o outro. Pelas janelas do carro espreitavam caras vorazes, gulosas da novidade. O cego ergueu as mãos diante dos olhos, moveu-as, Nada, é como se estivesse no meio de um nevoeiro, é como se tivesse caído num mar de leite, Mas a cegueira não é assim, disse o outro, a cegueira dizem que é negra, Pois eu vejo tudo branco, Se calhar a mulherzinha tinha razão, pode ser coisa de nervos, os nervos são o diabo, Eu bem sei o que é, uma desgraça, sim, uma desgraça, Diga-me onde mora, por favor, ao mesmo tempo ouviu-se o arranque do motor. Balbuciando, como se a falta de visão lhe tivesse enfraquecido a memória, o cego deu uma direção, depois disse, Não sei como lhe hei de agradecer, e o outro respondeu, Ora, não tem importância, hoje por si, amanhã por mim, não sabemos para o que estamos guardados, Tem razão, quem me diria, quando saí de casa esta manhã, que estava para me acontecer uma fatalidade como esta. Estranhou que continuassem parados, Por que é que não andamos, perguntou, O sinal está no vermelho, respondeu o outro, Ah, fez o cego, e pôs-se a chorar outra vez. A partir de agora deixara de poder saber quando o sinal estava vermelho.

Tal como o cego havia dito, a casa ficava perto. Mas os passeios estavam todos ocupados por automóveis, não encontraram espaço para arrumar o carro, por isso foram obrigados a ir procurar sítio numa das ruas transversais. Ali, como por causa da estreiteza do passeio a porta do assento ao lado do condutor ia ficar a pouco mais de um palmo da parede, o cego, para não passar pela angústia de arrastar-se de um assento ao outro, com a alavanca da caixa de velocidades e o volante a atrapalhá-lo, teve de sair primeiro. Desamparado, no meio da rua, sentindo que o chão lhe fugia debaixo dos pés, tentou conter a aflição que lhe subia pela garganta. Agitava as mãos à frente da cara, nervosamente, como se nadasse naquilo a que chamara um mar de leite, mas a boca já se lhe abria para lançar um grito de socorro, foi no último momento que a mão do outro lhe tocou de leve no braço, Acalme--se, eu levo-o. Foram andando muito devagar, com o medo de cair o cego arrastava os pés, mas isso fazia-o tropeçar nas irregularidades da calçada, Tenha paciência, já estamos quase a chegar, murmurava o outro, e um pouco mais adiante perguntou, Está alguém em sua casa que possa tomar conta de si, e o cego respondeu, Não sei, a minha mulher ainda não deve ter vindo do trabalho, eu hoje é que calhei sair mais cedo, e logo me sucede isto, Verá que não vai ser nada, nunca ouvi dizer que alguém tivesse ficado cego assim de repente, Que eu até me gabava de não usar óculos, nunca precisei, Então, já vê. Tinham chegado à porta do prédio, duas mulheres da vizinhança olharam curiosas a cena, vai ali aquele vizinho levado pelo braço, mas nenhuma delas teve a ideia de perguntar, Entrou-lhe alguma coisa para os olhos, não lhes ocorreu, e tão-pouco ele lhes poderia responder, Sim, entrou-me um mar de leite. Já dentro do prédio, o cego disse, Muito obrigado, desculpe o transtorno que lhe causei, agora eu cá me arranjo, Ora essa, eu subo consigo, não ficaria descansado se o deixasse aqui. Entraram dificilmente no elevador apertado, Em que andar mora, No terceiro, não imagina quanto lhe estou agradecido, Não me agradeça, hoje por si, Sim, tem razão, amanhã por si. O elevador parou, saíram para o patamar, Quer que o ajude a abrir a porta, Obrigado, isso eu acho que posso fazer. Tirou do bolso um pequeno molho de chaves, tateou-as, uma por uma, ao longo do denteado, disse, Esta deve de ser, e, apalpando a fechadura com as pontas dos dedos da mão esquerda, tentou abrir a porta, Não é esta, Deixe-me cá ver, eu ajudo-o. A porta abriu-se à terceira tentativa. Então o cego perguntou para dentro, Estás aí. Ninguém respondeu, e ele, Era o que eu dizia, ainda não veio. Levando as mãos adiante, às apalpadelas, passou para o corredor, depois voltou-se cautelosamente, orientando a cara na direção em que calculava encontrar-se o outro, Como poderei agradecer-lhe, disse, Não fiz mais que o meu dever, justificou o bom samaritano, não me agradeça, e acrescentou, Quer que o ajude a instalar-se, que lhe faça companhia enquanto a sua mulher não chega. O zelo pareceu de repente suspeito ao cego, evidentemente não iria deixar entrar em casa uma pessoa desconhecida

23

que, no fim de contas, bem poderia estar a tramar, naquele preciso momento, como haveria de reduzir, atar e amordaçar o infeliz cego sem defesa, para depois deitar a mão ao que encontrasse de valor. Não é preciso, não se incomode, disse, eu fico bem, e repetiu enquanto ia fechando a porta lentamente, Não é preciso, não é preciso.

Suspirou de alívio ao ouvir o ruído do elevador descendo. Num gesto maquinal, sem se lembrar do estado em que se encontrava, afastou a tampa do ralo da porta e espreitou para fora. Era como se houvesse um muro branco do outro lado. Sentia o contacto do aro metálico na arcada supraciliar, roçava com as pestanas a minúscula lente, mas não os podia ver, a insondável brancura cobria tudo. Sabia que estava na sua casa, reconhecia-a pelo odor, pela atmosfera, pelo silêncio, distinguia os móveis e os objetos só de tocar-lhes, passar-lhes os dedos por cima, ao de leve, mas era também como se tudo isto estivesse já a diluir-se numa espécie de estranha dimensão, sem direções nem referências, sem norte nem sul, sem baixo nem alto. Como toda a gente provavelmente o fez, jogara algumas vezes consigo mesmo, na adolescência, ao jogo do E se eu fosse cego, e chegara à conclusão, ao cabo de cinco minutos com os olhos fechados, de que a cegueira, sem dúvida alguma uma terrível desgraça, poderia, ainda assim, ser relativamente suportável se a vítima de tal infelicidade tivesse conservado uma lembrança suficiente, não só das cores, mas também das formas e dos planos, das superfícies e dos contornos, supondo, claro está, que a dita cegueira não fosse de nascença. Chegara mesmo ao ponto de pensar que a escuridão em que os cegos viviam não era, afinal, senão a simples ausência da luz, que o que chamamos cegueira era algo que se limitava a cobrir a aparência dos seres e das coisas, deixando-os intactos por trás do seu véu negro. Agora, pelo contrário, ei-lo que se encontrava mergulhado numa brancura tão luminosa, tão total, que devorava, mais do que absorvia, não só as cores, mas as próprias coisas e seres, tornando-os, por essa maneira, duplamente invisíveis.

Ao mover-se em direção à sala de estar, e apesar da prudente lentidão com que avançava, deslizando a mão hesitante ao longo da parede, fez cair ao chão uma jarra de flores de que não estava à espera. Tinha-se esquecido dela, ou então fora a mulher que a deixara ali quando saiu para o emprego, com a intenção de colocá-la depois em lugar adequado. Baixou-se para avaliar a gravidade do desastre. A água espalhara-se pelo chão encerado. Quis recolher as flores, mas não pensou nos vidros partidos, uma lasca longa, finíssima, espetou-se-lhe num dedo, e ele tornou a lacrimejar de dor, de abandono, como uma criança, cego de brancura no meio duma casa que, com o declinar da tarde, já começava a escurecer. Sem largar as flores, sentindo o sangue a escorrer, torceu-se todo para tirar o lenço do bolso e, como pôde, envolveu o dedo. Depois, apalpando, tropeçando, contornando os móveis, pisando cautelosamente para não enfiar os pés nos tapetes, alcançou o sofá onde ele e a mulher viam a televisão. Sentou-se, pôs as flores em cima das pernas, e, com muito cuidado, desenrolou o lenço. O sangue, pegajoso ao tato, perturbou-o, pensou que devia ser porque não podia vê-lo, o seu sangue tornara-se numa viscosidade sem cor, em algo de certo modo alheio que apesar disso lhe pertencia, mas como uma ameaça de si contra si mesmo. Devagarinho, apalpando levemente com a mão boa, procurou a delgada esquírola de vidro, aguda como uma espada minúscula, e, fazendo pinça com as unhas do polegar e do indicador, conseguiu extraí-la inteira. Tornou a envolver no lenço o dedo maltratado, com força para estancar o sangue, e, rendido, exausto, reclinou-se no sofá. Um minuto mais tarde, por uma dessas não raras desistências do corpo, que escolhe, para renunciar, certos momentos de angústia ou de desespero, quando, se por a exclusiva lógica se governasse, todos os seus nervos deveriam estar despertos e tensos, entrou-lhe uma espécie de quebranto, mais sonolência do que sono autêntico, mas tão pesada como ele. Imediatamente sonhou que estava a jogar o jogo do E se eu fosse cego, sonhava que fechava e abria os olhos muitas vezes, e que, de cada vez, como se estivesse a regressar de uma viagem, encontrava à sua espera, firmes e inalteradas, todas as formas e cores, o mundo como o conhecia. Por debaixo desta certeza tranquilizadora percebia, contudo, o remoer surdo de uma dúvida, talvez se tratasse de um sonho enganador, um sonho de que teria de acordar mais cedo ou mais tarde, sem saber, nesse momento, que realidade estaria à sua espera. Depois, se tal palavra tem algum sentido aplicada a um quebrantamento que não durou mais que uns instantes, e já naquele estado de meia vigília que vai preparando o despertar, considerou seriamente que não estava bem manter-se numa tal indecisão, acordo, não acordo, acordo, não acordo, sempre chega uma altura em que não há outro remédio que arriscar, Eu que faço aqui, com estas flores em cima das pernas e os olhos fechados, que parece que estou com medo de os abrir, Que fazes tu aí, a dormir, com essas flores em cima das pernas, perguntava-lhe a mulher.

Não esperara pela resposta. Ostensivamente, pusera--se a recolher os restos da jarra e a enxugar o soalho, enquanto ia resmungando, com uma irritação que não procurava dissimular, Bem o poderias ter feito tu, em lugar de te deitares para aí a dormir, como se não fosse nada contigo. Ele não falou, protegia os olhos por trás das pálpebras apertadas, subitamente agitado por um pensamento, E se eu abro os olhos e vejo, perguntava-se, tomado por uma ansiosa esperança. A mulher aproximou-se, reparou no lenço manchado de sangue, o seu agastamento apagou-se num instante, Pobrezinho, como foi que te aconteceu isto, perguntava compadecida, enquanto desfazia a improvisada atadura. Então ele, com todas as suas forças, desejou ver a mulher ajoelhada aos seus pés, ali, como sabia que estava, e depois, já certo de que a não veria, abriu os olhos, Até que enfim que acordaste, meu dorminhoco, disse ela, sorrindo. Fez-se um silêncio, e ele disse, Estou cego, não te vejo. A mulher ralhou, Deixa-te de brincadeiras estúpidas, há coisas com que não devemos brincar, Quem me dera que fosse uma brincadeira, a verdade é que estou mesmo cego, não vejo nada, Por favor, não me assustes, olha para mim, aqui, estou aqui, a luz está acesa, Sei que aí estás, ouço-te, toco-te, calculo que tenhas acendido a luz, mas eu estou cego. Ela começou a chorar, agarrou-se a ele, Não é verdade, dize-me que não é verdade. As flores tinham escorregado para o chão, sobre o lenço manchado, o sangue recomeçara a pingar do dedo ferido, e ele, como se por outras palavras quisesse dizer Do mal o menos, murmurou, Vejo tudo branco, e logo deixou aparecer um sorriso triste. A mulher sentou-se ao lado dele, abraçou-o muito, beijou-o com cuidado na testa, na cara, suavemente nos olhos, Verás que isso passa, tu não estavas doente, ninguém fica cego assim, de um momento para outro, Talvez, Conta-me como foi, o que sentiste, quando, onde, não, ainda não, espera, a primeira coisa que temos de fazer é falar com um médico dos olhos, conheces algum, Não conheço, nem tu nem eu usamos óculos, E se te levasse ao hospital, Para olhos que não veem, não deve haver serviços de urgência, Tens razão, o melhor é irmos diretamente a um médico, vou procurar na lista dos telefones, um que tenha consultório perto daqui. Levantou-se, ainda perguntou, Notas alguma diferença, Nenhuma, disse ele, Atenção, vou apagar a luz, já me dirás, agora, Nada, Nada, quê, Nada, vejo sempre o mesmo branco, para mim é como se não houvesse noite.

Ele ouvia a mulher passar rapidamente as folhas da lista telefónica, fungando para segurar as lágrimas, suspirando, dizendo enfim, Este deve servir, oxalá nos possa atender. Marcou um número, perguntou se era do consultório, se o senhor doutor estava, se podia falar com ele, não, não, o senhor doutor não me conhece, é por causa de um caso muito urgente, sim, por favor, compreendo, então digo-lho a si, mas peço-lhe que transmita ao senhor doutor, é que o meu marido ficou cego de repente, sim, sim, como lhe estou a dizer, de repente, não, não é doente do senhor doutor, o meu marido não usa óculos, nunca usou, sim, tinha uma ótima vista, como eu, eu também vejo bem, ah, muito obrigada, eu espero, eu espero, sim, senhor doutor, sim, de repente, diz que vê tudo branco, não sei como foi, nem tive tempo de lhe perguntar, acabo de chegar a casa e encontrei-o neste estado, quer que lhe pergunte, ah, quanto lhe agradeço, senhor doutor, vamos imediatamente, imediatamente. O cego levantou-se, Espera, disse a mulher, deixa-me curar primeiro esse dedo, desapareceu por uns momentos, voltou com um frasco de água oxigenada, outro de mercurocromo, algodão, uma caixinha de pensos rápidos. Enquanto o tratava perguntou-lhe, Onde foi que deixaste o carro, e subitamente, Mas tu, assim como estás, não podias conduzir, ou já estavas em casa quando, Não, foi na rua, quando estava parado num sinal vermelho, uma pessoa fez o favor de me trazer, o carro ficou aí na rua ao lado, Bom, então descemos, esperas à porta que eu o vou buscar, onde foi que puseste as chaves, Não sei, ele não mas devolveu, Ele, quem, O homem que me trouxe a casa, foi um homem, Tê-las-á largado por aí, vou ver, Não vale a pena procurares, ele não entrou, Mas as chaves têm de estar em algum sítio, O mais certo foi ter-se ele esquecido, levou-as sem se dar conta, Era mesmo isto o que nos faltava, Usa as tuas, depois logo se vê, Bem, vamos, dá-me cá a mão. O cego disse, Se vou ter de ficar assim, acabo com a vida, Por favor, não digas disparates, para infelicidade já basta o que nos sucedeu, Eu é que estou cego, não tu, tu não podes saber o que me sucedeu, O médico vai pôr-te bom, verás, Verei.

Saíram. Em baixo, no vestíbulo da escada, a mulher acendeu a luz e sussurrou-lhe ao ouvido, Espera-me aqui, se algum vizinho aparecer fala-lhe com naturalidade, diz que estás à minha espera, olhando para ti ninguém pensará que não vês, escusamos de estar já a dar notícia da nossa vida, Sim, mas não te demores. A mulher saiu a correr. Nenhum vizinho entrou ou saiu. Por experiência, o cego sabia que a escada só estaria iluminada enquanto se ouvisse o mecanismo do contador automático, por isso ia premindo o disparador de cada vez que se fazia silêncio. A luz, esta luz, para ele, tornara-se em ruído. Não entendia por que se demorava a mulher tanto, a rua era ali ao lado, uns oitenta, cem metros, Se nos atrasamos muito, o médico vai-se embora, pensou. Não pôde evitar um gesto maquinal, levantar o punho esquerdo e baixar os olhos para ver as horas. Apertou os lábios como se o tivesse traspassado uma súbita dor, e agradeceu à sorte não ter aparecido naquele momento um vizinho, pois ali mesmo, à primeira palavra que ele lhe dirigisse, se teria desfeito em lágrimas. Um carro parou na rua, Até que enfim, pensou, mas ato contínuo estranhou o barulho do motor, Isto é diesel, isto é um táxi, disse, e carregou uma vez mais no botão da luz. A mulher vinha a entrar, nervosa, transtornada, O santinho do teu protetor, a boa alma, levou-nos o carro, Não pode ser, não deves ter visto bem, Claro que vi bem, eu vejo bem, as últimas palavras saíram-lhe sem ela querer, Tinhas-me dito que o carro estava na rua ao lado, emendou, e não está, ou então deixaram-no noutra rua, Não, não, foi nessa, tenho a certeza, Pois então levou sumiço, Nesse caso, as chaves, Aproveitou-se da tua desorientação, da aflição em que estavas, e roubou-nos, E eu que nem o quis deixar entrar em casa, por medo, se tivesse ficado a fazer-me companhia até tu chegares, não poderia ter roubado o carro, Vamos, temos o táxi à espera, juro-te que era capaz de dar um ano de vida para que esse malandro cegasse também, Não fales tão alto, E lhe roubassem tudo quanto tenha, Pode ser que apareça, Ah, pois, amanhã bate-nos aí à porta a dizer que foi uma distração, a pedir desculpa, e a saber se estás melhorzinho.

Mantiveram-se calados até ao consultório do médico. Ela procurava afastar do pensamento o roubo do carro, apertava carinhosamente as mãos do marido entre as suas, enquanto ele, com a cabeça baixa para que o motorista não pudesse ver-lhe os olhos pelo retrovisor, não parava de perguntar-se como era possível que tão grande desgraça lhe estivesse a acontecer a ele, A mim, porquê.

Aos ouvidos chegavam-lhe os ruídos do trânsito, uma ou outra voz mais alta quando o táxi parava, também às vezes sucede, ainda dormimos e já os sons exteriores vão repassando o véu da inconsciência em que ainda estamos envolvidos, como num lençol branco. Como num lençol branco. Abanou a cabeça suspirando, a mulher tocou-lhe ao de leve na face, maneira de dizer Sossega, estou aqui, e ele deixou pender a cabeça para o ombro dela, sem se importar com o que pensaria o motorista, Estivesses tu como eu, e não poderias ir aí a guiar, pensou infantilmente, e, sem reparar no absurdo do enunciado, congratulou-se por, em meio do seu desespero, ter sido ainda capaz de formular um raciocínio lógico. Ao sair do táxi, auxiliado discretamente pela mulher, parecia calmo, mas, à entrada do consultório, onde iria conhecer a sua sorte, perguntou-lhe num murmúrio que tremia, Como estarei eu quando sair daqui, e abanou a cabeça como quem já nada espera.

A mulher informou a empregada da receção de que era a pessoa que há meia hora tinha telefonado por causa do marido, e ela fê-los passar a uma pequena sala onde outros doentes esperavam. Havia um velho com uma venda preta num dos olhos, um rapazinho que parecia estrábico acompanhado por uma mulher que devia de ser a mãe, uma rapariga nova de óculos escuros, duas outras pessoas sem sinais particulares à vista, mas nenhum cego, os cegos não vão ao oftalmologista. A mulher guiou o marido para uma cadeira livre, e, por não sobrar outro assento, ficou de pé ao lado dele, Vamos ter de esperar, murmurou-lhe ao ouvido. Ele percebeu porquê, ouvira vozes dos que ali se encontravam, agora afligia-o uma preocupação diferente, pensava que quanto mais o médico tardasse a examiná-lo, mais profunda a cegueira se tornaria, e portanto incurável, sem remédio. Mexeu-se na cadeira, inquieto, ia comunicar as suas apreensões à mulher, mas nesse momento a porta abriu-se e a empregada disse, Os senhores, por favor, passem, e dirigindo-se aos outros doentes, Foi ordem do senhor doutor, o caso deste senhor é urgente. A mãe do rapaz estrábico protestou que o direito é o direito, e que ela estava em primeiro lugar, e à espera há mais de uma hora. Os outros doentes apoiaram-na em voz baixa, mas nenhum deles, nem ela própria, acharam prudente insistir na reclamação, não fosse o médico ficar ressentido e depois pagar-se da impertinência fazendo-os esperar ainda mais, tem-se visto. O velho do olho vendado foi magnânimo, Deixem-no lá, coitado, aquele vai bem pior do que qualquer de nós. O cego não o ouviu, já iam a entrar no gabinete do médico, e a mulher dizia, Muito obrigada pela sua bondade, senhor doutor, é que o meu marido, e tendo dito interrompeu-se, em verdade ela não sabia o que realmente sucedera, sabia apenas que o marido estava cego e lhes tinham roubado o carro. O médico disse, Sentem-se, por favor, ele próprio foi ajudar o paciente a acomodar-se, e depois, tocando-lhe na mão, falou diretamente para ele, Conte-me lá então o que se passa consigo. O cego explicou que estando dentro do carro, à espera de que o sinal vermelho mudasse, tinha ficado subitamente sem ver, que umas pessoas acudiram a ajudá-lo, que uma mulher de idade, pela voz devia ser, dissera que aquilo se calhar eram nervos, e que depois um homem o acompanhara a casa porque ele sozinho não podia valer-se, Vejo tudo branco, senhor doutor. Não falou do roubo do automóvel.

O médico perguntou-lhe, Nunca lhe tinha acontecido antes, quero dizer, o mesmo de agora, ou parecido, Nunca, senhor doutor, eu nem sequer uso óculos, E diz-

-me que foi de repente, Sim, senhor doutor, Como uma luz que se apaga, Mais como uma luz que se acende, Nestes últimos dias tinha sentido alguma diferença na vista, Não, senhor doutor, Há, ou houve, algum caso de cegueira na sua família, Nos parentes que conheci ou de quem ouvi falar, nenhum, Sofre de diabetes, Não, senhor doutor, De sífilis, Não, senhor doutor, De hipertensão arterial ou intracraniana, Da intracraniana não sei, do mais sei que não sofro, lá na empresa fazem-nos inspeções, Deu alguma pancada violenta na cabeça, hoje ou ontem, Não, senhor doutor, Quantos anos tem, Trinta e oito, Bom, vamos lá então observar esses olhos. O cego abriu-os muito, como para facilitar o exame, mas o médico tomou-o por um braço e foi instalá-lo por trás de um aparelho que alguém com imaginação poderia ver como um novo modelo de confessionário, em que os olhos tivessem substituído as palavras, com o confessor a olhar diretamente para dentro da alma do pecador, Apoie aqui o queixo, recomendou, mantenha os olhos abertos, não se mexa. A mulher aproximou-se do marido, pôs-lhe a mão no ombro, disse, Verás como tudo se irá resolver. O médico subiu e baixou o sistema binocular do seu lado, fez girar parafusos de passo finíssimo, e principiou o exame. Não encontrou nada na córnea, nada na esclerótica, nada na íris, nada na retina, nada no cristalino, nada na mácula lútea, nada no nervo ótico, nada em parte alguma. Afastou-se do aparelho, esfregou os olhos, depois recomeçou o exame desde o princípio, sem falar, e quando outra vez terminou tinha na cara uma expressão perplexa, Não lhe encontro qualquer lesão, os seus olhos estão perfeitos. A mulher juntou as mãos num gesto de alegria e exclamou, Eu bem te tinha dito, eu bem te tinha dito, tudo se ia resolver. Sem lhe dar atenção, o cego perguntou, Já posso tirar o queixo, senhor doutor, Claro que sim, desculpe, Se os meus olhos estão perfeitos, como diz, então por que estou eu cego, Por enquanto não lhe sei dizer, vamos ter de fazer exames mais minuciosos, análises, ecografia, encefalograma, Acha que tem alguma coisa a ver com o cérebro, É uma possibilidade, mas não creio, No entanto o senhor doutor diz que não encontra nada de mau nos meus olhos, Assim é, Não percebo, O que quero dizer é que se o senhor está de facto cego, a sua cegueira, neste momento, é inexplicável, Duvida que eu esteja cego, Que ideia, o problema está na raridade do caso, pessoalmente, em toda a minha vida de médico, nunca me apareceu nada assim, e atrevo-me mesmo a dizer que em toda a história da oftalmologia, Acha que tenho cura, Em princípio, porque não lhe encontro lesões de qualquer tipo nem malformações congénitas, a minha resposta deveria ser afirmativa, Mas pelos vistos não o é, Só por cautela, só porque não quero dar-lhe esperanças que depois venham a mostrar-se sem fundamento, Compreendo, Pois é, E deverei seguir algum tratamento, tomar algum remédio, Por enquanto não lhe receitarei nada, seria estar a receitar às cegas, Aí está uma expressão apropriada, observou o cego. O médico fez que não ouvira, afastou-se do banco giratório em que se tinha sentado para a observação, e, mesmo de pé, escreveu numa folha de receita os exames e análises que considerava necessários. Entregou o papel à mulher, Aqui tem, minha senhora, volte cá com o seu marido quando tiver os resultados, se entretanto houver alguma modificação no estado dele, telefone-me, A consulta, senhor doutor, Paga à empregada da receção. Acompanhou-os à porta, balbuciou uma frase de confiança, do género Vamos a ver, vamos a ver, é preciso não desesperar, e quando se encontrou de novo só entrou no pequeno quarto de banho anexo e ficou a olhar-se no espelho durante um longo minuto, Que será isto, murmurou. Depois regressou ao gabinete, chamou a empregada, Mande entrar o seguinte.

Nessa noite o cego sonhou que estava cego.

Ao oferecer-se para ajudar o cego, o homem que depois roubou o carro não tinha em mira, nesse momento preciso, qualquer intenção malévola, muito pelo contrário, o que ele fez não foi mais que obedecer àqueles sentimentos de generosidade e altruísmo que são, como toda a gente sabe, duas das melhores características do género humano, podendo ser encontradas até em criminosos bem mais empedernidos do que este, simples ladrãozeco de automóveis sem esperança de avanço na carreira, explorado pelos verdadeiros donos do negócio, que esses é que se vão aproveitando das necessidades de quem é pobre. No fim das contas, estas ou as outras, não é assim tão grande a diferença entre ajudar um cego para depois o roubar e cuidar de uma velhice caduca e tatebitate com o olho posto na herança. Foi só quando já estava perto da casa do cego que a ideia se lhe apresentou com toda a naturalidade, exatamente, assim se pode dizer, como se tivesse decidido comprar um bilhete de lotaria só por ter visto o cauteleiro, não teve nenhum palpite, comprou a ver o que dali saía, conformado de antemão com o que a volúvel fortuna lhe trouxesse, algo ou coisa nenhuma, outros diriam que agiu segundo um reflexo condicionado da sua personalidade.

Os céticos acerca da natureza humana, que são muitos e teimosos, vêm sustentando que se é certo que a ocasião nem sempre faz o ladrão, também é certo que o ajuda muito. Quanto a nós, permitir-nos-emos pensar que se o cego tivesse aceitado o segundo oferecimento do afinal falso samaritano, naquele derradeiro instante em que a bondade ainda poderia ter prevalecido, referimo--nos o oferecimento de lhe ficar a fazer companhia enquanto a mulher não chegasse, quem sabe se o efeito da responsabilidade moral resultante da confiança assim outorgada não teria inibido a tentação criminosa e feito vir ao de cima o que de luminoso e nobre sempre será possível encontrar mesmo nas almas mais perdidas. Plebeiamente concluindo, como não se cansa de ensinar-nos o provérbio antigo, o cego, julgando que se benzia, partiu o nariz.

A consciência moral, que tantos insensatos têm ofendido e muitos mais renegado, é coisa que existe e existiu sempre, não foi uma invenção dos filósofos do Quaternário, quando a alma mal passava ainda de um projeto confuso. Com o andar dos tempos, mais as atividades da convivência e as trocas genéticas, acabamos por meter a consciência na cor do sangue e no sal das lágimas, e, como se tanto fosse pouco, fizemos dos olhos uma espécie de espelhos virados para dentro, com o resultado, muitas vezes, de mostrarem eles sem reserva o que estávamos tratando de negar com a boca. Acresce a isto, que é geral, a circunstância particular de que, em espíritos simples, o remorso causado por um mal feito se confunde frequentemente com medos ancestrais de todo o tipo, donde resulta que o castigo do prevaricador acaba por ser, sem pau nem pedra, duas vezes o merecido. Não será possível, portanto, neste caso, deslindar que parte dos medos e que parte da consciência afligida começaram a apoquentar o ladrão assim que pôs o carro em marcha. Sem dúvida nunca poderia ser tranquilizador ir sentado no lugar de alguém que segurava com as mãos este mesmo volante no momento em que cegou, que olhou através deste para-brisas e de repente ficou sem ver, não é preciso ser-se dotado de muita imaginação para que tais pensamentos façam acordar a imunda e rastejante besta do pavor, aí está ela já a levantar a cabeça. Mas era também o remorso, expressão agravada duma consciência, como antes foi dito, ou, se quisermos descrevê-lo em termos sugestivos, uma consciência com dentes para morder, que estava a pôr-lhe diante dos olhos a imagem desamparada do cego quando fechava a porta, Não é preciso, não é preciso, dissera o coitado, e daí para o futuro não seria capaz de dar um passo sem ajuda.

O ladrão redobrou de atenção ao trânsito para impedir que pensamentos tão assustadores lhe ocupassem por inteiro o espírito, sabia bem que não podia permitir-se o mais pequeno erro, a mais pequena distração. A polícia andava por ali, bastava que algum deles o mandasse parar, Faça favor, a carta e o livrete, outra vez a cadeia, a dureza da vida. Usava de todo o cuidado em obedecer aos semáforos, em caso algum avançar com o vermelho, respeitar o amarelo, esperar com paciência que saia o verde. A certa altura apercebeu-se de que tinha começado a olhar as luzes de um modo que se estava a tornar obsessivo. Passou então a regular a velocidade do carro de maneira a ter sempre por diante um sinal verde, mesmo que para o conseguir tivesse de aumentar a velocidade ou, pelo contrário, reduzi-la ao ponto de irritar os condutores que vinham de trás. Por fim, desorientado, tenso a mais não poder, acabou por enfiar o carro por uma rua transversal secundária onde sabia não haver semáforos, e arrumou-o quase sem olhar, que lá bom condutor era ele. Sentia-se à beira de um ataque de nervos, por estas exatas palavras o havia pensado, Estou aqui estou a ter um ataque de nervos. Abafava-se dentro do automóvel. Desceu os vidros dos dois lados, mas o ar de fora, se se movia, não refrescou a atmosfera interior. Que faço, perguntou. O barracão aonde deveria levar o carro ficava longe, numa povoação fora da cidade, com o estado de espírito em que se encontrava nunca conseguiria lá chegar, Apanha-me aí um polícia, ou tenho um desastre, e ainda é pior, murmurou. Pensou então que o melhor seria sair do automóvel por um bocado, arejar as ideias, Talvez me limpe os aranhiços da cabeça, lá porque o tipo ficou cego não quer dizer que a mim me suceda o mesmo, isto não é uma gripe que se pega, dou uma volta ao quarteirão e já me passa. Saiu, nem valia a pena fechar o carro, daí a nada estaria de volta, e afastou-se. Ainda não tinha andado trinta passos quando cegou.

No consultório, o último paciente a ser atendido foi o velho de bom génio, aquele que dissera tão boas palavras sobre o pobre diabo que cegara de repente. Ia só para combinar a data da operação a uma catarata que lhe aparecera no único olho que lhe restava, a venda preta tapava uma ausência, não tinha nada que ver com o caso de agora, São mazelas que vêm com a idade, dissera-lhe o médico tempos atrás, quando estiver madura tiramo-la, depois nem vai reconhecer o mundo em que vivia. Quando o velho da venda preta saiu e a enfermeira disse que não havia mais pacientes na sala de espera, o médico pegou na ficha do homem que aparecera cego, leu-a uma vez, duas vezes, pensou durante alguns minutos e finalmente ligou o telefone para um colega, com quem teve a seguinte conversação, Queres saber, tive hoje um caso estranhíssimo, um homem que perdeu totalmente a visão de um instante para outro, o exame não mostrou qualquer lesão percetível nem indícios de malformações de nascença, diz ele que vê tudo branco, uma espécie de brancura leitosa, espessa, que se lhe agarra aos olhos, estou a tentar exprimir o melhor possível a descrição que fez, sim, claro que é subjetivo, não, o homem é novo, trinta e oito anos, tens notícia de algum caso semelhante, leste, ouviste falar, bem me parecia, por agora não lhe vejo solução, para ganhar tempo mandei-lhe fazer umas análises, sim, podemos observá-lo juntos um destes dias, depois do jantar vou passar os olhos pelos livros, rever bibliografia, talvez encontre uma pista, sim, bem sei, a agnosia, a cegueira psíquica, poderia ser, mas então tratar-se-ia do primeiro caso com estas características, porque não há dúvida de que o homem está mesmo cego, a agnosia, sabemo-lo, é a incapacidade de reconhecer o que se vê, pois, também pensei nisso, a possibilidade de se tratar de uma amaurose, mas lembra-te do que comecei por te dizer, esta cegueira é branca, precisamente o contrário da amaurose, que é treva total, a não ser que exista por aí uma amaurose branca, uma treva branca, por assim dizer, sim, já sei, foi coisa que nunca se viu, de acordo, amanhã telefono--lhe, digo-lhe que queremos examiná-lo os dois. Terminada a conversa, o médico recostou-se na cadeira, deixou-se ficar assim uns minutos, depois levantou--se, despiu a bata em movimentos cansados, lentos. Foi à casa de banho para lavar as mãos, mas desta vez não perguntou ao espelho, metafisicamente, Que será aquilo, recuperara o espírito científico, o facto de a agnosia e a amaurose se encontrarem identificadas e definidas com precisão nos livros e na prática, não significava que não viessem a surgir variantes, mutações, se a palavra é adequada, e esse dia parecia ter chegado. Há mil razões para que o cérebro se feche, só isto, e nada mais, como uma visita tardia que encontrasse cerrados os seus próprios umbrais. O oftalmologista tinha gostos literários e sabia citar a propósito.

À noite, depois do jantar, disse à mulher, Apareceu-me no consultório um estranho caso, poderia tratar-se de uma variante da cegueira psíquica ou da amaurose, mas não consta que tal coisa se tivesse verificado alguma vez, Que doenças são essas, a amaurose e a outra, perguntou a mulher. O médico deu uma explicação acessível a um entendimento normal, que satisfez a curiosidade dela, depois foi buscar à estante os livros da especialidade, uns antigos, do tempo da faculdade, outros recentes, alguns de publicação recentíssima, que ainda mal tivera tempo de estudar. Procurou nos índices, a seguir, metodicamente, pôs-se a ler tudo o que ia encontrando sobre a agnosia e a amaurose, com a impressão incómoda de saber-se intruso num domínio que não era o seu, o misterioso território da neurocirurgia, acerca do qual não possuía mais do que umas luzes escassas. Noite dentro, afastou os livros que estivera a consultar, esfregou os olhos fatigados e reclinou-se na cadeira. Nesse momento a alternativa apresentava-se-lhe com toda a clareza. Se o caso fosse de agnosia, o paciente estaria vendo agora o que sempre tinha visto, isto é, não teria ocorrido nele qualquer diminuição da acuidade visual, simplesmente o cérebro ter-se-ia tornado incapaz de reconhecer uma cadeira onde estivesse uma cadeira, quer dizer, continuaria a reagir corretamente aos estímulos luminosos encaminhados pelo nervo ótico, mas, para usar uns termos comuns, ao alcance de gente pouco informada, teria perdido a capacidade de saber que sabia e, mais ainda, de dizê-lo. Quanto à amaurose, aí, nenhuma dúvida. Para que efetivamente o caso fosse esse, o paciente teria de ver tudo negro, ressalvando-se, já se sabe, o uso de tal verbo, ver, quando de trevas absolutas se tratava. O cego afirmara categoricamente que via, ressalve-se também o verbo, uma cor branca uniforme, densa, como se se encontrasse mergulhado de olhos abertos num mar de leite. Uma amaurose branca, além de ser etimologicamente uma contradição, seria também uma impossibilidade neurológica, uma vez que o cérebro, que não poderia então perceber as imagens, as formas e as cores da realidade, não poderia da mesma maneira, para dizê-lo assim, cobrir de branco, de um branco contínuo, como uma pintura branca sem tonalidades, as cores, as formas e as imagens que a mesma realidade apresentasse a uma visão normal, por muito problemático que sempre seja falar, com efetiva propriedade, de uma visão normal. Com a consciência claríssima de se encontrar metido num beco onde aparentemente não havia saída, o médico abanou a cabeça com desalento e olhou em redor. A mulher já se tinha retirado, lembrava-se vagamente de que ela se aproximara um momento e lhe dera um beijo no cabelo, Vou-me deitar, devia ter dito, a casa estava agora silenciosa, em cima da mesa os livros espalhados, Que será isto, pensou, e de súbito sentiu medo, como se ele próprio fosse cegar no instante seguinte e já o soubesse. Susteve a respiração e esperou. Nada sucedeu. Sucedeu um minuto depois, quando juntava os livros para os arrumar na estante. Primeiro percebeu que tinha deixado de ver as mãos, depois soube que estava cego.

O mal da rapariga dos óculos escuros não era de gravidade, tinha apenas uma conjuntivite das mais simples, que o tópico ligeiramente receitado pelo médico iria resolver em poucos dias, Já sabe, durante esse tempo só tira os óculos para dormir, dissera-lhe. O gracejo levava muitos anos de uso, é mesmo de supor que viesse passando de geração em geração de oftalmologistas, mas o efeito repetia-se de cada vez, o médico sorria ao dizê-lo, sorria o paciente ao ouvi-lo, e neste caso valia a pena, porque a rapariga tinha os dentes bonitos e sabia como mostrá-los. Por natural misantropia ou demasiadas deceções na vida, qualquer cético comum, conhecedor dos pormenores da vida desta mulher, insinuaria que a bonitez do sorriso não passava de uma artimanha de ofício, afirmação maldosa e gratuita, porque ele, o sorriso, já tinha sido assim nos tempos não muito distantes em que a mulher fora menina, palavra em desuso, quando o futuro era uma carta fechada e a curiosidade de abri-la ainda estava por nascer. Simplificando, pois, poder-se-ia incluir esta mulher na classe das denominadas prostitutas, mas a complexidade da trama das relações sociais, tanto diurnas como noturnas, tanto verticais como horizontais, da época aqui descrita, aconselha a moderar qualquer tendência para juízos perentórios, definitivos, balda de que, por exagerada suficiência nossa, talvez nunca consigamos livrar-nos. Ainda que seja evidente o muito que de nuvem há em Juno, não é lícito, de todo, teimar em confundir com uma deusa grega o que não passa de uma vulgar massa de gotas de água pairando na atmosfera. Sem dúvida, esta mulher vai para a cama a troco de dinheiro, o que permitiria, provavelmente, sem mais considerações, classificá-la como prostituta de facto, mas, sendo certo que só vai quando quer e com quem quer, não é de desdenhar a probabilidade de que tal diferença de direito deva determinar cautelarmente a sua exclusão do grémio, entendido como um todo. Ela tem, como a gente normal, uma profissão, e, também como a gente normal, aproveita as horas que lhe ficam para dar algumas alegrias ao corpo e suficientes satisfações às necessidades, as particulares e as gerais. Se não se pretender reduzi-la a uma definição primária, o que finalmente se deverá dizer dela, em lato sentido, é que vive como lhe apetece e ainda por cima tira daí todo o prazer que pode.

Fizera-se noite quando saiu do consultório. Não tirou os óculos, a iluminação das ruas incomodava-a, em particular a dos anúncios. Entrou numa farmácia a comprar o medicamento que o médico tinha receitado, decidiu não se dar por achada quando o empregado que a atendia falou do injusto que é andarem certos olhos cobertos por vidros escuros, observação que, além de ser impertinente em si mesma, um ajudante de farmácia, imagine-se, contrariava a sua convicção de que os óculos escuros lhe conferiam um ar de capitoso mistério, capaz de provocar o interesse dos homens que passam, e eventualmente retribuí-lo, se não se desse, hoje, a circunstância de haver alguém à sua espera, um encontro de que tinha razões para esperar boas coisas, tanto no que se referia à satisfação material como às outras satisfações. O homem com quem ia estar era já seu conhecido, não se tinha importado quando ela avisou que não poderia tirar os óculos, ordem, aliás, que o médico ainda não dera, e até lhe achou graça, era uma novidade. À saída da farmácia, a rapariga chamou um táxi, deu o nome de um hotel. Recostada no assento, prelibava já, se o termo é próprio, as distintas e múltiplas sensações do gozo sensual, desde o primeiro e sábio roçar dos lábios, desde a primeira carícia íntima, até às sucessivas explosões de um orgasmo que iria deixá-la exausta e feliz, como se estivesse a ser crucificada, salvo seja, numa girândola ofuscante e vertiginosa. Razões portanto temos para concluir que a rapariga dos óculos escuros, se o parceiro soube cumprir cabalmente, em tempo e em técnica, a sua obrigação, paga sempre por adiantado e em dobro o que depois vem a cobrar. Em meio destes pensamentos, sem dúvida porque tinha acabado de pagar uma consulta, ela perguntou-se se não seria boa altura para subir, já a partir de hoje, o que, com risonho eufemismo, costumava designar por seu justo nível de compensação.

Mandou parar o táxi um quarteirão antes, misturou--se com as pessoas que seguiam na mesma direção, como que deixando-se levar por elas, anónima e sem nenhuma culpa notória. Entrou no hotel com ar natural, atravessou o vestíbulo para o bar. Chegara adiantada alguns minutos, portanto devia esperar, a hora do encontro havia sido combinada com precisão. Pediu um refresco, que tomou sossegadamente, sem pôr os olhos em ninguém, não queria ser confundida com uma caçadora de homens vulgar. Um pouco mais tarde, como uma turista que sobe ao quarto a descansar depois de ter passado a tarde nos museus, dirigiu-se ao ascensor. A virtude, quem o ignorará ainda, sempre encontra escolhos no duríssimo caminho da perfeição, mas o pecado e o vício são tão favorecidos da fortuna que foi ela chegar e abrirem-se-lhe as portas do elevador. Saíram dois hóspedes, um casal idoso, ela passou para dentro, premiu o botão do terceiro andar, trezentos e doze era o número que a esperava, é aqui, bateu discretamente à porta, dez minutos depois estava nua, aos quinze gemia,

aos dezoito sussurrava palavras de amor que já não tinha necessidade de fingir, aos vinte começava a perder
a cabeça, aos vinte e um sentiu que o corpo se lhe des-
pedaçava de prazer, aos vinte e dois gritou, Agora, agora, e quando recuperou a consciência disse, exausta e
feliz, Ainda vejo tudo branco.

Ao ladrão do automóvel levou-o um polícia a casa. Não podia o circunspecto e compadecido agente de autoridade imaginar que conduzia um empedernido delinquente pelo braço, não para o impedir de escapar-se, como em outra ocasião teria sido, mas simplesmente para o que o pobre homem não tropeçasse e caísse. Em compensação, já nos é muito fácil imaginar o susto que levou a mulher do ladrão quando, abrindo a porta, se encontrou pela frente com um polícia de uniforme que trazia filado, assim lhe pareceu, um decaído prisioneiro, a quem, a avaliar pela triste cara que trazia, devia ter sucedido algo pior que ser preso. Por um instante, primeiro pensou a mulher que o seu homem havia sido apanhado em flagrante delito e que o polícia estava ali para passar busca à casa, ideia esta, por outro lado, e por muito paradoxal que pareça, bastante tranquilizadora, considerando que o marido só roubava automóveis, objetos que, pelo seu tamanho, não podem ser escondidos debaixo da cama. Não durou muito a dúvida, o polícia disse, Este senhor está cego, tome conta dele, e a mulher, que deveria ter ficado aliviada porque o agente, afinal, vinha apenas de acompanhante, percebeu a dimensão da fatalidade que lhe entrava em casa quando um marido desfeito em lágrimas lhe caiu nos braços dizendo o que já sabemos.

A rapariga dos óculos escuros também foi levada a casa de seus pais por um polícia, mas o picante das circunstâncias em que a cegueira, no seu caso, se declarara, uma mulher nua aos gritos num hotel, alvorotando os hóspedes, enquanto o homem que estava com ela tentava escapulir-se enfiando atabalhoadamente as calças, moderava, de certa maneira, o dramatismo óbvio da situação. A cega, corrida de vergonha, sentimento em tudo compatível, por muito que rosnem os prudentes fingidos e os virtuosos falsos, com os mercenários exercícios amatórios a que se dedicava, após os gritos lancinantes que começou a soltar ao compreender que a perda da visão não era uma nova e imprevista consequência do prazer, mal ousava chorar e lamentar-se quando, com maus modos, vestida a trouxe-mouxe, quase aos empurrões, a levaram para fora do hotel. O polícia, em tom que seria sarcástico se não fosse simplesmente grosseiro, quis saber, depois de lhe ter perguntado onde morava, se ela dispunha de dinheiro para o táxi, Nestes casos o Estado não paga, avisou, procedimento a que, anote-se à margem, não se poderá negar uma certa lógica, porquanto estas pessoas pertencem ao número das que não pagam imposto sobre os seus imorais réditos. Ela acenou afirmativamente, mas, estando cega, imagine-se, pensou que o polícia poderia não ter visto o gesto e murmurou, Sim, tenho, e, de si para si, acrescentou, Antes não o tivesse, palavras que nos hão de parecer fora de propósito, mas que, se atentarmos nas circunvoluções do espírito humano, onde não existem caminhos curtos e retos, acabam, essas palavras, por tornar-se absolutamente límpidas, o que ela queria dizer era que tinha sido castigada por causa do seu mau porte, da sua imoralidade, ora aí está. Dissera à mãe que não iria jantar a casa, e afinal chegaria muito a tempo, ainda antes do pai.

Diferente foi o que se passou com o oftalmologista, não só porque se encontrava em casa quando o atacou a cegueira, mas porque, sendo médico, não iria entregar-se de mãos atadas ao desespero, como fazem aqueles que do seu corpo só sabem quando lhes dói. Mesmo numa situação como esta, angustiado, tendo pela frente uma noite de ansiedade, ainda foi capaz de recordar o que Homero escreveu na Ilíada, poema da morte e do sofrimento, mais do que todos, Um médico, só por si, vale alguns homens, palavras que não deveremos entender como expressão diretamente quantitativa, mas sim maiormente qualitativa, como não tardará a certificar-se. Teve a coragem de se deitar sem acordar a mulher, nem sequer quando ela, murmurando meio adormecida, se moveu na cama para o sentir mais próximo. Horas e horas acordado, o pouco que conseguiu dormir foi de puro esgotamento. Desejava que a noite não acabasse para não ter de anunciar, ele cujo ofício era curar as mazelas dos olhos alheios, Estou cego, mas ao mesmo tempo queria que chegasse rapidamente a luz do dia, com estas exatas palavras o pensou, A luz do dia, sabendo que não a iria ver. Na verdade um oftalmologista cego não poderia servir para muito, mas competia-lhe a ele informar as autoridades sanitárias, avisá-las do que poderia estar a tornar-se em catástrofe nacional, nada mais nada menos que um tipo de cegueira desconhecido até agora, com todo o aspeto de ser altamente contagioso, e que, pelos vistos, se manifestava sem a prévia existência de atividades patológicas anteriores de carácter inflamatório, infecioso ou degenerativo, como pudera verificar no cego que o fora procurar ao consultório, ou como no seu próprio caso se confirmaria, uma miopia leve, um leve astigmatismo, tudo tão ligeiro que havia decidido, por enquanto, não usar lentes corretoras. Olhos que tinham deixado de ver, olhos que estavam totalmente cegos, encontravam-se no entanto em perfeito estado, sem qualquer lesão, recente ou antiga, adquirida ou de origem. Recordou o exame minucioso que fizera ao cego, como as diversas partes do olho acessíveis ao oftalmoscópio se apresentavam sãs, sem sinal de alterações mórbidas, situação muito rara nos trinta e oito anos que o homem dissera ter, e até em menos idade. Aquele homem não devia estar cego, pensou, esquecido por momentos de que ele próprio também o estava, a tal ponto pode uma pessoa chegar em abnegação, e isto não é coisa de agora, lembremo-nos do que disse Homero, ainda que por palavras que pareceram diferentes.

Fingiu que dormia quando a mulher se levantou. Sentiu o beijo que ela lhe deu na testa, muito suave, como se não quisesse acordá-lo do que julgava ser um sono profundo, talvez tivesse pensado, Coitado, deitou-se tarde, a estudar aquele extraordinário caso do homenzinho cego. Sozinho, como se estivesse a ser lentamente garrotado por uma nuvem espessa que lhe carregasse sobre o peito e lhe entrasse pelas narinas cegando-o por dentro, o médico deixou sair um gemido breve, consentiu que duas lágrimas, Serão brancas, pensou, lhe inundassem os olhos e se derramassem pelas fontes, de um lado e do outro da cara, agora compreendia o medo dos seus pacientes quando lhe diziam, Senhor doutor, parece-me que estou a perder a vista. Ao quarto chegavam os pequenos ruídos domésticos, a mulher não tardaria aí para ver se ele continuava a dormir, estavam-se a fazer horas de ir para o hospital. Levantou-se com cuidado, às apalpadelas procurou e enfiou o roupão, entrou na casa de banho, urinou. Depois virou-se para onde sabia que estava o espelho, desta vez não perguntou Que será isto, não disse Há mil razões para que o cérebro humano se feche, só estendeu as mãos até tocar o vidro, sabia que a sua imagem estava ali a olhá-lo, a imagem via-o a ele, ele não via a imagem. Ouviu a mulher entrar no quarto, Ah, já estás levantado, disse ela, e ele respondeu, Estou. Logo a seguir sentiu-a ao seu lado, Bons dias, meu amor, ainda se saudavam com palavras de carinho depois de tantos anos de casados, e então ele disse, como se os dois estivessem a representar uma peça e esta fosse a sua deixa, Acho que não irão ser muito bons, tenho qualquer coisa na vista. Ela só deu atenção à última parte da frase, Deixa-me ver, pediu, examinou-lhe os olhos com atenção, Não vejo nada, a frase estava evidentemente trocada, não pertencia ao papel dela, ele era quem tinha de pronunciá-la, mas disse-a mais simplesmente, assim, Não vejo, e acrescentou, Suponho que fui contagiado pelo doente de ontem.

Com o tempo e a intimidade, as mulheres dos médicos acabam também por entender algo de medicina, e esta, em tudo tão próxima do marido, aprendera o bastante para saber que a cegueira não se propaga por contágio, como uma epidemia, a cegueira não se pega só por olhar um cego alguém que o não é, a cegueira é uma questão privada entre a pessoa e os olhos com que nasceu. Em todo o caso, um médico tem a obrigação de saber o que diz, para isso está a faculdade, e se este aqui, além de se ter declarado cego, admite abertamente ter sido contagiado, quem é agora a mulher para duvidar, por muito de médico que fosse. Compreende-se, portanto, que a pobre senhora, perante a irrefragável evidência, acabasse por reagir como qualquer esposa comum, duas já conhecemos nós, abraçando-se ao marido, oferecendo as naturais mostras de aflição, E agora, que vamos fazer, perguntava entre lágrimas, Avisar as autoridades sanitárias, o ministério, é o mais urgente, se se trata realmente duma epidemia é preciso tomar providências, Mas uma epidemia de cegueira foi coisa que nunca se viu, alegou a mulher, querendo agarrar-se a esta derradeira esperança, Também nunca se viu um cego sem motivos aparentes para o ser, e neste momento já há pelo menos dois. Mal acabara de pronunciar a última palavra, o rosto transformou-se-lhe. Empurrou a mulher quase com violência, ele próprio recuou, Afasta-te, não te chegues a mim, posso contagiar-te, e logo a seguir, batendo na cabeça com os punhos fechados, Estúpido, estúpido, médico idiota, como é que não pensei, uma noite inteira juntos, devia ter ficado no escritório, com a porta fechada, e mesmo assim, Por favor, não fales dessa maneira, o que tiver de ser será, anda, vem, vou-te preparar o pequeno-almoço, Deixa-me, deixa-me, Não deixo, gritou a mulher, que queres fazer, andar aí aos tombos, a chocar contra os móveis, à procura do telefone, sem olhos para encontrar na lista os números de que precisas, enquanto eu assisto tranquilamente ao espetáculo, metida numa redoma de cristal à prova de contaminações. Agarrou-o pelo braço com firmeza e disse, Vamos, meu querido.

Ainda era cedo quando o médico acabou de tomar, imaginemos com que gosto, a chávena de café e a torrada que a mulher teimou em preparar-lhe, cedo de mais para encontrar já nos seus lugares de trabalho as pessoas a quem deveria informar. A lógica e a eficácia mandavam que a sua participação do que estava a acontecer fosse feita diretamente o mais depressa possível a um alto cargo responsável do Ministério da Saúde, mas não tardou a mudar de ideias quando percebeu que apresentar-se apenas como um médico que tinha uma informação importante e urgente a comunicar não era suficiente para convencer o funcionário médio com quem, por fim, depois de muitos rogos, a telefonista condescendera em pô-lo em contacto. O homem quis saber de que se tratava antes de o passar ao superior imediato, e estava claro que qualquer médico com sentido de responsabilidade não iria pôr-se a anunciar o surgimento de uma epidemia de cegueira ao primeiro subalterno que lhe aparecesse pela frente, o pânico seria imediato. Respondia de lá o funcionário, O senhor declara-me que é médico, se quer que lhe diga que acredito, pois sim, acredito, mas eu tenho as minhas ordens, ou me diz de que se trata, ou não dou seguimento, É um assunto confidencial, Assuntos confidenciais não se tratam por telefone, o melhor será vir cá pessoalmente, Não posso sair de casa, Quer dizer que está doente, Sim, estou doente, disse o cego depois de uma hesitação, Nesse caso o que você deverá fazer é chamar um médico, um médico autêntico, retorquiu o funcionário, e, encantado com o seu próprio espírito, desligou o telefone.

A insolência atingiu o médico como uma bofetada. Só passados alguns minutos teve serenidade bastante para repetir à mulher a grosseria com que fora tratado. Depois, como se acabasse de descobrir algo que estivesse obrigado a saber desde muito antes, murmurou, triste, É desta massa que nós somos feitos, metade de indiferença e metade de ruindade. Ia perguntar, duvidoso, E agora, quando compreendeu que tinha estado a perder tempo, que a única forma de fazer chegar a informação aonde convinha, por via segura, seria falar com o diretor clínico do seu próprio serviço hospitalar, de médico para médico, sem burocratas pelo meio, ele que se encarregasse depois de pôr a maldita engrenagem oficial a funcionar. A mulher fez a ligação, sabia de memória o número do telefone do hospital. O médico identificou-se quando responderam, depois disse rapidamente, Bem, muito obrigado, sem dúvida a telefonista perguntara, Como está, senhor doutor, é o que dizemos quando não queremos dar parte de fraco, dissemos, Bem, e estávamos a morrer, a isto chama o vulgo fazer das tripas coração, fenómeno de conversão visceral que só na espécie humana tem sido observado. Quando o diretor veio ao telefone, Então, que se passa, o médico perguntou-lhe se estava só, se não havia gente por perto que pudesse ouvir, da telefonista não havia que recear, tinha mais que fazer que escutar conversas sobre oftalmopatias, a ela apenas a ginecologia lhe interessava. O relato do médico foi breve mas completo, sem rodeios, sem palavras a mais, sem redundâncias, e feito com uma secura clínica que, tendo em conta a situação, chegou a surpreender o diretor, Mas você está mesmo cego, perguntou, Totalmente cego, Em todo o caso, poderia tratar-se de uma coincidência, poderia não ter havido realmente, no seu exato sentido, um contágio, De acordo, o contágio não está demonstrado, mas aqui não foi o caso de cegar ele e cegar eu, cada qual em sua casa, sem nos termos visto, o homem apareceu-me cego na consulta e eu ceguei poucas horas depois, Como é que poderemos encontrar esse homem, Tenho o nome e a direção no consultório, Vou lá mandar alguém imediatamente, Um médico, Sim, um colega, claro, Não lhe parece que deveríamos comunicar ao ministério o que se está a passar, Por enquanto acho prematuro, pense no alarme público que iria causar uma notícia destas, com mil diabos, a cegueira não se pega, A morte também não se pega, e apesar disso todos morremos, Bom, deixe-se estar em casa enquanto eu trato do assunto, depois mando-o buscar aí, quero observá-lo, Lembre-se de que se estou cego foi por ter observado um cego, Não há a certeza, Há, pelo menos uma boa presunção de causa e efeito, Sem dúvida, contudo ainda é demasiado cedo para tirarmos conclusões, dois casos isolados não têm significado estatístico, Salvo se nesta altura já somos mais do que dois, Compreendo o seu estado de espírito, mas devemos defender-nos de pessimismos que podem vir a verificar-se infundados, Obrigado, Voltarei a falar consigo, Até logo.

Meia hora depois, tinha o médico, desajeitadamente, com a ajuda da mulher, acabado de fazer a barba, tocou o telefone. Era outra vez o diretor clínico, mas a voz, agora, estava mudada, Temos aqui um rapaz que também cegou de repente, vê tudo branco, a mãe diz que esteve ontem com o filho no seu consultório, Suponho que o pequeno sofre de estrabismo divergente do olho esquerdo, Sim, Não há dúvida, é ele, Começo a estar preocupado, a situação é mesmo séria, O ministério, Sim, claro, vou imediatamente falar com a direção do hospital. Passadas umas três horas, quando o médico e a mulher almoçavam em silêncio, ele tenteando com o garfo os pedacinhos de carne que ela lhe cortara, o telefone tornou a tocar. A mulher foi atender, voltou logo, Tens de ir tu, é do ministério. Ajudou-o a levantar-se, guiou-o até ao escritório e deu-lhe o telefone. A conversa foi rápida. O ministério queria saber a identidade dos pacientes que tinham estado no dia anterior no consultório, o médico respondeu que as fichas clínicas respetivas continham todos os elementos de identificação, o nome, a idade, o estado civil, a profissão, a morada, e terminou declarando-se ao dispor para acompanhar a pessoa ou pessoas que fossem recolhê-los. Do outro lado o tom foi cortante, Não precisamos. O telefone mudou de mão, a voz que saiu dele era diferente, Boas tardes, fala o ministro, em nome do Governo venho agradecer o seu zelo, estou certo de que graças à prontidão com que agiu vamos poder circunscrever e controlar a situação, entretanto faça-nos o favor de permanecer em casa. As palavras finais foram pronunciadas com expressão formalmente cortês, porém não deixavam qualquer dúvida sobre o facto de serem uma ordem. O médico respondeu, Sim, senhor ministro, mas a ligação já tinha sido cortada.

Poucos minutos depois, outra vez o telefone. Era o diretor clínico, nervoso, atropelando as palavras, Acabei agora mesmo de saber que a polícia tem informação de dois casos de cegueira súbita, Polícias, Não, um homem e uma mulher, a ele encontraram-no na rua a gritar que estava cego, e ela estava num hotel quando cegou, uma história de cama, parece, É necessário averiguar se se trata também de doentes meus, sabe como eles se chamam, Não me disseram, Do ministério já falaram comigo, irão ao consultório recolher as fichas, Que situação complicada, Diga-mo a mim. O médico largou o telefone, levou as mãos aos olhos, ali as deixou ficar como se quisesse defendê-los de piores males, enfim exclamou surdamente, Estou tão cansado, Dorme um pouco, eu levo-te até à cama, disse a mulher, Não vale a pena, seria incapaz de adormecer, além disso o dia não acabou, algo vai ter de suceder ainda.

Eram quase seis horas quando o telefone tocou pela última vez. O médico estava sentado ao lado, levantou o auscultador, Sim, sou eu, disse, ouviu com atenção o que estava a ser-lhe comunicado e só acenou ligeiramente a cabeça antes de desligar. Quem era, perguntou a mulher, O ministério, vem uma ambulância buscar-me dentro de meia hora, Era isso que esperavas que sucedesse, Sim, mais ou menos, Para onde te levam, Não sei, suponho que para um hospital, Vou-te preparar a mala, escolher a roupa, o costume, Não é uma viagem, Não sabemos o que é. Levou-o com cuidado até ao quarto, fê-lo sentar-se na cama, Deixa-te estar aí tranquilo, eu trato de tudo. Ouviu-a mover-se de um lado para outro, abrir e fechar gavetas e armários, tirar roupas e logo arrumá-las na mala colocada no chão, mas o que ele não podia ver foi que, além da sua própria roupa, haviam sido postas na mala umas quantas saias e blusas, um par de calças, um vestido, uns sapatos que só podiam ser de mulher. Pensou vagamente que não iria precisar de tanta coisa, mas calou-se porque não era o momento de falar de insignificâncias. Ouviu-se o estalido dos fechos, depois a mulher disse, Pronto, a ambulância já pode vir. Levou a mala para junto da porta da escada, recusando o auxílio do marido, que dizia, Deixa-me ajudar-te, isso eu posso fazer, não estou tão inválido assim. Depois foram sentar-se num sofá da sala, a esperar. Tinham as mãos dadas, e ele disse, Não sei quanto tempo iremos estar separados, e ela respondeu, Não te preocupes.

Esperaram quase uma hora. Quando a campainha da porta soou, ela levantou-se e foi abrir, mas no patamar não havia ninguém. Atendeu ao telefone interno, Muito bem, ele desce já, respondeu. Voltou para o marido e disse-lhe, Que esperam em baixo, têm ordem expressa de não subir, Pelos vistos o ministério está mesmo assustado, Vamos. Desceram no elevador, ela ajudou o marido a transpor os últimos degraus, depois a entrar na ambulância, voltou à escada para buscar a mala, içou-a sozinha e empurrou-a para dentro. Finalmente subiu e sentou-se ao lado do marido. O condutor da ambulância protestou do banco da frente, Só posso levá-lo a ele, são as ordens que tenho, a senhora saia. A mulher, calmamente, respondeu, Tem de me levar também a mim, ceguei agora mesmo.

A lembrança tinha saído da cabeça do próprio ministro. Era, por qualquer lado que se examinasse, uma ideia feliz, senão perfeita, tanto no que se referia aos aspetos meramente sanitários do caso como às suas implicações sociais e aos seus derivados políticos. Enquanto não se apurassem as causas, ou, para empregar uma linguagem adequada, a etiologia do mal-branco, como, graças à inspiração de um assessor imaginativo, a malsonante cegueira passaria a ser designada, enquanto para ele não fosse encontrado o tratamento e a cura, e quiçá uma vacina que prevenisse o aparecimento de casos futuros, todas as pessoas que cegaram, e também as que com elas tivessem estado em contacto físico ou em proximidade direta, seriam recolhidas e isoladas, de modo a evitarem--se ulteriores contágios, os quais, a verificarem-se, se multiplicariam mais ou menos segundo o que matematicamente é costume denominar-se progressão por quociente. *Quod erat demonstrandum*, concluiu o ministro. Em palavras ao alcance de toda a gente, do que se tratava era de pôr de quarentena todas aquelas pessoas, segundo a antiga prática, herdada dos tempos da cólera e da febre amarela, quando os barcos contaminados ou só suspeitos de infeção tinham de permanecer ao largo durante quarenta dias, até ver. Estas mesmas palavras, Até ver, intencionais pelo tom, mas sibilinas por lhe faltarem outras, foram pronunciadas pelo ministro, que mais tarde precisou o seu pensamento, Queria dizer que tanto poderão ser quarenta dias como quarenta semanas, ou quarenta meses, ou quarenta anos, o que é preciso é que não saiam de lá. Agora falta decidir onde os iremos meter, senhor ministro, disse o presidente da comissão de logística e segurança, nomeada rapidamente para o efeito, que deveria encarregar-se do transporte, isolamento e suprimento dos pacientes, De que possibilidades imediatas dispomos, quis saber o ministro, Temos um manicómio vazio, devoluto, à espera de que se lhe dê destino, umas instalações militares que deixaram de ser utilizadas em consequência da recente reestruturação do exército, uma feira industrial em fase adiantada de acabamento, e há ainda, não conseguiram explicar-me porquê, um hipermercado em processo de falência, Na sua opinião, qual deles serviria melhor aos fins que temos em vista, O quartel é o que oferece melhores condições de segurança, Naturalmente, Tem porém um inconveniente, ser demasiado grande, tornaria difícil e dispendiosa a vigilância dos internados, Estou a ver, Quanto ao hipermercado, haveria que contar, provavelmente, com impedimentos jurídicos vários, questões legais a ter em conta, E a feira, A feira, senhor ministro, creio ser preferível não pensar nela, Porquê, A indústria não gostaria com certeza, estão ali investidos milhões, Nesse caso, resta o manicómio, Sim, senhor ministro, o manicómio, Pois então que seja o manicómio, Aliás, a todas as luzes, é o que apresenta melhores condições, porque, a par de estar murado em todo o seu perímetro, ainda tem a vantagem de se compor de duas alas, uma

62

que destinaremos aos cegos propriamente ditos, outra para os suspeitos, além de um corpo central que servirá, por assim dizer, de terra de ninguém, por onde os que cegarem transitarão para irem juntar-se aos que já estavam cegos, Vejo aí um problema, Qual, senhor ministro, Vamos ser obrigados a pôr lá pessoal para orientar as transferências, e não acredito que possamos contar com voluntários, Não creio que seja necessário, senhor ministro, Explique lá, No caso de um dos suspeitos de infeção cegar, como é natural que lhe suceda mais cedo ou mais tarde, tenha o senhor ministro por certo que os outros, os que ainda conservarem a vista, põem-no de lá para fora no mesmo instante, Tem razão, Tal como não permitiriam a entrada de um cego que se tivesse lembrado de mudar de sítio, Bem pensado, Obrigado, senhor ministro, podemos então mandar avançar, Sim, tem carta-branca.

A comissão agiu com rapidez e eficácia. Antes que anoitecesse já tinham sido recolhidos todos os cegos de que havia notícia, e também um certo número de presumíveis contagiados, pelo menos aqueles que fora possível identificar e localizar numa rápida operação de rastreio exercida sobretudo nos meios familiar e profissional dos atingidos pela perda da visão. Os primeiros a serem transportados para o manicómio desocupado foram o médico e a mulher. Havia soldados de guarda. O portão foi aberto à justa para eles passarem, e logo fechado. Servindo de corrimão, uma corda grossa ia do portão à porta principal do edifício, Andem um pouco para o lado direito, há aí uma corda, ponham-lhe a mão e sigam em frente, sempre em frente, até aos degraus, os degraus são seis, avisou um sargento. No interior a corda abria-se em duas, um ramo para a esquerda, outro para a direita, o sargento gritara, Atenção, o vosso lado é o direito. Ao mesmo tempo que ia arrastando a mala, a mulher guiava o marido para a camarata que se encontrava mais perto da entrada. Era comprida como uma enfermaria antiga, com duas filas de camas que tinham sido pintadas de cinzento, mas donde a tinta já há muito começara a cair. As cobertas, os lençóis e as mantas eram da mesma cor. A mulher levou o marido para o fundo da camarata, fê-lo sentar-se em uma das camas, e disse-lhe, Não saias daqui, vou ver como é isto. Havia mais camaratas, corredores longos e estreitos, gabinetes que deviam ter sido de médicos, sentinas encardidas, uma cozinha que ainda não perdera o cheiro de má comida, um grande refeitório com mesas de tampos forrados de zinco, três celas acolchoadas até à altura de dois metros e forradas de cortiça daí para cima. Por trás do edifício havia uma cerca abandonada, com árvores malcuidadas, os troncos davam a ideia de terem sido esfolados. Por toda a parte se via lixo. A mulher do médico voltou para dentro. Num armário que estava meio aberto encontrou camisas de forças. Quando voltou a juntar-se ao marido, perguntou-lhe, És capaz de imaginar aonde nos trouxeram, Não, ela ia a acrescentar A um manicómio, mas ele antecipou-se-lhe, Tu não estás cega, não posso consentir que fiques aqui, Sim, tens razão, não estou cega, Vou pedir-lhes que te levem para casa, dizer-lhes que os enganaste para ficar comigo, Não vale a pena, de lá não te ouvem, e ainda que te ouvissem não fariam caso, Mas tu vês, Por enquanto, o mais certo é cegar também um dia destes, ou daqui a um minuto, Vai-te embora, por favor, Não insistas, aliás aposto que os soldados nem me deixariam pôr um pé nos degraus, Não te posso obrigar, Pois não, meu amor, não podes, fico para te ajudar, e aos outros que aí venham, mas não lhes digas que eu vejo, Quais outros, Com certeza não crês que vamos ser os únicos, Isto é uma loucura, Deve de ser, estamos num manicómio.

Os outros cegos chegaram juntos. Tinham-nos apanhado nas suas casas, um após outro, o do automóvel, primeiro de todos, o ladrão que o roubou, a rapariga dos óculos escuros, o garotinho estrábico, este não, a este foram-no buscar ao hospital aonde a mãe o levou. A mãe não vinha com ele, não tivera a astúcia da mulher do médico, declarar que estava cega sem o estar, é uma criatura simples, incapaz de mentir, mesmo para seu bem. Entraram na camarata aos tropeções, apalpando o ar, aqui não havia corda que os guiasse, teriam de aprender à custa das próprias dores, o rapazinho chorava, chamava pela mãe, e era a rapariga dos óculos escuros quem fazia por sossegá-lo, Já vem, já vem, dizia-lhe, e como trazia os óculos postos tanto podia estar cega como não, os outros moviam os olhos para um lado e para outro, e nada viam, ao passo que ela, com aqueles óculos, só porque dizia Já vem, já vem, era como se estivesse mesmo a ver entrar pela porta dentro a mãe desesperada. A mulher do médico chegou a boca ao ouvido do marido e sussurrou, Entraram quatro, uma mulher, dois homens e um garoto, Os homens, que aspeto têm eles, perguntou o médico em voz baixa. Ela descreveu-os, e ele, A esse não o conheço, o outro, pelo retrato, tem todo o ar de ser o cego que foi ao consultório, O pequeno tem estrabismo, e a mulher vem de óculos escuros, parece bonita, Estiveram lá os dois. Por causa dos ruídos que faziam enquanto procuravam sítio onde se sentissem seguros, os cegos não ouviram esta troca de palavras, deviam pensar que não havia ali outros como eles, e não tinham perdido a vista há tanto tempo que se lhes avivasse o sentido da audição por cima do que é normal. Por fim, como se tivessem chegado à conclusão de que não valia a pena trocar o certo pelo duvidoso, sentou-se cada um na cama com que tinha tropeçado, por assim dizer, muito perto um do outro os dois homens, mas não o sabiam. Em voz baixa, a rapariga continuava a consolar o rapazinho, Não chores, vais ver que a tua mãe não se demora. Fez-se depois um silêncio, e então a mulher do médico disse de modo que se ouvisse ao fundo da camarata, onde era a porta, Aqui, estamos duas pessoas, quantos são vocês. A inesperada voz fez sobressaltar os recém-vindos, mas os dois homens continuaram calados, quem respondeu foi a rapariga, Acho que somos quatro, estamos este menino e eu, Quem mais, por que não falam os outros, perguntou a mulher do médico, Estou eu, murmurou, como se lhe custasse pronunciar as palavras, uma voz de homem, E eu, resmungou por sua vez, contrariada, outra voz masculina. A mulher do médico disse consigo mesma, Comportam-se como se temessem dar-se a conhecer um ao outro. Via-os crispados, tensos, de pescoço estendido como se farejassem algo, mas, curiosamente, as expressões eram semelhantes, um misto de ameaça e de medo, porém o medo de um não era o mesmo que o medo do outro, como também não o eram as ameaças. Que haverá entre eles, pensou.

Nesse instante ouviu-se uma voz forte e seca, de alguém, pelo tom, habituado a dar ordens. Vinha de um altifalante fixado por cima da porta por onde tinham entrado. A palavra Atenção foi pronunciada três vezes, depois a voz começou, O Governo lamenta ter sido forçado a exercer energicamente o que considera ser seu direito e seu dever, proteger por todos os meios as populações na crise que estamos a atravessar, quando parece verificar-se algo de semelhante a um surto epidémico de cegueira, provisoriamente designado por mal-branco, e desejaria poder contar com o civismo e a colaboração de todos os cidadãos para estancar a propagação do contágio, supondo que de um contágio se trata, supondo que não estaremos apenas perante uma série de coincidências por enquanto inexplicáveis. A decisão de reunir num mesmo local as pessoas afetadas, e, em local próximo, mas separado, as que com elas tiveram algum tipo de contacto, não foi tomada sem séria ponderação. O Governo está perfeitamente consciente das suas responsabilidades e espera que aqueles a quem esta mensagem se dirige assumam também, como cumpridores cidadãos que devem de ser, as responsabilidades que lhes competem, pensando que o isolamento em que agora se encontram representará, acima de quaisquer outras considerações pessoais, um ato de solidariedade para com o resto da comunidade nacional. Dito isto, pedimos a atenção de todos para as instruções que se seguem, primeiro, as luzes manter-se-ão sempre acesas, será inútil qualquer tentativa de manipular os interruptores, não funcionam, segundo, abandonar o edifício sem autorização significará morte imediata, terceiro, em cada camarata existe um telefone que só poderá ser utilizado para requisitar ao exterior a reposição de produtos de higiene e limpeza, quarto, os internados lavarão manualmente as suas roupas, quinto, recomenda-se a eleição de responsáveis de camarata, trata-se de uma recomendação, não de uma ordem, os internados organizar-se-ão como melhor entenderem, desde que cumpram as regras anteriores e as que seguidamente continuamos a enunciar, sexto, três vezes ao dia serão depositadas caixas de comida na porta da entrada, à direita e à esquerda, destinadas, respetivamente, aos pacientes e aos suspeitos de contágio, sétimo, todos os restos deverão ser queimados, considerando-se restos, para este efeito, além de qualquer comida sobrante, as caixas, os pratos e os talheres, que estão fabricados de materiais combustíveis, oitavo, a queima deverá ser efetuada nos pátios interiores do edifício ou na cerca, nono, os internados são responsáveis por todas as consequências negativas dessas queimas, décimo, em caso de incêndio, seja ele fortuito ou intencional, os bombeiros não intervirão, décimo primeiro, igualmente não deverão os internados contar com nenhum tipo de intervenção do exterior na hipótese de virem a verificar-se doenças entre eles, assim como a ocorrência de desordens ou agressões, décimo segundo, em caso de morte, seja qual for a sua causa, os internados enterrarão sem formalidades o cadáver na cerca, décimo terceiro, a comunicação entre a ala dos pacientes e a ala dos suspeitos de contágio far-se-á pelo corpo central do edifício, o mesmo por onde entraram, décimo quarto, os suspeitos de contágio que vierem a cegar transitarão imediatamente para a ala dos que já estão cegos, décimo quinto, esta comunicação será repetida todos os dias, a esta mesma hora, para conhecimento dos novos ingressados. O Governo e a Nação esperam que cada um cumpra o seu dever. Boas noites.

No primeiro silêncio que se seguiu ouviu-se a voz clara do rapazinho, Quero a minha mãe, mas as palavras foram articuladas sem expressão, como um mecanismo repetidor automático que antes tivesse deixado em suspenso uma frase e agora, fora de tempo, a soltasse. O médico disse, As ordens que acabamos de ouvir não deixam dúvidas, estamos isolados, mais isolados do que provavelmente já alguém esteve, e sem esperança de que possamos sair daqui antes que se descubra o remédio para a doença, Eu conheço a sua voz, disse a rapariga dos óculos escuros, Sou médico, médico oftalmologista, É o médico que eu consultei ontem, é a sua voz, Sim, e você, quem é, Tinha uma conjuntivite, suponho que ainda cá está, mas agora, cega por cega, já não deve ter importância, E esse pequeno que está consigo, Não é meu, eu não tenho filhos, Examinei ontem um rapazinho estrábico, eras tu, perguntou o médico, Era sim senhor, a resposta do rapaz saiu com um tom de despeito, de quem não gostara que se mencionasse o seu defeito físico, e tinha razão, que tais defeitos, estes e outros, só por deles se falar, passam logo de mal percetíveis a mais do que evidentes. Há ainda alguém que eu conheça, tornou a perguntar o médico, estará por acaso aqui o homem que foi ontem ao meu consultório acompanhado pela esposa, o homem que cegou de repente quando ia no automóvel, Sou eu, respondeu o primeiro cego, Há ainda outra pessoa, diga quem é, por favor, obrigaram-nos a viver juntos não sabemos por quanto tempo, portanto é indispensável que nos conheçamos uns aos outros. O ladrão do carro resmungou entredentes, Sim, sim, julgou que isto ia bastar para confirmar a sua presença, mas o médico insistiu, A voz é de pessoa relativamente nova, você não é o doente idoso, o da catarata, Não senhor doutor, não sou, Como foi que cegou, Ia na rua, E que mais, Mais nada, ia na rua e ceguei. O médico abria a boca para perguntar se a cegueira deste também era branca, mas calou-se, para quê, que adiantava, fosse qual fosse a resposta, e branca ou negra a cegueira, dali não sairiam. Estendeu a mão vacilante para a mulher e encontrou a mão dela no caminho. Ela veio beijar-lhe a face, ninguém mais poderia ver esta fronte murcha, a boca apagada, os olhos mortos, como de vidro, assustadores porque pareciam ver e não viam, Também a minha vez chegará, pensou, quando, talvez neste mesmo instante, sem me dar tempo a acabar o que estou a dizer-me, em qualquer momento, como eles, ou talvez acorde cega, cegarei ao fechar os olhos para dormir, julgando que apenas adormeci.

Olhou os quatro cegos, estavam sentados nas camas, aos pés a pouca bagagem que tinham podido trazer, o rapazito com a sua mochila escolar, os outros com malas, pequenas, como se fossem de fim de semana. A rapariga dos óculos escuros conversava em voz baixa com o garoto, na fila do outro lado, próximos, apenas com uma cama vazia de permeio, o primeiro cego e o ladrão do carro enfrentavam-se sem o saberem. O médico disse, Todos ouvimos as ordens, aconteça o que acontecer, uma coisa sabemos, ninguém vos virá ajudar, por isso seria conveniente que nos começássemos a organizar já, porque não vai tardar muito que esta camarata esteja cheia de gente, esta e as outras, Como sabe que há outras camaratas, perguntou a rapariga, Andamos um pouco por aí antes de virmos para esta, ficava mais perto da porta de entrada, explicou a mulher do médico, enquanto apertava o braço do marido para lhe recomendar cuidado. Disse a rapariga, O melhor seria que o senhor doutor ficasse de responsável, sempre é médico, Um médico para que serve, sem olhos nem remédios, Mas tem a autoridade. A mulher do médico sorriu, Acho que deverias aceitar, se os mais estiverem de acordo, claro está, Não creio que seja boa ideia, Porquê, Por enquanto só estamos aqui estes seis, mas amanhã de certeza seremos mais, virá gente todos os dias, seria apostar no impossível contar que estivessem dispostos a aceitar uma autoridade que não tinham escolhido e que, ainda por cima, nada teria para lhes dar em troca do seu acatamento, e isto ainda é supor que reconheceriam uma autoridade e uma regra, Então vai ser difícil viver aqui, Teremos muita sorte se só for difícil. A rapariga dos óculos escuros disse, A minha intenção era boa, mas realmente o senhor doutor tem razão, cada um vai puxar para o seu lado.

Fosse movido por estas palavras ou porque não pudesse mais aguentar a fúria, um dos homens pôs-se bruscamente de pé, Este tipo é que é o culpado da nossa infelicidade, tivesse eu olhos e agora mesmo dava cabo dele, vociferou, enquanto apontava na direção em que julgava estar o outro. O desvio não era grande, mas o dramático gesto resultou cómico porque o dedo espetado, acusador, designava uma inocente mesa de cabeceira. Tenha calma, disse o médico, numa epidemia não há culpados, todos são vítimas, Se eu não tivesse sido a boa pessoa que fui, se não o tivesse ajudado a chegar a casa, ainda teria os meus ricos olhos, Quem é você, perguntou o médico, mas o acusador não respondeu, já parecia contrariado por ter falado. Então ouviu-se a voz do outro homem, Levou-me a casa, é verdade, mas depois aproveitou-se do meu estado para me roubar o carro, É falso, não roubei nada, Roubou, sim senhor, roubou, Se alguém lhe palmou o carro, não fui eu, o pago que recebi pela minha boa ação foi ficar cego, além disso onde é que estão as testemunhas, sempre quero ver, A discussão não resolve nada, disse a mulher do médico, o carro está lá fora, vocês estão cá dentro, o melhor é fazerem as pazes, lembrem-se de que vamos viver aqui juntos,

Quem não viverá com ele, bem eu sei, disse o primeiro cego, os senhores farão o que quiserem, eu vou para outra camarata, não fico ao pé de um malandro como este que foi capaz de roubar um cego, queixa-se ele de que cegou por minha causa, pois que cegasse, ao menos ainda há justiça no mundo. Agarrou na mala e, arrastando os pés para não tropeçar, apalpando com a mão livre, passou para a coxia que separava as duas filas de catres, Onde são as camaratas, perguntou, mas não chegou a ouvir a resposta, se alguém lha deu, porque de repente caiu-lhe em cima uma confusão de braços e pernas, o ladrão do carro cumpria como podia a ameaça de tirar desforra do causador dos seus males. Qual de baixo, qual de cima, rolaram no espaço apertado, esbarrando uma e outra vez contra os pés das camas, enquanto, novamente assustado, o rapazinho estrábico recomeçava a chorar e a gritar pela mãe. A mulher do médico agarrou o marido por um braço, sabia que sozinha não poderia acabar com a briga, e levou-o pela coxia até onde se debatiam, resfolgando, os lutadores furiosos. Guiou as mãos do marido, ela própria tomou à sua conta o cego que encontrou mais a jeito, e com grande esforço conseguiram separá-los. Estão a comportar-se estupidamente, ralhou o médico, se a vossa ideia é fazer disto um inferno, continuem que vão por bom caminho, mas lembrem-se de que estamos entregues a nós próprios, socorros de fora, nenhuns, ouviram o que foi dito, Ele roubou-me o carro, lamuriou o primeiro cego, mais combalido de golpes que o outro, Deixe lá, agora tanto lhe faz, disse a mulher do médico, você já não podia servir-se dele quando lho roubaram, Pois sim, mas era meu, e este ladrão levou-mo, não sei para onde, O mais provável, disse o médico, é que o seu carro esteja no sítio onde este homem cegou, O senhor doutor é um tipo esperto, sim senhor, não há dúvidas, disse o ladrão. O primeiro cego fez um movimento como para soltar-se das mãos que o seguravam, mas sem forçar, como se tivesse compreendido que nem a indignação, ainda que justificada, lhe restituiria o carro, nem o carro lhe restituiria os olhos. Mas o ladrão ameaçou, Se julgas que não te vai suceder nada, estás muito enganado, roubei-te o carro, sim, fui eu que o roubei, mas tu a mim roubaste--me a vista dos olhos, a saber qual de nós dois foi mais ladrão, Acabem com isso, protestou o médico, todos aqui estamos cegos e não nos queixamos nem acusamos ninguém, Com o mal dos outros posso eu bem, respondeu o ladrão, desdenhoso, Se quiser ir para outra camarata, disse o médico ao primeiro cego, a minha mulher poderá guiá-lo, ela orienta-se melhor do que eu, Mudei de ideia, prefiro ficar nesta. O ladrão escarneceu, O que o menino tem é medo de ficar sozinho, não vá aparecer-lhe por lá um papão que eu conheço, Basta, gritou o médico, impaciente, Ó doutorzinho, rosnou o ladrão, olhe que aqui somos todos iguais, a mim o senhor não me dá ordens, Não lhe estou a dar ordens, só lhe digo que deixe esse homem em paz, Pois sim, pois sim, mas cuidadinho comigo, que eu não sou bom de assoar quando me chega a mostarda ao nariz, amigo como os que mais são, mas inimigo como são poucos. Com gestos e movimentos agressivos, o ladrão procurou a cama em que tinha estado sentado, empurrou a mala para debaixo dela, depois anunciou, Vou-me deitar, pelo tom foi como se tivesse querido avisar, Virem-se para lá que eu vou-me despir. A rapariga dos óculos escuros disse ao rapazinho estrábico, E tu vais também para a cama, ficas aqui deste lado, se precisares de alguma coisa de noite, chamas-me, Quero fazer chichi, pediu o garoto. Ouvindo-o, todos sentiram uma súbita e urgente vontade de urinar, pensaram, por estas ou outras palavras, E agora isto como se resolve, o primeiro cego apalpou debaixo da cama, a ver se haveria por ali um bacio, mas ao mesmo tempo desejando que não houvesse porque lhe daria vergonha urinar na presença doutras pessoas, não podiam vê-lo, é certo, mas o ruído do mijo é indiscreto, indisfarçável, os homens, ao menos, podem usar de um truque que não está ao alcance das mulheres, nisso têm eles mais sorte. O ladrão sentara-se na cama, agora dizia, Merda, onde é que se mija nesta casa, Tento na língua, há aqui uma criança, protestou a rapariga dos óculos escuros, Pois sim, minha rica, mas, ou encontras um sítio, ou a tua criancinha não tardará a mijar-se pelas pernas abaixo. Disse a mulher do médico, Talvez eu possa dar com as retretes, lembro-me de ter sentido aí um cheiro, Eu vou consigo, disse a rapariga dos óculos escuros, segurando já na mão do rapazinho, Acho melhor irmos todos, observou o médico, assim ficaremos a conhecer o caminho quando precisarmos, Bem te entendo, isto pensou o ladrão do carro, mas não se atreveu a dizê-lo em voz alta, o que tu não queres é que a tua mulherzinha tenha de levar-me a mijar de cada vez que me apeteça. O pensamento, pelo segundo sentido implícito, provocou-lhe uma pequena ereção que o surpreendeu, como se o facto de estar cego devesse ter tido como consequência a perda ou a diminuição do desejo sexual, Bom, pensou, afinal não se perdeu tudo, entre mortos e feridos alguém escapará, e, alheando-se da conversa, começou a fantasiar. Não lhe deram tempo, o médico já dizia, Fazemos uma fila, a minha mulher vai adiante, cada um põe a mão no ombro do da frente, assim não haverá perigo de nos perdermos. Disse o primeiro cego, Eu com esse não vou, referia-se obviamente a quem o roubara.

Ou fosse por se procurarem, ou fosse por se evitarem, mal conseguiam mexer-se na coxia estreita, tanto mais que a mulher do médico tinha também de proceder como se estivesse cega. Por fim, a fila lá ficou ordenada, atrás da mulher do médico ia a rapariga dos óculos escuros com o rapazinho estrábico pela mão, depois o ladrão, de cuecas e camisola interior, a seguir o médico, e no fim, a salvo de agressões por agora, o primeiro cego. Avançavam muito devagar, como se não se fiassem de quem os guiava, com a mão livre iam tenteando o ar, procurando à passagem o apoio de algo sólido, uma parede, a ombreira duma porta. Colocado atrás da rapariga dos óculos escuros, o ladrão, estimulado pelo perfume que se desprendia dela e pela lembrança da ereção recente, decidiu usar as mãos com maior proveito, uma acariciando-lhe a nuca por baixo dos cabelos, a outra, direta e sem cerimónias, apalpando-lhe o seio. Ela sacudiu-se para escapar ao desaforo, mas ele tinha-a bem agarrada. Então a rapariga jogou com força uma perna atrás, num movimento de coice. O salto do sapato, fino como um estilete, foi espetar-se no grosso da coxa nua do ladrão, que deu um berro de surpresa e de dor. Que se passa, perguntou a mulher do médico olhando para trás, Fui eu que tropecei, respondeu a rapariga dos óculos escuros, parece que magoei quem vinha depois de mim. O sangue aparecia já entre os dedos do ladrão que, gemendo e praguejando, tentava apurar os efeitos da agressão, Estou ferido, esta gaja não vê onde põe os pés, E você não vê onde põe as mãos, respondeu secamente a rapariga. A mulher do médico compreendeu o que se tinha passado, primeiro sorriu, mas logo viu que a ferida apresentava mau aspeto, o sangue escorria pela perna do pobre diabo, e ali não tinham água oxigenada, nem mercurocromo, nem pensos, nem ligaduras, nenhum desinfetante, nada. A fila tinha-se desfeito, o médico perguntava, Onde é que está ferido, Aqui, Aqui, onde, Na perna, não está a ver, a gaja espetou-me com um salto do sapato, Tropecei, não tive a culpa, repetiu a rapariga, mas imediatamente explodiu, exasperada, Este safado estava-me a apalpar, quem é que ele imaginava que eu sou. A mulher do médico interveio, Agora o que é preciso é lavar essa ferida e ligá-la, E onde é que há água, perguntou o ladrão, Na cozinha, na cozinha há água, mas não precisamos ir todos, o meu marido e eu levamos este senhor, os outros esperam aqui, nós não nos demoramos, Quero fazer chichi, disse o rapaz, Aguenta um bocadinho, voltamos já. A mulher do médico sabia que deveria virar uma vez à direita e uma vez à esquerda, depois seguir por um corredor comprido que fazia um ângulo reto, a cozinha era ao fundo. Passados poucos minutos fez de conta que se tinha enganado, parou, voltou atrás, depois exclamou, Ah, já me lembro, a partir daí foram diretamente à cozinha, não se podia perder mais tempo, a ferida sangrava com abundância. Ao princípio a água veio suja, foi preciso esperar que aclarasse. Estava morna, choca, como se tivesse estado a apodrecer no interior dos canos, mas o ferido recebeu-a com um suspiro de alívio. O ferimento tinha mau aspeto. E agora, como vamos ligar-lhe a perna, perguntou a mulher do médico. Debaixo de uma mesa havia uns quantos panos sujos que deviam ter servido de esfregões, mas seria uma imprudência grave servirem-se deles como ligadura, Aqui não parece haver nada, disse, enquanto fingia andar à procura, Mas eu não posso ficar neste estado, senhor doutor, o sangue não para, por favor ajude-me, e desculpe se há bocado fui malcriado consigo, lamentava-se o ladrão, Estamos a ajudá-lo, é o que estamos a fazer, disse o médico, e depois, Dispa a camisola, não há outro meio. O ferido resmungou que lhe fazia falta, mas tirou-a. Rapidamente, a mulher do médico fez com ela um rolo, passou-o ao redor da coxa, apertou com força e conseguiu, com as pontas formadas pelas alças e pela fralda, atar um nó tosco. Não eram movimentos que um cego pudesse executar facilmente, mas ela não quis perder tempo com mais simulações, já bastava fingir ter-se perdido. Ao ladrão pareceu-lhe ver ali algo anormal, o médico, segundo a lógica, mesmo não sendo mais do que um oftalmologista, é que deveria ter-lhe posto a ligadura, mas o consolo de saber-se tratado sobrepôs-se às dúvidas, em todo o caso vagas, que durante um momento lhe roçaram a consciência. Coxeando ele, voltaram para onde os outros estavam, e ali a mulher do médico viu imediatamente que o rapazito estrábico não pudera aguentar e urinara nas calças. Nem o primeiro cego nem a rapariga dos óculos tinham dado pelo que sucedera. Aos pés do garoto alargava-se um charco de urina, as bainhas das calças ainda pingavam. Mas, como se nada se tivesse passado, a mulher do médico disse, Vamos lá então à procura dessas retretes. Os cegos moveram os braços à frente da cara, buscando-se uns aos outros, não a rapariga dos óculos escuros, que declarou logo que não queria ir à frente do descarado que a tinha apalpado, enfim reconstituiu-se a fila trocando o ladrão e o primeiro cego de lugares, com o médico colocado entre eles. O ladrão coxeava mais, arrastava a perna. O torniquete incomodava-o e a ferida latejava com tanta força que era como se o coração tivesse mudado de lugar e se encontrasse agora no fundo do buraco. A rapariga dos óculos escuros levava outra vez o rapazito pela mão, mas ele afastava-se o mais que podia para o lado, com medo de que alguém desse pelo seu descuido, como o médico, que fungou, Cheira aqui a urina, e a mulher achou que devia confirmar a impressão, Sim, realmente há um cheiro, não podia dizer que vinha das retretes porque ainda estavam longe delas, e, tendo de comportar-se como se fosse cega, tão-pouco podia pôr a descoberto que o odor vinha das calças molhadas do rapaz.

Estiveram de acordo, tanto mulheres como homens, quando chegaram às retretes, que deveria ser o garoto o primeiro a aliviar-se, mas os homens acabaram por entrar juntos, sem distinção de urgências ou de idades, o mictório era coletivo, num sítio como este tinha de ser, as sentinas também. As mulheres ficaram à porta, diz-se que aguentam melhor, mas tudo tem os seus limites, daí a momentos a mulher do médico sugeriu, Talvez haja outras retretes, porém a rapariga dos óculos escuros disse, Por mim, posso esperar, E eu também, disse a outra, depois houve um silêncio, depois começaram a falar, Como foi que cegou, Como todos, deixei de ver de repente, Estava em casa, Não, Então foi quando saiu do consultório do meu marido, Mais ou menos, Que quer dizer mais ou menos, Que não foi logo logo a seguir, Sentiu alguma dor, Dor não senti, quando abri os olhos estava cega, Eu não, Não quê, Não tinha os olhos fechados, ceguei no momento em que o meu marido entrou na ambulância, Teve sorte, Quem, O seu marido, assim poderão estar juntos, Nesse caso também eu tive sorte, Pois teve, E a senhora, é casada, Não, não sou, e a partir de agora acho que já ninguém se casará mais, Mas esta cegueira é tão anormal, tão fora do que a ciência conhece, que não poderá durar sempre, E se fôssemos ficar assim para o resto da vida, Nós, Toda a gente, Seria horrível, um mundo todo de cegos, Não quero nem imaginar.

O rapazinho estrábico foi o primeiro a sair da retrete, nem precisava ter entrado. Trazia as calças enroladas até meio da perna e tinha descalçado as meias. Disse, Já estou aqui, a mão da rapariga dos óculos escuros moveu-se logo em direção à voz, não acertou à primeira nem à segunda, à terceira encontrou a mão vacilante do rapaz. Daí a pouco apareceu o médico, logo a seguir o primeiro cego, um deles perguntou, Onde estão, a mulher do médico segurava já um braço do marido, o outro braço foi tocado e agarrado pela rapariga dos óculos escuros. O primeiro cego, durante alguns segundos, não teve quem o amparasse, depois alguém lhe pôs a mão num ombro. Estamos todos, perguntou a mulher do médico, O da perna ficou a satisfazer outra necessidade, respondeu o marido. Então a rapariga dos óculos escuros disse, Talvez haja outras retretes, começo a estar aflita, desculpem, Vamos procurar, disse a mulher do médico, e afastaram-se de mão dada. Passados uns dez minutos regressaram, tinham encontrado um gabinete de consulta onde havia um anexo higiénico. O ladrão já saíra da retrete, queixava-se de frio e de dores na perna. Refizeram a fila pela mesma ordem em que tinham vindo e, com menos trabalho que antes e nenhum acidente, voltaram à camarata. Com habilidade, sem o parecer, a mulher do médico ajudou-os a alcançar a cama em que haviam estado. Fora ainda da camarata, como se se tratasse de algo já óbvio para todos, lembrou que a maneira mais fácil de encontrar cada um o seu sítio era contar as camas a partir da entrada, As nossas, disse, são as últimas do lado direito, a dezanove e a vinte. O primeiro a avançar pela coxia foi o ladrão. Estava quase nu, tinha tremuras, queria aliviar a perna dolorida, razões bastantes para que lhe dessem a primazia. Foi indo de cama em cama, apalpando o chão à procura da mala, e quando a reconheceu disse em voz alta, Cá está, e acrescentou, Catorze, De que lado, perguntou a mulher do médico, Esquerdo, respondeu, outra vez vagamente surpreendido, como se ela devesse sabê-lo sem ter de perguntar. O primeiro cego foi a seguir. Sabia que a sua cama era a segunda a contar do ladrão, do mesmo lado. Já não tinha medo de dormir perto dele, com a perna em tão mísero estado, a julgar pelos queixumes e suspiros, o outro mal se poderia mexer. Disse quando chegou, Dezasseis, esquerdo, e deitou-se vestido. Então a rapariga dos óculos escuros pediu em voz baixa, Ajudem-nos a ficar perto dos senhores, em frente, do outro lado, aí estaríamos bem. Avançaram juntos os quatro e rapidamente se instalaram. Passados minutos o rapazito estrábico disse, Tenho fome, e a rapariga dos óculos escuros murmurou, Amanhã, amanhã comemos, agora vais dormir. Depois abriu a mala de mão, procurou o frasquinho que comprara na farmácia. Tirou os óculos, inclinou a cabeça para trás e, com os olhos muito abertos, guiando uma mão com a outra, fez pingar o colírio. Nem todas as gotas caíram nos olhos, mas a conjuntivite, assim tão bem tratada, não tardará a curar-se.

Tenho de abrir os olhos, pensou a mulher do médico. Através das pálpebras fechadas, quando por várias vezes acordou durante a noite, percebera a mortiça claridade das lâmpadas que mal iluminavam a camarata, mas agora parecia-lhe notar uma diferença, uma outra presença luminosa, poderia ser o efeito do primeiro lusco-fusco da madrugada, poderia ser já o mar de leite a afogar-lhe os olhos. Disse a si mesma que ia contar até dez e que no fim da contagem descerraria as pálpebras, duas vezes o disse, duas vezes contou, duas vezes não as abriu. Ouvia a respiração profunda do marido na cama ao lado, o ressonar de alguém, Como estará a perna daquele, perguntou-se, mas sabia que neste momento não se tratava de uma compaixão verdadeira, o que queria era fingir outra preocupação, o que queria era não ter de abrir os olhos. Abriram-se no instante seguinte, simplesmente, não porque o tivesse decidido. Pelas janelas, que começavam a meia altura da parede e terminavam a um palmo do teto, entrava a luz baça e azulada do amanhecer. Não estou cega, murmurou, e logo alarmada se soergueu na cama, podia tê-la ouvido a rapariga dos óculos escuros que ocupava o catre defronte. Dormia. Na cama ao lado, a que se encostava à parede, o rapazinho

dormia também, Fez como eu, pensou a mulher do médico, deu-lhe o lugar mais protegido, bem fracas muralhas
seríamos, só uma pedra no meio do caminho, sem outra esperança que a de tropeçar nela o inimigo, inimigo,
que inimigo, aqui ninguém nos virá atacar, podíamos ter
roubado e assassinado lá fora que não nos viriam prender, nunca aquele que roubou o carro esteve tão seguro
da sua liberdade, tão longe estamos do mundo que não
tarda que comecemos a não saber quem somos, nem nos
lembramos sequer de dizer-nos como nos chamamos, e
para quê, para que iriam servir-nos os nomes, nenhum
cão reconhece outro cão, ou se lhe dá a conhecer, pelos
nomes que lhes foram postos, é pelo cheiro que identifi-
ca e se dá a identificar, nós aqui somos como uma outra
raça de cães, conhecemo-nos pelo ladrar, pelo falar, o
resto, feições, cor dos olhos, da pele, do cabelo, não conta, é como se não existisse, eu ainda vejo, mas até quando. A luz variou um pouco, não podia ser a noite a voltar
atrás, seria o céu a cobrir-se de nuvens, a atrasar a manhã. Da cama do ladrão veio um gemido, Se a ferida infe-
tou, pensou a mulher do médico, não temos nada para o
tratar, nenhum recurso, o mais pequeno acidente, nestas
condições, pode dar em tragédia, provavelmente é disso
mesmo que eles estão à espera, que acabemos aqui uns
atrás dos outros, morrendo o bicho acaba-se a peçonha.
A mulher do médico levantou-se da cama, debruçou-se
para o marido, ia acordá-lo, mas não teve coragem para
arrancá-lo ao sono e saber que continuava cego. Descalça,
pé ante pé, foi até à cama do ladrão. Tinha os olhos abertos, fixos. Como se sente, sussurrou a mulher do médico.
O ladrão moveu a cabeça na direção da voz e disse, Mal, a
perna dói-me muito, ela ia a dizer-lhe, Deixe-me ver, mas
calou-se a tempo, que imprudência, ele é que não se lem-

brou de que ali não havia mais do que cegos, procedeu sem pensar, como o teria feito ainda há poucas horas, lá fora, se um médico lhe dissesse Mostre lá isso, e levantou a manta. Mesmo naquela penumbra, quem tivesse alguma serventia de olhos podia ver o colchão empapado de sangue, o buraco negro da ferida com os bordos inchados. A atadura deslaçara-se. A mulher do médico baixou cuidadosamente a manta, depois, com um gesto leve e rápido, passou a mão pela testa do homem. A pele, seca, ardia. A luz variou outra vez, foram as nuvens que se afastaram. A mulher do médico voltou para o seu catre, mas já não se deitou. Olhava o marido que murmurava sonhando, os vultos dos outros debaixo dos cobertores cinzentos, as paredes sujas, as camas vazias à espera, e serenamente desejou estar cega também, atravessar a pele visível das coisas e passar para o lado de dentro delas, para a sua fulgurante e irremediável cegueira.

De súbito, vindo do exterior da camarata, provavelmente do átrio que separava as duas alas frontais do edifício, ouviu-se um ruído de vozes violentas, Fora, fora, Saiam, Desapareçam, Aqui não podem ficar, Têm de cumprir as ordens. O tumulto cresceu, diminuiu, uma porta fechou-se com estrondo, agora só se ouvia algum soluço de aflição, o barulho inconfundível de alguém que acaba de tropeçar. Na camarata estavam todos acordados. Viravam a cabeça para o lado da entrada, não precisavam ver para saber que eram cegos os que iam entrar. A mulher do médico levantou-se, por sua vontade iria ajudar os recém-chegados, dizer-lhes uma palavra simpática, guiá-los até aos catres, informar, Tome nota, este é o sete do lado esquerdo, este é o quatro do lado direito, não se engane, sim, aqui estamos seis, viemos ontem, sim, fomos os primeiros, os nomes, que importa os nomes, um, acho que roubou, outro, que foi roubado, há uma rapariga misteriosa de óculos escuros que põe colírio nos olhos para se tratar de uma conjuntivite, como sei eu, estando cega, que são escuros os óculos, ora, o meu marido é oftalmologista e ela foi ao consultório, sim, ele também cá está, tocou a todos, ah é verdade, há o rapazito que é estrábico. Não se mexeu, só disse ao marido, Estão a chegar. O médico saiu da cama, a mulher ajudou-o a vestir as calças, não tinha importância, ninguém podia ver, nesse momento começaram a entrar os cegos, eram cinco, três homens e duas mulheres. O médico disse, levantando a voz, Tenham calma, não se precipitem, aqui somos seis pessoas, vós quantos sois, há lugar para todos. Eles não sabiam quantos eram, é certo que se tinham tocado uns aos outros, às vezes de encontrão, enquanto eram empurrados da ala esquerda para esta, mas não sabiam quantos eram. E não traziam bagagem. Quando lá na camarata acordaram cegos, e começaram por isso a lamentar-se, os outros puseram-nos logo fora sem contemplações, sem lhes darem ao menos tempo para se despedirem de algum parente ou amigo que com eles estivesse. Disse a mulher do médico, O melhor será que se vão numerando e dizendo cada um quem é. Parados, os cegos hesitaram, mas alguém tinha de principiar, dois dos homens falaram simultaneamente, sempre acontece, os dois se calaram, e foi o terceiro quem começou, Um, fez uma pausa, parecia que ia a dizer o nome, mas o que disse foi, Sou polícia, e a mulher do médico pensou, Não disse como se chama, também saberá que aqui não tem importância. Já outro homem se apresentava, Dois, e seguiu o exemplo do primeiro, Sou motorista de táxi. O terceiro homem disse, Três, sou ajudante de farmácia. Depois, uma mulher,

Quatro, sou criada de hotel, e a última, Cinco, sou empregada de escritório. É a minha mulher, a minha mulher, gritou o primeiro cego, onde estás, diz-me onde estás, Aqui, estou aqui, dizia ela chorando e caminhando trémula pela coxia, com os olhos arregalados, as mãos lutando contra o mar de leite que por eles entrava. Mais seguro, ele avançou para ela, Onde estás, onde estás, agora murmurava como se rezasse. Uma mão encontrou a outra, no instante seguinte estavam abraçados, eram um corpo só, os beijos procuravam os beijos, às vezes perdiam-se no ar porque não sabiam onde estavam as faces, os olhos, a boca. A mulher do médico agarrou-se ao marido, soluçando, como se também o tivesse reencontrado, mas o que dizia era, Que desgraça a nossa, que fatalidade. Então ouviu-se a voz do rapazinho estrábico a perguntar, Também está cá a minha mãe. Sentada na cama dele, a rapariga dos óculos escuros murmurou, Há de vir, não te preocupes, que ela há de vir.

Aqui, a verdadeira casa de cada um é o sítio onde dorme, por isso não se deverá estranhar que o primeiro cuidado dos recém-chegados tenha sido escolher a cama, tal como na outra camarata tinham feito, quando ainda tinham olhos para ver. No caso da mulher do primeiro cego não podia haver dúvidas, o seu lugar próprio e natural era ao lado do marido, na cama dezassete, deixando a dezoito de permeio, como um espaço vazio a separá-la da rapariga dos óculos escuros. Também não surpreenderá que busquem todos estar juntos o mais possível, há por aqui muitas afinidades, umas que já são conhecidas, outras que agora mesmo se revelarão, por exemplo, o ajudante de farmácia foi quem vendeu o colírio à rapariga dos óculos escuros, no táxi do motorista foi o primeiro cego ao médico, este que disse ser polícia encontrou o ladrão cego a chorar como uma criança perdida, e quanto à criada do hotel, foi ela a primeira pessoa a entrar no quarto quando a rapariga dos óculos escuros desatou aos gritos. É contudo certo que nem todas estas afinidades se tornarão explícitas e conhecidas, seja por falta de ocasião, seja porque nem se imaginou que pudessem existir, seja por uma simples questão de sensibilidade e tato. A criada do hotel não sonhará que está aqui a mulher a quem viu nua, do ajudante de farmácia se sabe que atendeu outros clientes que levavam óculos escuros postos e que compraram colírios, ao polícia ninguém cometerá a imprudência de denunciar a presença de um tipo que roubou um automóvel, o motorista juraria que nestes últimos dias não transportou nenhum cego no seu táxi. Naturalmente, o primeiro cego já disse à mulher, em voz sussurrada, que um dos internados é o patife que lhes levou o carro, Imagina tu a coincidência, mas, como entretanto tinha sabido que o pobre diabo está mal do ferimento da perna, teve a generosidade de acrescentar, Basta para o seu castigo. E ela, por causa da grande tristeza de estar cega e da grande alegria de ter recuperado o marido, a alegria e a tristeza podem andar unidas, não são como a água e o azeite, nem se lembrou do que tinha dito dois dias antes, que daria um ano de vida para que o malandro, palavra sua, cegasse. E se alguma última sombra de rancor ainda lhe andava a turvar o espírito, de certeza se dissipou quando o ferido gemeu lastimosamente, Senhor doutor, por favor, ajude-me. Deixando-se guiar pela mulher, o médico tocava-lhe delicadamente os bordos da ferida, nada mais podia fazer, nem mesmo valia a pena lavá-la, a infeção tanto poderia ter como origem a estocada profunda de um tacão de sapato que tinha estado em contacto com o solo nas ruas e aqui dentro, como de agentes patogénicos com grande probabilidade existentes na água choca, meio morta, saída de canalizações antigas e em mau estado. A rapariga dos óculos, que se tinha levantado ao ouvir o gemido, veio-se chegando devagar, contando as camas. Inclinou-se para a frente, estendeu a mão, que roçou a cara da mulher do médico, e depois, tendo alcançado, sem saber como, a mão do ferido, que queimava, disse pesarosa, Peço-lhe perdão, a culpa foi toda minha, não era preciso fazer o que fiz, Deixe lá, respondeu o homem, são coisas que acontecem na vida, eu também fiz o que não devia ser feito.

Quase cobrindo as últimas palavras, ouviu-se a voz áspera do altifalante, Atenção, atenção, avisa-se que a comida foi posta à entrada, assim como os produtos de higiene e limpeza, saem os cegos primeiro a recolher, a ala dos contaminados será informada quando for a sua altura, atenção, atenção, a comida foi posta à entrada, saem primeiro os cegos, os cegos primeiro. Confundido pela febre, o ferido não percebeu todas as palavras, julgou que estavam a mandá-los sair, que a reclusão tinha terminado, e fez um movimento para levantar-se, mas a mulher do médico reteve-o, Aonde vai, Não ouviu, perguntou ele, disseram que saíssem os cegos, Sim, mas foi para irmos recolher a comida. O ferido fez, Ah, desalentado, e sentiu outra vez a dor a revolver-lhe as carnes. Disse o médico, Fiquem aqui, eu irei, Vou contigo, disse a mulher. Quando iam a sair da camarata, um dos que tinham vindo da outra ala perguntou, Quem é este, a resposta veio do primeiro cego, É médico, um médico dos olhos, Esta é das melhores que ouvi na vida, disse o motorista, logo nos havia de ter saído na rifa o único médico que não nos vai servir para nada, Também nos saiu na rifa um motorista que não nos levará a parte nenhuma, ripostou com sarcasmo a rapariga dos óculos escuros.

A caixa com a comida estava no átrio. O médico pediu à mulher, Guia-me até à porta de entrada, Para quê, Vou dizer-lhes que temos aqui uma pessoa com uma infeção grave e que não há remédios, Lembra-te do aviso, Sim, mas talvez que perante um caso concreto, Duvido, Eu também, mas a nossa obrigação é tentar. No patamar exterior a luz do dia estonteou a mulher, e não porque fosse demasiado intensa, no céu estavam passando nuvens escuras, talvez estivesse para chover, Em tão pouco tempo perdi o costume da claridade, pensou. No mesmo instante um soldado gritava-lhes do portão, Alto, voltem já para trás, tenho ordens para disparar, e logo, no mesmo tom, apontando a arma, Nosso sargento, estão aqui uns gajos que querem sair, Não queremos sair, negou o médico, O meu conselho é que realmente não queiram, disse o sargento enquanto se aproximava, e, assomando por trás das grades do portão, perguntou, Que se passa, Uma pessoa que se feriu numa perna apresenta uma infeção declarada, necessitamos imediatamente antibióticos e outros medicamentos, As ordens que tenho são muito claras, sair, não sai ninguém, entrar, só comida, Se a infeção se agravar, que será o mais certo, o caso pode rapidamente tornar-se fatal, Isso não é comigo, Então comunique com os seus superiores, Olhe lá, ó ceguinho, quem lhe vai comunicar uma coisa a si sou eu, ou você e essa voltam agora mesmo para donde vieram, ou levam um tiro, Vamos, disse a mulher, não há nada a fazer, eles nem têm culpa, estão cheios de medo e obedecem a ordens, Não quero acreditar que isto esteja a acontecer, é contra todas as regras de humanidade, É melhor que acredites, porque nunca te encontraste diante de uma verdade tão evidente, Ainda aí estão, gritou o sargento, vou contar até três, se às três não tiverem desaparecido da minha vista podem ter como certo que não chegarão a entrar, uuum, dooois, trêêês, ora aí está, foram palavras abençoadas, e para os soldados, Nem que fosse um irmão meu, não explicou a quem se referia, se ao homem que viera pedir os medicamentos ou ao outro da perna infetada. Dentro, o ferido quis saber se iam deixar entrar remédios, Como sabe que fui pedir remédios, perguntou o médico, Calculei, o senhor é médico, Tenho muita pena, Isso quer dizer que os remédios não vêm, Sim, Ah, bem.

A comida tinha sido calculada à justa para cinco pessoas. Havia garrafas de leite e bolachas, porém quem calculara as rações tinha-se esquecido dos copos, pratos também não havia, nem talheres, viriam provavelmente com a comida do almoço. A mulher do médico foi dar de beber ao ferido, mas ele vomitou. O motorista protestou que não gostava de leite, quis saber se não haveria café. Alguns, depois de terem comido, tornaram a deitar-se, o primeiro cego levou a mulher a conhecer os sítios, foram os únicos que saíram da camarata. O ajudante de farmácia pediu licença para falar com o senhor doutor, gostaria que o senhor doutor lhe dissesse se tinha, sobre a doença, uma opinião formada, Não creio que se lhe possa chamar, em sentido próprio, uma doença, começou por precisar o médico, e depois, simplificando muito, resumiu o que investigara nos livros antes de ter cegado. Algumas camas adiante, o motorista escutava com atenção, e quando o médico terminou o seu relato, disse de lá, Aposto que o que sucedeu foi terem-se entupido os canais que vão dos olhos até aos miolos, Forte besta, resmungou indignado o ajudante de farmácia,

Quem sabe, o médico sorriu sem querer, na verdade os olhos não são mais do que umas lentes, umas objetivas, o cérebro é que realmente vê, tal como na película a imagem aparece, e se os canais se entupiram, como disse aquele senhor, É o mesmo que um carburador, se a gasolina não conseguir lá chegar, o motor não trabalha e o carro não anda, Nada mais simples, como vê, disse o médico ao ajudante de farmácia. E quanto tempo acha o senhor doutor que ainda vamos continuar aqui, perguntou a criada do hotel, Pelo menos enquanto estivermos sem poder ver, E isso quanto tempo será, Francamente, não penso que alguém o saiba, E é uma coisa passageira, ou vai ser para sempre, Quem me dera a mim sabê--lo. A criada suspirou e disse passados uns momentos, Eu também gostava de saber o que sucedeu àquela rapariga, Que rapariga, perguntou o ajudante de farmácia, A do hotel, que impressão me fez, ali no meio do quarto, nua como veio ao mundo, só tinha uns óculos escuros postos, e a gritar que estava cega, o mais certo foi ela ter-me pegado a cegueira. A mulher do médico olhou, viu a rapariga tirar os óculos devagar, a disfarçar o movimento, depois meteu-os debaixo do travesseiro, enquanto perguntava ao rapazinho estrábico, Queres outra bolacha. Pela primeira vez, desde que aqui entrara, a mulher do médico sentiu-se como se estivesse por trás de um microscópio a observar o comportamento de uns seres que não podiam nem sequer suspeitar da sua presença, e isto pareceu-lhe subitamente indigno, obsceno, Não tenho o direito de olhar se os outros não me podem olhar a mim, pensou. Com a mão trémula, a rapariga punha algumas gotas do seu colírio. Assim sempre poderia dizer que não eram lágrimas o que lhe estava escorrendo dos olhos.

Quando horas depois o altifalante anunciou que se podia ir recolher a comida do almoço, o primeiro cego e o motorista declararam-se voluntários para uma missão em que de facto os olhos não eram indispensáveis, bastava o tato. As caixas estavam longe da porta que ligava o átrio ao corredor, para encontrá-las tiveram de caminhar de gatas, varrendo o chão adiante com um braço estendido, enquanto o outro fazia de terceira pata, e só não tiveram dificuldade em regressar à camarata porque a mulher do médico havia tido a ideia, que cuidadosamente justificou aduzindo a sua própria experiência, de rasgar em tiras um cobertor, fazendo com elas uma espécie de corda, uma ponta da qual estaria sempre presa ao puxador exterior da porta da camarata, enquanto a outra seria atada de cada vez ao tornozelo de quem tivesse de sair para ir buscar a comida. Foram os dois homens, vieram os pratos e os talheres, mas os alimentos continuavam a ser para cinco, o mais provável é que o sargento que comandava o piquete da guarda não soubesse que havia ali mais seis cegos, uma vez que de fora do portão, mesmo estando atento ao que estivesse a acontecer no lado de dentro da porta principal, só por casualidade, na sombra do átrio, se veriam passar as pessoas de uma ala para a outra. O motorista ofereceu-se para ir reclamar a comida que faltava, e foi sozinho, não quis companhia, Que não somos cinco, somos onze, gritou para os soldados, e o mesmo sargento respondeu de lá, Descansem, que hão de ser muitos mais, disse-o num tom que devia ter parecido chocarreiro ao motorista, se tivermos em conta as palavras que este disse quando voltou para a camarata, Era como se estivesse a gozar comigo. Repartiram a comida, cinco rações divididas por dez, porquanto o ferido continuava a não querer comer, só pedia água, que lhe molhassem a boca, por favor. A pele dele escaldava. Como não podia suportar muito tempo o contacto e o peso da manta sobre a ferida, de vez em quando descobria a perna, mas o frio ar da camarata obrigava-o, daí a nada, a tapar-se novamente, e nisto levava as horas. Gemia a intervalos regulares, com uma espécie de arranco sufocado, como se a dor, constante, firme, subitamente tivesse crescido antes que ele a pudesse agarrar e suster no limite do suportável.

A meio da tarde entraram mais três cegos, expulsos da outra ala. Um deles era a empregada do consultório, que a mulher do médico reconheceu logo, e os outros, assim o tinha determinado o destino, eram o homem que estivera com a rapariga dos óculos escuros no hotel e aquele polícia grosseiro que a levou a casa. Só tiveram tempo para alcançar as camas e sentar-se nelas, ao acaso, a empregada do consultório chorava desesperadamente, os dois homens calavam-se, como se ainda não pudessem perceber o que lhes sucedera. Subitamente, ouviu-se, vindo da rua, uma confusão de gritos, ordens dadas aos berros, uma vozearia revolta. Os cegos da camarata viraram todos a cara para o lado da porta, à espera. Não podiam ver, mas sabiam o que iria acontecer nos minutos seguintes. A mulher do médico, sentada na cama, ao lado do marido, disse em voz baixa, Tinha de ser, o inferno prometido vai principiar. Ele apertou-lhe a mão e murmurou, Não te afastes, daqui em diante nada poderás fazer. Os gritos tinham diminuído, agora ouviam-se ruídos confusos no átrio, eram os cegos, trazidos em rebanho, que esbarravam uns nos outros, comprimiam-se no vão das portas, uns poucos perderam o sentido e foram parar a outras camaratas, mas a maioria, aos tropeções, agarrados em cachos ou disparados um a um, agitando aflitivamente as mãos em jeito de quem está a afogar-se, entraram na camarata em turbilhão, como se viessem a ser empurrados de fora por uma máquina arroladora. Uns quantos caíram, foram pisados. Apertados na coxia estreita, os cegos, aos poucos, iam-se desbordando para os espaços entre os catres, e aí, como barco que em meio do temporal logrou enfim entrar no porto, tomavam posse do seu fundeadouro pessoal, que era a cama, e protestavam que já não cabia mais ninguém, que os atrasados fossem procurar noutro sítio. Lá do fundo, o médico gritou que havia mais camaratas, mas os poucos que ficaram sem cama tinham medo de perder-se no labirinto que imaginavam, salas, corredores, portas fechadas, escadas que só se revelariam no último momento. Por fim, compreenderam que não poderiam continuar ali e, buscando penosamente a porta por onde haviam entrado, aventuraram-se no desconhecido. Como que procurando um último e ainda seguro refúgio, os cegos do segundo grupo, o de cinco, tinham podido ocupar os catres que, entre eles e os do primeiro grupo, tinham ficado vazios. Só o ferido ficou isolado, sem proteção, na cama catorze, lado esquerdo.

Um quarto de hora depois, tirando uns choros, umas queixas, uns rumores discretos de arrumação, a calma, não a tranquilidade, voltou à camarata. Todos os catres estavam agora ocupados. A tarde chegava ao fim, as lâmpadas mortiças pareceram ganhar força. Então ouviu-se a voz seca do altifalante. Tal como fora anunciado no primeiro dia, estavam a ser repetidas as instruções sobre o funcionamento das camaratas e as regras a que os internados deveriam obedecer, O Governo lamenta ter sido forçado a exercer energicamente o que considera ser seu direito e seu dever, proteger por todos os meios as populações na crise que estamos a atravessar etc. etc. Quando a voz se calou, levantou-se um coro indignado de protestos, Estamos fechados, Vamos morrer aqui todos, Não há direito, Onde estão os médicos que nos tinham prometido, isto era novidade, as autoridades tinham prometido médicos, assistência, talvez mesmo a cura completa. O médico não disse que se precisassem de um médico o tinham ali a ele. Nunca mais o diria. A um médico não bastam as mãos, um médico cura com fármacos, drogas, compostos químicos, combinações disto e daquilo, e aqui não há rasto deles, nem a esperança de os conseguir. Não tinha sequer olhos para notar uma palidez, para observar um rubor da circulação periférica, quantas vezes, sem necessidade de mais minuciosos exames, esses sinais exteriores equivaliam a uma história clínica completa, ou a coloração das mucosas e dos pigmentos, com altíssima probabilidade de acerto, Desta não escapas. Como os catres próximos estavam todos ocupados, a mulher já não podia ir-lhe contando o que se passava, mas ele percebia o ambiente carregado, tenso, a roçar já a aspereza de um conflito, que se havia criado desde a chegada dos últimos cegos. Até a atmosfera da camarata parecia ter-se tornado mais espessa, rolando cheiros grossos e lentos, com súbitas correntes nauseabundas, Como será isto dentro de uma semana, perguntou-se, e teve medo de imaginar que dali a uma semana ainda estariam encerrados neste lugar, Supondo que não haverá dificuldades com o abastecimento de comida, e não é certo que não as haja, duvido, por exemplo, que a gente lá de fora saiba em cada momento quantos vamos sendo aqui, a questão é como irão resolver-se os problemas da higiene, já não falo de como nos lavaremos, cegos de poucos dias e sem ajuda de ninguém, e se os duches funcionarão e por quanto tempo, falo do resto, dos restos, um só entupimento das sentinas, um só que seja, e isto transforma-se numa cloaca. Esfregou a cara com as mãos, sentiu a aspereza da barba de três dias, É preferível assim, espero que não tenham a má ideia de nos mandarem lâminas nem tesouras. Tinha dentro da mala tudo quanto necessitaria para fazer a barba, mas estava consciente de que seria um erro fazê-lo, E onde, onde, não aqui na camarata, no meio de toda esta gente, é certo que ela poderia barbear-me, mas não tardaria que os outros se apercebessem e estranhassem haver alguém capaz de prestar estes cuidados, e lá dentro, nos duches, aquela confusão, meu Deus, a falta que os olhos nos fazem, ver, ver, ainda que não fosse mais que umas vagas sombras, estar diante de um espelho, olhar uma mancha escura difusa e poder dizer, Ali está a minha cara, o que tiver luz não me pertence.

Os protestos cessaram pouco a pouco, alguém vindo de outra camarata apareceu a perguntar se havia um resto de comida, quem lhe respondeu foi o motorista de táxi, Nem migalha, e o ajudante de farmácia, para mostrar boa vontade, adoçou a negativa perentória, Pode ser que ainda venha. Não viria. A noite fechou-se completamente. De fora, nem comida, nem palavras. Ouviram-se gritos na camarata ao lado, depois fez-se silêncio, se alguém chorava fazia-o baixinho, o choro não atravessava as paredes. A mulher do médico foi ver como se encontrava o doente, Sou eu, disse-lhe, e levantou cuidadosamente a manta. A perna tinha um aspeto assustador, inchada toda por igual desde a coxa, e a ferida, um círculo negro com laivos arroxeados, sanguinolentos, alargara-se muito, como se a carne tivesse sido repuxada de dentro.

Desprendia um cheiro ao mesmo tempo fétido e adocicado. Como se sente, perguntou a mulher do médico,
Obrigado por cá ter vindo, Diga-me como se sente, Mal,
Tem dores, Sim, e não, Explique melhor, Dói-me, mas é
como se a perna não fosse minha, está como separada do
corpo, não lhe sei explicar, é uma impressão esquisita,
como se estivesse aqui deitado a ver a perna a doer-me,
Isso é da febre, Será, Agora faça por dormir. A mulher do
médico pôs-lhe a mão na testa, depois fez o movimento
de retirar-se, mas não teve tempo nem de dar as boas-
-noites, o doente agarrou-a por um braço e puxou-a para
si, obrigando-a a aproximar a cara, Eu sei que a senhora
vê, disse numa voz muito baixa. A mulher do médico es-
tremeceu de surpresa, e murmurou, Está enganado, aonde é que foi buscar essa ideia, vejo tanto como qualquer
dos que aqui estão, Não me queira enganar a senhora,
eu bem sei que vê, mas esteja descansada que não digo
a ninguém, Durma, durma, Não tem confiança em mim,
Tenho, Não se fia da palavra de um gatuno, Já lhe disse
que tenho confiança, Então por que não me diz a verdade, Amanhã falamos, agora durma, Pois sim, amanhã,
se lá chegar, Não devemos pensar o pior, Eu penso, ou
então é a febre que está a pensar por mim. A mulher do
médico voltou para junto do marido e sussurrou-lhe ao
ouvido, A ferida tem um aspeto horrível, será gangrena,
Em tão pouco tempo, não me parece provável, Seja como
for, está muito mal, E nós aqui, disse o médico numa voz
de propósito audível, não chega estarmos cegos, é como
se nos tivessem atado de pés e mãos. Da cama catorze,
lado esquerdo, o doente respondeu, A mim não me há de
atar ninguém, senhor doutor.

As horas foram passando, um após outro os cegos
adormeceram. Alguns tinham tapado a cabeça com a

manta, como se desejassem que a escuridão, uma autêntica, uma negra escuridão, pudesse apagar definitivamente os sóis embaciados em que os seus olhos se haviam tornado. As três lâmpadas, suspensas do teto alto, fora do alcance, derramavam sobre os catres uma luz suja, amarelada, que nem era capaz de produzir sombras. Quarenta pessoas dormiam ou tentavam desesperamente adormecer, algumas suspiravam e murmuravam em sonhos, talvez vissem no sonho aquilo com que sonhavam, talvez dissessem, Se isto é um sonho, não quero acordar. Os relógios de todos eles estavam parados, tinham-se esquecido de lhes dar corda ou acharam que já não valia a pena, só o da mulher do médico continuava a trabalhar. Passava das três da madrugada. Adiante, muito lentamente, apoiando-se nos cotovelos, o ladrão do carro soergueu o tronco. Não sentia a perna, só a dor estava lá, o resto deixara de pertencer-lhe. Estava rígida a articulação do joelho. Rolou o corpo para o lado da perna sã, que deixou pender para fora da cama, depois, com as mãos juntas por debaixo da coxa, tentou mover no mesmo sentido a perna ferida. Como uma matilha de lobos acordados subitamente, as dores correram em todas as direções para logo a seguir voltarem à cratera soturna em que se alimentavam. Apoiando-se nas mãos, foi arrastando aos poucos o corpo pelo colchão, na direção da coxia. Quando alcançou o alçado dos pés da cama, teve de descansar. Respirava com dificuldade, como se sofresse de asma, a cabeça oscilava-lhe sobre os ombros, mal podia suster-se neles. Ao cabo de uns minutos, a respiração tornou-se mais regular, e ele começou a levantar-se lentamente, apoiado na perna boa. Sabia que a outra de nada lhe iria servir, que teria de arrastá-la atrás de si lá aonde fosse. Sentiu uma tontura, um tremor irreprimível atravessou-lhe o corpo, o frio e a febre fizeram-lhe entrechocar os dentes. Amparando-se aos ferros das camas, passando de uma para outra como uma laçadeira, foi avançando entre os adormecidos. Puxava, como um saco, a perna ferida. Ninguém deu por ele, ninguém lhe perguntou, Aonde vai você a estas horas, se alguém o tivesse feito sabia como haveria de responder, Vou mijar, diria, o que não queria era que fosse a mulher do médico a chamá-lo, a ela não poderia enganar, mentir-lhe, teria de lhe dizer a ideia que levava na cabeça, Não posso continuar aqui a apodrecer, reconheço que o seu marido fez o que estava ao seu alcance, mas quando eu tinha de roubar um carro não ia pedir a outro que o roubasse por mim, agora é o mesmo, eu é que lá tenho de ir, quando eles me virem neste estado perceberão logo que estou mal, metem-me numa ambulância e levam-me ao hospital, de certeza que há hospitais só para cegos, um mais não lhes faz diferença, depois tratam-me da perna, curam-me, ouvi dizer que é o que se faz com os condenados à morte, se têm uma apendicite operam-nos e só depois é que os matam, para que morram com saúde, cá por mim, se quiserem, podem depois tornar a trazer-me para aqui, que não me importa. Avançou mais, cerrando os dentes para não gemer, só não pôde reprimir um soluço de agonia quando, chegado ao extremo da fila, se desequilibrou. Errara a contagem das camas, esperava que houvesse ainda uma, e era já o vazio. Caído no chão, não se mexeu até ter a certeza de que ninguém tinha acordado com o barulho da queda. Depois achou que a posição convinha perfeitamente a um cego, se avançasse de gatas poderia encontrar com mais facilidade o caminho. Foi-se arrastando assim até alcançar o átrio, aí parou para pensar no procedimento que deveria seguir, se seria melhor chamar da porta, se acercar--se à grade, aproveitando a corda que tinha servido de corrimão e que de certeza ainda lá estaria. Sabia muito bem que se chamasse dali a pedir ajuda o mandariam imediatamente voltar para trás, mas a alternativa de ter como único socorro, depois do que, apesar do apoio sólido das camas, havia sofrido, uma corda bamba, oscilante, fê-lo duvidar. Passados uns minutos julgou ter encontrado a solução, Vou andando de gatas, pensou, ponho-me debaixo da corda, de vez em quando levanto a mão para ver se vou no bom caminho, isto é o mesmo que roubar um carro, sempre se encontra a maneira. De súbito, sem que ele contasse, a consciência acordou e censurou-o asperamente por ter sido capaz de roubar o automóvel a um pobre cego, Se agora estou nesta situação, argumentou ele, não foi por lhe ter roubado o carro, mas por ter ido acompanhá-lo a casa, esse é que foi o meu grande erro. Não estava a consciência para debates casuísticos, as suas razões eram simples e claras, Um cego é sagrado, a um cego não se rouba, Tecnicamente falando, não o roubei, nem ele tinha o carro no bolso, nem eu lhe apontei uma pistola à cara, defendeu-se o acusado, Deixa-te de sofismas, resmungou a consciência, e vai lá aonde tens de ir.

O ar frio da madrugada refrescou-lhe a cara. Que bem se respira cá fora, pensou. Pareceu-lhe notar que a perna lhe doía muito menos, porém isto não o surpreendeu, já antes, por mais que uma vez, acontecera o mesmo. Estava no patamar exterior, não tardaria em chegar aos degraus, Vai ser o mais complicado, pensou, descer com a cabeça para a frente. Levantou um braço para certificar-se de que a corda estava lá, e avançou.

Tal como previra, não era fácil passar de um degrau para outro, sobretudo por causa da perna, que não o ajudava, e a prova teve-a logo, quando, a meio da escada, por ter uma das mãos resvalado num degrau, o corpo descaiu todo para um lado e foi arrastado pelo peso morto da maldita perna. As dores voltaram instantaneamente, com as serras, com as brocas, com os martelos, nem ele soube como conseguiu não gritar. Durante longos minutos ficou estendido de bruços, com a cara assente no chão. Um vento rápido, rasteiro, fê-lo tiritar. Não trazia no corpo mais que a camisa e as cuecas. A ferida estava, toda ela, em contacto com a terra, e ele pensou, Pode infetar-se, era um pensamento estúpido, não se lembrou de que a vinha arrastando assim desde a camarata, Bom, não tem importância, eles vão tratar-me antes que ela se infete, pensou depois, para tranquilizar-se, e pôs-se de lado para melhor alcançar a corda. Não a encontrou logo. Tinha-se esquecido de que ficara em posição perpendicular a ela quando rebolou pela escada, mas o instinto fê-lo permanecer onde estava. Depois foi o raciocínio que o orientou a sentar-se e a mover-se lentamente até tocar com os rins no primeiro degrau, e foi com um sentimento exultante de vitória que sentiu a aspereza da corda na mão levantada. Provavelmente foi também esse sentimento que o levou a descobrir, logo a seguir, a maneira de se deslocar sem que a ferida roçasse no chão, pôr-se de costas para onde estava o portão e, usando os braços como muletas, como faziam dantes os estropiados das pernas, deslocar, em pequenos movimentos, o corpo sentado. Para trás, sim, porque, neste caso como em outros, puxar era bem mais fácil que empurrar. A perna, assim, não sofria tanto, além de que o suave declive do terreno, descaindo em direção à saída, ajudava. Quanto à corda, não havia perigo de a perder, quase que lhe tocava com a cabeça. Perguntava-se se ainda lhe faltaria muito para chegar ao portão, não era o mesmo ir por seu pé, melhor ainda se pelos dois, e avançar às arrecuas, em deslocações de meio palmo ou menos. Esquecido, por um instante, de que estava cego, virou a cabeça como para certificar-se do que lhe faltava percorrer e encontrou na sua frente a mesma brancura sem fundo. Será noite, será dia, perguntou-se, bom, se fosse dia já me teriam visto, além disso só houve um pequeno-almoço e foi há muitas horas. Assombrava-o o espírito lógico que estava descobrindo na sua pessoa, a rapidez e o acerto dos raciocínios, via-se a si mesmo diferente, outro homem, e se não fosse este azar da perna estaria disposto a jurar que nunca em toda a sua vida se sentira tão bem. As costas bateram na parte inferior, chapeada, do portão. Chegara. Metido na guarita para proteger-se do frio, ao soldado de sentinela tinha-lhe parecido ouvir uns ligeiros ruídos que não conseguira identificar, de todo o modo não pensou que pudessem vir de dentro, teria sido o ramalhar breve das árvores, uma ramagem que o vento fizesse roçar de leve na grade. Outro ruído lhe chegou de súbito aos ouvidos, mas este foi diferente, uma pancada, um choque, para ser mais preciso, não podia ser obra de vento. Nervoso, o soldado saiu da guarita engatilhando a espingarda automática e olhou na direção do portão. Não viu nada. O ruído, porém, voltara, mais forte, agora era como o de unhas raspando numa superfície rugosa. A chapa do portão, pensou. Deu um passo para a tenda de campanha onde o sargento dormia, mas reteve-o o pensamento de que se desse falso alarme teria de ouvir das boas, os sargentos não gostam que os acordem, mesmo quando haja motivo. Tornou a olhar para o portão e esperou, tenso.

Muito devagar, no intervalo entre dois ferros verticais, como um fantasma, começou a aparecer uma cara branca. A cara de um cego. O medo fez gelar o sangue do soldado, e foi o medo que o fez apontar a arma e disparar uma rajada à queima-roupa.

O estrondear sacudido das detonações fez surgir quase imediatamente de dentro das tendas, meio vestidos, os soldados que compunham o piquete encarregado da guarda do manicómio e de quem lá fora posto dentro. O sargento já estava no comando, Que raio foi isto, Um cego, um cego, balbuciou o soldado, Onde, Ali, e apontou o portão com o cano da arma, Não vejo lá nada, Estava ali, eu vi-o. Os soldados tinham acabado de equipar-se e esperavam alinhados, de espingardas na mão. Acendam o projetor, ordenou o sargento. Um dos soldados subiu à plataforma do veículo. Segundos depois o foco deslumbrante iluminou o portão e a frontaria do edifício. Não há ninguém, sua besta, disse o sargento, e dispunha-se a proferir mais umas quantas amenidades militares do mesmo estilo quando viu que por debaixo do portão estava alastrando, sob a luz violenta, uma poça negra. Deste-lhe cabo do canastro, disse. Depois, lembrando-se das rigorosas ordens que lhe haviam sido dadas, gritou, Cheguem-se para trás, isto pega-se. Os soldados recuaram, medrosos, mas continuaram a olhar a poça de sangue que lentamente se espalhava pelos intervalos entre as pedras miúdas do passeio. Achas que o gajo está morto, perguntou o sargento, Tem de estar, apanhou com a rajada em cheio na cara, respondeu o soldado, agora contente pela óbvia demonstração da sua boa pontaria. Neste momento, outro soldado gritou nervosamente, Nosso sargento, nosso sargento, olhe para ali. No patamar exterior da escada, de pé, iluminados pela luz branca do holofote, viam-se uns quantos cegos, mais de uma dezena, Não avancem, berrou o sargento, se dão um passo que seja estoiro com todos. Nas janelas dos prédios em frente, algumas pessoas acordadas pelos disparos olhavam assustadas através das vidraças. Então o sargento gritou, Quatro homens daí que venham buscar o corpo. Porque não se podiam ver nem contar, foram seis os cegos que se moveram, Eu disse quatro, berrou o sargento histericamente. Os cegos tocaram-se, tornaram a tocar-se, ficaram dois deles. Os outros começaram a andar ao longo da corda.

Temos de ver se há por aqui alguma pá ou alguma enxada, seja o que for que possa servir para cavar, disse o médico. Era manhã, tinham trazido com grande esforço o cadáver para a cerca interior, puseram-no no chão, entre o lixo e as folhas mortas das árvores. Agora era preciso enterrá-lo. Só a mulher do médico sabia o estado em que se encontrava o morto, a cara e o crânio rebentados pela descarga, três buracos de balas no pescoço e na região do esterno. Também sabia que em todo o edifício não havia nada com que se pudesse abrir uma cova. Percorrera toda a área que lhes tinha sido destinada e não encontrara mais que uma vara de ferro. Ajudaria, mas não era suficiente. E vira, por trás das janelas fechadas do corredor que seguia ao longo da ala reservada aos suspeitos de contágio, mais baixas deste lado da cerca, rostos atemorizados, de pessoas à espera da sua hora, do momento inevitável em que teriam de dizer às outras Ceguei, ou quando, se tivessem tentado ocultar-lhes o sucedido, as denunciasse um gesto errado, um mover de cabeça à procura duma sombra, um tropeção injustificado em quem tem olhos. Tudo isto também o sabia o médico, a frase que lançara fazia parte do disfarce combinado por ambos, a partir de agora a mulher já poderia dizer, E se pedíssemos aos soldados que nos atirassem cá para dentro uma pá, A ideia é boa, experimentemos, e todos estiveram de acordo, que sim, que era uma boa ideia, só a rapariga dos óculos escuros não pronunciou palavra sobre esta questão de enxada ou pá, todo o seu falar, por enquanto, eram lágrimas e lamentos, A culpa foi minha, chorava ela, e era verdade, não se podia negar, mas também é certo, se isso lhe serve de consolação, que se antes de cada ato nosso nos puséssemos a prever todas as consequências dele, a pensar nelas a sério, primeiro as imediatas, depois as prováveis, depois as possíveis, depois as imagináveis, não chegaríamos sequer a mover-nos de onde o primeiro pensamento nos tivesse feito parar. Os bons e os maus resultados dos nossos ditos e obras vão-se distribuindo, supõe-se que de uma forma bastante uniforme e equilibrada, por todos os dias do futuro, incluindo aqueles, infindáveis, em que já cá não estaremos para poder comprová-lo, para congratular-nos ou pedir perdão, aliás, há quem diga que isso é que é a imortalidade de que tanto se fala, Será, mas este homem está morto e é preciso enterrá-lo. Foram portanto o médico e a mulher a parlamentar, a rapariga dos óculos escuros, inconsolada, disse que ia com eles. Por dor da consciência. Mal apareceram à vista, na entrada da porta, um soldado gritou-lhes, Alto, e como se temesse que a intimação verbal, ainda que enérgica, não fosse acatada, disparou um tiro para o ar. Assustados, recuaram para a proteção da sombra do átrio, por trás das madeiras grossas da porta aberta. Depois a mulher do médico avançou sozinha, donde estava podia ver os movimentos do soldado e resguardar-se a tempo, se fosse necessário, Não temos com que enterrar o morto, disse, precisamos de uma pá. Ao portão, mas do lado oposto onde o cego tinha caído, apareceu outro militar. Sargento era, mas não o de antes, Que querem, gritou, Precisamos de uma pá, ou uma enxada, Não há cá disso, ponham-se a andar, Temos de enterrar o corpo, Não enterrem, deixem-no aí a apodrecer, Se o deixarmos fica a contaminar a atmosfera, Pois que contamine e vos faça bom proveito, A atmosfera não está parada, tanto está aqui como vai para aí. A pertinência do argumento obrigou o militar a refletir. Tinha vindo substituir o outro sargento, que cegara e fora imediatamente levado para onde estavam a ser concentrados os enfermos pertencentes às forças armadas de terra. Escusado será dizer que a aviação e a marinha dispunham também, cada uma, das suas próprias instalações, mas estas de menor tamanho e importância, por serem mais reduzidos os efetivos destas armas. A mulher tem razão, reconsiderou o sargento, num caso como este não há dúvida de que todos os cuidados são poucos. Como prevenção, dois soldados, munidos de máscaras antigases, já haviam despejado sobre o sangue dois garrafões inteiros de amónia, cujos últimos vapores ainda faziam lacrimejar o pessoal e lhes picavam as mucosas da garganta e do nariz. O sargento declarou, enfim, Vou ver o que se pode arranjar, E a comida, aproveitou a mulher do médico a ocasião para recordar-lhe, A comida ainda não chegou, Só do nosso lado já há mais de cinquenta pessoas, temos fome, o que estão a mandar não chega para nada, Isso da comida não é com o exército, Alguém tem de resolver a situação, o governo comprometeu-se a alimentar-nos, Voltem lá para dentro, não quero ver ninguém nessa porta, A enxada, ainda gritou a mulher do médico, mas o sargento tinha-se ido embora. A manhã estava em meio quando se ouviu a voz do altifalante na camarata, Atenção, atenção, os internados alegraram-se, pensaram que era o anúncio da comida, mas não, tratava-se da enxada, Alguém que a venha buscar, mas nada de grupos, só sai uma pessoa, Vou eu, que já falei com eles antes, disse a mulher do médico. Logo que saiu ao patamar exterior viu a enxada. Pela posição e pela distância a que se encontrava, mais perto do portão do que da escada, devia ter sido atirada de fora, Não me posso esquecer de que estou cega, pensou a mulher do médico, Onde está, perguntou, Desce a escada, que já te irei guiando, respondeu o sargento, muito bem, agora anda na direção em que estás, assim, assim, alto, vira-te um pouco para a direita, não, para a esquerda, menos, menos do que isso, agora em frente, se não te desviares vais dar com o nariz mesmo em cima dela, quente, a escaldar, merda, eu disse que não te desviasses, frio, frio, está a aquecer outra vez, quente, cada vez mais quente, pronto, agora dá meia-volta que eu torno a guiar-te, não quero que fiques para aí como uma burra à nora, às voltas, e me venhas parar ao portão, Não estejas tão preocupado, pensou ela, irei daqui à porta em linha reta, no fim de contas tanto faz, ainda que ficasses a desconfiar de que não estou cega, a mim que me importa, não virás cá dentro buscar-me. Pôs a enxada ao ombro, como um cavador que vai ao seu trabalho, e caminhou na direção da porta sem se desviar um passo, Nosso sargento, já viu aquilo, exclamou um dos soldados, até parece ela que tem olhos, Os cegos aprendem depressa a orientar-se, explicou, convicto, o sargento.

Foi trabalhoso abrir a cova. A terra estava dura, calcada, havia raízes a um palmo do chão. Cavaram à vez o motorista, os dois polícias e o primeiro cego. Perante a morte, o que se espera da natureza é que percam os rancores a força e o veneno, é certo que se diz que o ódio velho não cansa, e disso não faltam provas na literatura e na vida, mas isto aqui, no fundo, a bem dizer, não era ódio, e de velho nada, pois que vale o roubo de um automóvel ao lado do morto que o tinha roubado, e menos ainda no mísero estado em que se encontra, que não são precisos olhos para saber que esta cara não tem nariz nem boca. Não puderam cavar mais fundo que três palmos. Fosse o morto gordo e ter-lhe-ia ficado de fora a barriga, mas o ladrão era magro, um autêntico pau de virar tripas, pior depois do jejum destes dias, a cova bastaria para dois como ele. Não houve orações. Podia-se pôr-lhe uma cruz, lembrou ainda a rapariga dos óculos escuros, foi o remorso que a fez falar, mas ninguém ali tinha notícia do que o falecido pensara em vida dessas histórias de Deus e da religião, o melhor era calar, se é que outro procedimento tem justificação perante a morte, além disso, leve-se em consideração que fazer uma cruz é muito menos fácil do que parece, sem falar do tempo que ela se iria aguentar, com todos estes cegos que não veem onde põem os pés. Voltaram à camarata. Nos sítios mais frequentados, desde que não seja em campo aberto, como a cerca, a gente já não se perde, com um braço esticado à frente e uns dedos a mover-se como antenas de insetos chega-se a toda a parte, é mesmo provável que nos cegos mais dotados não tarde a desenvolver-se aquilo a que chamamos visão frontal. A mulher do médico, por exemplo, é extraordinário como ela consegue movimentar-se e orientar-se por este verdadeiro quebra-cabeças de salas, desvãos e corredores, como sabe virar uma esquina no ponto exato, como para diante de uma porta e a abre sem hesitação, como não precisa ir contando as camas até chegar à sua.

Agora está sentada na cama do marido, conversa com ele, baixinho como de costume, vê-se que são pessoas de educação, e têm sempre alguma coisa para dizer um ao outro, não são o mesmo que o outro casal, o primeiro cego e a mulher, depois daquelas comovedoras efusões do reencontro quase não têm falado, é que, neles, provavelmente, tem podido mais a tristeza de agora do que o amor de antes, com o tempo hão de habituar-se. Quem não se cansa a repetir que tem fome é o rapazito estrábico, apesar de a rapariga dos óculos escuros, praticamente, ter tirado a comida à sua boca para a dar a ele. Há muitas horas que o mocinho não pergunta pela mãe, mas decerto voltará a sentir-lhe a falta depois de ter comido, quando o corpo se encontrar liberto das brutidões egoístas que resultam da simples, porém imperiosa, necessidade de manter-se. Fosse por causa do que acontecera de madrugada, fosse por motivos alheios à nossa vontade, a verdade é que não tinham chegado a ser trazidas as caixas com a refeição da manhã. Agora está-se a aproximar a hora do almoço, é quase uma hora no relógio que a mulher do médico disfarçadamente acaba de consultar, não deverá portanto estranhar-se que a impaciência dos sucos gástricos tenha decidido uns quantos cegos, tanto desta ala como da outra, a irem esperar no átrio a chegada da comida, e isto por duas excelentes razões, a pública, de uns, porque desta maneira se ganharia tempo, a reservada, de outros, porque é sabido que quem chega primeiro melhor se serve. Ao todo, não serão menos de dez os cegos atentos ao ruído que o portão exterior fará ao ser aberto, aos passos dos soldados que hão de trazer as abençoadas caixas. Por sua vez, temerosos de uma súbita cegueira que pudesse resultar da proximidade imediata dos cegos que esperavam no átrio, os contagiados da ala esquerda não se atreveram a sair, mas alguns deles estão a espreitar pela frincha da porta, ansiosos por que chegue a sua vez. O tempo foi passando. Cansados de esperar, alguns cegos tinham-se sentado no chão, mais tarde dois ou três regressaram às camaratas. Foi pouco depois que se ouviu o ranger inconfundível do portão. Excitados, os cegos, atropelando-se uns aos outros, começaram a mover-se para onde, pelos sons de fora, calculavam que estava a porta, mas, de súbito, tomados por uma vaga inquietação que não iriam ter tempo de definir e explicar, pararam e logo confusamente retrocederam, enquanto começavam já a perceber-se distintamente os passos dos soldados que traziam a comida e da escolta armada que os acompanhava.

Ainda sob a impressão produzida pelo trágico acontecimento da noite, os soldados que transportavam as caixas haviam combinado que não as iriam deixar ao alcance das portas que davam para as alas, como mais ou menos tinham feito antes, largá-las-iam no átrio, e adeus, passem bem, Os gajos que lá se avenham, disseram. A ofuscação produzida pela forte luz do exterior e a transição brusca para a penumbra do átrio impediram-nos, no primeiro momento, de ver o grupo de cegos. Viram-nos logo a seguir. Soltando berros de medo, largaram as caixas no chão e saíram como loucos pela porta fora. Os dois soldados da escolta, que esperavam no patamar, reagiram exemplarmente perante o perigo. Dominando, só Deus sabe como e porquê, um legítimo medo, avançaram até ao limiar da porta e despejaram os carregadores. Os cegos começaram a cair uns sobre os outros, caindo recebiam ainda no corpo balas que já eram um puro desperdício de munição, foi tudo tão incrivelmente lento, um corpo, outro corpo, parecia que nunca mais acabavam de cair, como às vezes se vê nos filmes e na televisão. Se ainda estamos em tempo de ter um soldado de dar contas das balas que dispara, estes poderão jurar sobre a bandeira que procederam em legítima defesa, e por acréscimo também em defesa dos seus camaradas desarmados que iam em missão humanitária e de repente se viram ameaçados por um grupo de cegos numericamente superior. Recuaram em desatinada correria para o portão, cobertos pelas espingardas que os outros soldados do piquete tremulamente apontavam por entre os ferros, como se os cegos vivos que ficaram estivessem a ponto de fazer uma surtida vingadora. Lívido de susto, um dos que tinham disparado dizia, Eu lá dentro não volto nem que me matem, e de facto não voltou. De um momento para o outro, nesse mesmo dia, já perto do fim da tarde, à hora de render, passou a ser mais um cego entre os cegos, o que lhe valeu foi ser da tropa, porque, se não, teria ficado logo ali, a fazer companhia aos cegos paisanos, colegas daqueles a quem havia desfeito a tiros, e Deus sabe o que lhe fariam. O sargento ainda disse, Isto o melhor era deixá-los morrer à fome, morrendo o bicho acabava--se a peçonha. Como sabemos, não falta por aí quem o tenha dito e pensado muitas vezes, felizmente um resto precioso de sentido de humanidade fez dizer a este, A partir de agora deixamos as caixas a meio caminho, eles que as venham buscar, mantemo-los debaixo de olho, e ao menor movimento suspeito, fogo. Dirigiu-se ao posto de comando, ligou o microfone e, juntando as palavras o melhor que soube, recorrendo à lembrança doutras semelhantes escutadas em ocasiões mais ou menos parecidas, disse, O exército lamenta ter sido obrigado a reprimir pelas armas um movimento sedicioso responsável pela criação duma situação de risco iminente, da qual não teve culpa direta ou indireta, e avisa que a partir de hoje os internados passarão a recolher a comida fora do edifício, ficando desde já prevenidos de que sofrerão as consequências no caso de se manifestar qualquer tentativa de alteração da ordem, como aconteceu agora e a noite passada tinha acontecido. Fez uma pausa, sem saber muito bem como conviria terminar, tinha-se esquecido das palavras próprias, certamente as havia, só soube repetir, Não tivemos culpa, não tivemos culpa.

Dentro do edifício, o fragor dos disparos, atroadoramente repercutidos no espaço limitado do átrio, havia causado pavor. Nos primeiros momentos pensou-se que os soldados iam irromper pelas camaratas dentro varrendo à bala tudo o que encontrassem pela frente, o governo mudara de ideias, optara pela liquidação física em massa, houve quem se metesse debaixo das camas, alguns, de puro medo, não se mexeram, uns quantos talvez tenham pensado que era melhor assim, para pouca saúde mais vale nenhuma, se uma pessoa tem de acabar, que seja depressa. Os primeiros a reagir foram os contagiados. Tinham começado por fugir quando se desatou a fuzilaria, mas depois o silêncio animou-os a voltar, e outra vez se aproximaram da porta que dava acesso ao átrio. Viram os corpos amontoados, o sangue sinuoso alastrando lentamente no chão lajeado, como se estivesse vivo, e as caixas da comida. A fome empurrou-os para fora, estava ali o ansiado alimento, é verdade que era destinado aos cegos, o deles seria trazido a seguir, de acordo com o regulamento, mas agora o regulamento que se lixasse, ninguém nos vê, e candeia que vai adiante alumia duas vezes, já o disseram os antigos de todos os tempos e lugares, e os antigos não eram pecos nestas coisas. Porém, a fome só teve força para os fazer avançar três passos, a razão interpôs-se e avisou-os de que o perigo estava ali à espera dos imprudentes, naqueles corpos sem vida, sobretudo naquele sangue, quem poderia saber que vapores, que emanações, que venenosos miasmas não estariam já a desprender-se da carne esfacelada dos cegos. Estão mortos, não podem fazer nada, disse alguém, a intenção era tranquilizar-se a si mesmo e aos outros, mas foi pior havê-lo dito, era verdade que os cegos estavam mortos, que não podiam mover-se, reparem, não se mexem nem respiram, mas quem nos diz a nós que esta cegueira branca não será precisamente um mal do espírito, e se o é, ponhamos por hipótese, nunca os espíritos daqueles cegos estiveram tão soltos como agora estão, fora dos corpos, e portanto mais livres de fazerem o que quiserem, sobretudo o mal, que, como todo o mundo sabe, sempre foi o mais fácil de fazer. Mas as caixas da comida, ali expostas, atraíam os olhos irresistivelmente, são deste calibre as razões do estômago, não atendem a nada, mesmo quando é para seu bem. De uma das caixas derramava-se um líquido branco que lentamente se ia aproximando da toalha de sangue, por todos os visos devia ser leite, é uma cor que não engana. Mais corajosos, ou mais fatalistas, nem sempre a distinção é fácil, dois dos contagiados avançaram, e já estavam quase a tocar com as mãos gulosas na primeira caixa quando no vão da porta que dava para a outra ala apareceram uns quantos cegos. Pode tanto a imaginação, e em circunstâncias mórbidas como esta parece que pode tudo, que, para aqueles dois que tinham ido de fossado, foi como se os mortos, de repente, se tivessem levantado do chão, tão cegos como antes, sem dúvida, mas muito mais daninhos, porque sem dúvida os estaria incitando o espírito de vingança. Recuaram prudentemente e em silêncio para a entrada da sua ala, podia ser que os cegos começassem por ocupar-se dos mortos, que assim mandavam a caridade e o respeito, ou, quando não, que deixassem ficar, por não a terem visto, alguma das caixas, pequena que fosse, na verdade os contagiados não eram muitos ali, talvez a melhor solução até fosse essa, pedir-lhes Por favor, tenham dó, deixem ao menos uma caixinha para nós, se calhar eles não vão trazer hoje mais comida, depois do que sucedeu. Os cegos moviam-se como cegos que eram, às apalpadelas, tropeçando, arrastando os pés, não obstante, como se estivessem organizados, souberam repartir as tarefas eficazmente, alguns deles, patinhando no sangue pegajoso e no leite, começaram logo a retirar e transportar os cadáveres para a cerca, outros ocuparam-se das caixas, uma por uma, as oito que tinham sido largadas pelos soldados. Entre os cegos havia uma mulher que dava a impressão de estar ao mesmo tempo em toda a parte, ajudando a carregar, fazendo como se guiasse os homens, coisa evidentemente impossível para uma cega, e, fosse por acaso ou de propósito, por mais que uma vez virou a cara para o lado da ala dos contagiados, como se os pudesse ver ou lhes percebesse a presença. Em pouco tempo o átrio ficou vazio, sem outros sinais que a mancha grande do sangue, e outra pequena tocando-a, branca, do leite que se entornara, mais do que isto só os rastos cruzados dos pés, pegadas vermelhas ou simplesmente húmidas. Os contagiados fecharam resignadamente a porta e foram à procura de migalhas, era tanto o desalento que um deles foi ao ponto de dizer, e isto mostra bem como se encontravam desesperados, Se vamos ter mesmo de ficar cegos, se é esse o nosso destino, mais valia irmos já para lá, ao menos tínhamos de que comer, Talvez os soldados ainda tragam a nossa parte, disse alguém, Você fez a tropa, perguntou outro, Não, Bem me queria a mim parecer.

Tendo em conta que os mortos pertenciam a uma e a outra, reuniram-se os ocupantes da primeira e da segunda camaratas, com o objetivo de decidir se comiam primeiro e enterravam depois os cadáveres, ou ao contrário. Ninguém parecia interessado em saber quem tinha morrido. Cinco deles haviam-se instalado na segunda camarata, ignora-se se já se conheciam de antes ou, no caso de que não, se tinham tido tempo e disposição para trocarem apresentações e desabafos. A mulher do médico não se lembrava de tê-los visto quando chegaram. Aos restantes quatro, sim, a esses conhecia-os, tinham dormido com ela, por assim dizer, debaixo do mesmo teto, embora de um deles não soubesse mais do que isso, e como o poderia saber, um homem que se respeite não se vai pôr a falar de assuntos íntimos à primeira pessoa que lhe apareça, como ter estado num quarto de hotel a fazer amor com uma rapariga de óculos escuros, a qual, por sua vez, se é desta aqui que se trata, nem lhe passa pela cabeça que esteve e está ainda tão perto de quem a fez ver tudo branco. O motorista do táxi e os dois polícias eram os outros mortos, três homens robustos, capazes de cuidar de si, cujas profissões consistiam, ainda que de distinto modo, em cuidar dos outros, e afinal aí estão, ceifados cruelmente na força da vida, à espera de que lhes deem destino. Vão ter de esperar que estes que ficaram acabem de comer, não por causa do costumado egoísmo dos vivos, mas porque alguém lembrou sensatamente que enterrar nove corpos naquele chão duro e com uma única enxada era trabalho que, pelo menos, duraria até à hora do jantar. E como não seria admissível que os voluntários dotados de bons sentimentos estivessem a trabalhar enquanto os mais enchiam a barriga, foi decidido deixar os mortos para depois. A comida vinha em porções individuais, portanto fácil de distribuir, toma tu, toma tu, até se acabar. Mas a ansiedade de uns quantos cegos menos esclarecidos veio a complicar o que em normais circunstâncias teria sido cómodo, embora um juízo sereno e isento nos aconselhe a admitir que os excessos que se deram tiveram alguma razão de ser, bastará recordar, por exemplo, que não se podia saber, à partida, se a comida iria chegar para todos. Na verdade, qualquer pessoa compreenderá que não é fácil contar cegos nem repartir rações sem olhos que os possam ver, a elas e a eles. Acresce que alguns ocupantes da segunda camarata, com mais do que censurável desonestidade, quiseram fazer crer que eram em maior número do que o eram de facto. Valeu, como sempre, para isso está ela ali, a mulher do médico. Algumas palavras ditas a tempo sempre foram capazes de resolver dificuldades que um discurso profuso não faria mais do que agravar. Mal-intencionados e de mau carácter foram também aqueles que não só intentaram, mas conseguiram, receber comida duas vezes. A mulher do médico apercebeu-se do condenável ato, mas achou prudente não denunciar o abuso. Não queria nem pensar nas consequências que resultariam da revelação de que não estava cega, o mínimo que lhe poderia acontecer seria ver-se transformada em serva de todos, o máximo talvez fosse converterem-na em escrava de alguns. A ideia, em que ao princípio se falara, de designar um responsável por cada camarata, poderia, sabe-se lá, ajudar a resolver estes apertos e outros por desgraça ainda piores, sob condição, porém, de que a autoridade desse responsável, certamente frágil, certamente precária, certamente posta em causa a cada momento, fosse claramente exercida a bem de todos e como tal reconhecida pela maioria. Se não o conseguirmos, pensou, acabaremos por matar-nos aqui uns aos outros. Prometeu a si mesma que falaria destes delicados assuntos ao marido e continuou a repartir as rações.

Uns por indolência, outros por terem o estômago delicado, não apeteceu a ninguém, depois de comer, ir praticar no ofício de coveiro. Quando o médico, porque pela profissão se considerava mais obrigado que os de mais, disse pouco à vontade, Vamos lá então enterrar aqueles, não se apresentou um só voluntário. Estendidos nas camas, os cegos o que queriam era que os deixassem levar a bom termo a breve digestão, alguns adormeceram imediatamente, e não havia de que estranhar, depois dos sustos e sobressaltos por que tinham passado, o corpo, apesar de tão parcamente alimentado, abandonava-se à moleza da química digestiva. Mais tarde, já perto do crepúsculo, quando as lâmpadas mortiças, pela sucessiva diminuição da luz natural, pareceram ganhar alguma força, ao mesmo tempo mostrando, de fracas que eram, o pouco para que podiam servir, o médico, acompanhado da mulher, convenceu dois dos homens da sua camarata a acompanharem-no à cerca, quanto mais não fosse, disse, para darem balanço ao trabalho que teria de ser feito e separarem os corpos já rígidos, uma vez que ficara decidido que cada camarata enterraria os seus. A vantagem de que gozavam estes cegos era o que se poderia chamar a ilusão da luz. Na verdade, tanto lhes fazia que fosse de dia ou de noite, crepúsculo da manhã ou crepúsculo da tarde, silente madrugada ou rumorosa hora meridiana, os cegos sempre estavam rodeados duma resplandecente brancura, como o sol dentro do nevoeiro. Para estes, a cegueira não era viver banalmente rodeado de trevas, mas no interior de uma glória luminosa. Quando o médico cometeu o deslize de dizer que iam separar os corpos, o primeiro cego, que era um dos que tinham concordado em ajudá-lo, quis que lhe explicassem como poderiam reconhecê-los, pergunta lógica de cego que deixou o médico embaraçado. Desta vez a mulher pensou que não deveria acudir em seu auxílio, denunciar-se-ia se o fizesse. O médico saiu-se airosamente da dificuldade pelo método radical do passo em frente, isto é, reconhecendo o erro, A gente, disse no tom de quem sorri de si próprio, habitua-se tanto a ter olhos, que ainda julga que os pode usar quando já não lhe servem de nada, de facto só sabemos que se encontram aqui quatro dos nossos, o motorista de táxi, os dois polícias e um outro que também connosco estava, portanto a solução é pegar ao acaso em quatro destes corpos, enterrá-los como deve de ser, e assim cumprimos a nossa obrigação. O primeiro cego concordou, o companheiro também, e novamente, revezando-se, começaram a abrir as covas. Não viriam a saber estes auxiliares, por cegos serem, que os cadáveres enterrados, sem exceção, foram precisamente aqueles de que, duvidando, tinham estado a falar, e nem será preciso dizer como trabalhou aqui o que pareceu acaso, a mão do médico, guiada pela mão da mulher, agarrava uma perna ou um braço, e ele só tinha de dizer, Este. Quando já tinham enterrado dois corpos, apareceram finalmente, vindos da camarata, três homens com disposição de ajudar, o mais provável seria que o não fizessem se alguém lhes tivesse dito que era já noite fechada. Psicologicamente, mesmo estando um homem cego, temos de reconhecer que há uma grande diferença entre cavar sepulturas à luz do dia e depois de o sol desaparecer. No momento em que entravam na camarata, suados, sujos de terra, sentindo ainda nas narinas o primeiro cheiro adocicado da corrupção, a voz do altifalante repetia as instruções conhecidas. Não houve qualquer referência ao que se tinha passado, não se falou de tiros nem de mortos à queima-roupa. Avisos como aquele de Abandonar o edifício sem prévia autorização significará morte imediata, ou Os internados enterrarão sem formalidades o cadáver na cerca, tomavam agora, graças à dura experiência da vida, mestra suprema de todas as disciplinas, pleno sentido, enquanto aquele que prometia caixas com comida três vezes ao dia se tornava em grotesco sarcasmo ou ironia mais difícil de suportar ainda. Quando a voz se calou, o médico, sozinho, porque começava a conhecer os cantos à casa, foi até à porta da outra camarata para informar, Os nossos já estão enterrados, Se enterraram uns, também podiam ter enterrado os outros, respondeu de dentro uma voz de homem, O combinado foi que cada camarata enterraria os mortos que lhe pertencessem, contamos quatro e enterramo-los, Está bem, amanhã trataremos dos de aqui, disse outra voz masculina, e depois, mudando de tom, Não veio mais comida, perguntou, Não, respondeu o médico, Mas o altifalante diz que três vezes ao dia, Duvido que venham a cumprir sempre a promessa, Então será preciso racionar os alimentos que vierem chegando, disse uma voz de mulher, Parece-me uma boa ideia, se quiserem falaremos amanhã, De acordo, disse a mulher. Já o médico se retirava quando ouviu a voz do homem que primeiro tinha falado, A saber quem é que manda aqui. Parou à espera de que alguém respondesse, fê-lo a mesma voz feminina, Se não nos organizarmos a sério, mandarão a fome e o medo, já é uma vergonha que não tenhamos ido com eles enterrar os mortos, Por que é que não os vai enterrar você, já que é tão esperta e tão sentenciosa, Sozinha não posso, mas estou pronta para ajudar, Não vale a pena discutirmos, interveio a segunda voz de homem, amanhã de manhã trataremos disso. O médico suspirou, a convivência ia ser difícil. Encaminhava-se já para a camarata quando sentiu uma forte necessidade de evacuar. No sítio onde se encontrava, não tinha a certeza de ser capaz de chegar às latrinas, mas decidiu aventurar-se. Esperava que alguém, ao menos, tivesse tido a lembrança de levar para lá o papel higiénico que viera com as caixas da comida. Enganou-se no caminho duas vezes, angustiado porque a necessidade apertava cada vez mais, e já estava nas últimas instâncias da urgência quando pôde enfim baixar as calças e agachar-se na retrete turca. O fedor asfixiava. Tinha a impressão de haver pisado uma pasta mole, os excrementos de alguém que não acertara com o buraco da retrete ou que resolvera aliviar-se sem querer saber mais de respeitos. Tentou imaginar como seria o lugar onde se encontrava, para ele era tudo branco, luminoso, resplandecente, que o eram as paredes e o chão que não podia ver, e absurdamente achou-se a concluir que a luz e a brancura, ali, cheiravam mal. Vamos endoidecer de horror, pensou. Depois quis limpar-se, mas não havia papel. Apalpou a parede atrás de si, onde deveriam estar os suportes dos rolos ou os pregos em que, à falta de melhor, se teriam espetado uns bocados de papel qualquer. Nada. Sentiu-se infeliz, desgraçado a mais não poder, ali com as pernas arqueadas, amparando as calças que roçavam no chão nojento, cego, cego, cego, e, sem poder dominar-se, começou a chorar silenciosamente. Tenteando, deu alguns passos e foi esbarrar com a parede fronteira. Estendeu um braço, estendeu o outro, enfim encontrou uma porta. Ouviu os passos arrastados de alguém que devia andar também à procura das sentinas, que tropeçava, Onde será esta merda, murmurava numa voz neutra, como se, no fundo, lhe fosse indiferente sabê-lo. Passou a dois palmos sem se aperceber da presença doutra pessoa, mas não tinha importância, a situação não chegou a tornar-se indecente, sê-lo-ia realmente, um homem naquela figura, descomposto, mas, no último instante, movido por um desconcertante sentimento de pudor, o médico tinha subido as calças. Depois baixou-as, quando calculou que estaria sozinho, mas não foi a tempo, sabia que estava sujo, sujo como não se lembrava de ter estado alguma vez na vida. Há muitas maneiras de tornar-se animal, pensou, esta é só a primeira delas. Porém, não se podia queixar muito, ainda tinha quem não se importasse de o limpar.

Deitados nos catres, os cegos esperavam que o sono tivesse dó da sua tristeza. Discretamente, como se houvesse perigo de que os outros pudessem ver o mísero espetáculo, a mulher do médico tinha ajudado o marido a assear-se o melhor possível. Agora havia um silêncio dorido, de hospital, quando os doentes dormem, e sofrem dormindo. Sentada, lúcida, a mulher do médico olhava as camas, os vultos sombrios, a palidez fixa de um rosto, um braço que se moveu a sonhar. Perguntava-se se alguma vez chegaria a cegar como eles, que razões inexplicáveis a teriam preservado até agora. Num gesto cansado, levou as mãos à cara para afastar o cabelo, e pensou, Vamos todos cheirar mal. Nesse momento principiaram a ouvir-se uns suspiros, uns queixumes, uns gritinhos primeiro abafados, sons que pareciam palavras, que deveriam sê-lo, mas cujo significado se perdia no crescendo que as ia transformando em grito, em ronco, por fim em estertor. Alguém protestou lá do fundo, Porcos, são como os porcos. Não eram porcos, só um homem cego e uma mulher cega que provavelmente nunca saberiam um do outro mais do que isto.

Um estômago que trabalha em falso acorda cedo. Alguns dos cegos abriram os olhos quando a manhã ainda vinha longe, e no seu caso não foi tanto por culpa da fome, mas porque o relógio biológico, ou lá como se costuma chamar-lhe, já se lhes estava desregulando, supuseram eles que era dia claro, então pensaram, Deixei-me dormir, e logo compreenderam que não, aí estava o ressonar dos companheiros, que não dava lugar a equívocos. Ora, é dos livros, mas muito mais da experiência vivida, que quem madruga por gosto ou quem por necessidade teve de madrugar, tolera mal que outros, na sua presença, continuem a dormir à perna solta, e com dobrada razão no caso de que estamos falando, porque há uma grande diferença entre um cego que esteja a dormir e um cego a quem não serviu de nada ter aberto os olhos. Estas observações de tipo psicologístico, pela sua finura aparentemente sem cabimento perante a dimensão extraordinária do cataclismo que o relato se vem esforçando por descrever, servem unicamente para explicar por que estavam acordados tão cedo os cegos todos, a alguns, como foi dito ao princípio, sacudiu-os de dentro o estômago exigente, mas a outros arrancou-os do sono a impaciência nervosa dos madrugadores, que não se pejaram de fazer mais ruído que o inevitável e tolerável em ajuntamentos de caserna e camarata. Aqui não há só gente discreta e bem-educada, alguns são uns mal desbastados que se aliviam matinalmente de escarros e ventosidades sem olhar a quem está, verdade seja que no mais do dia obram pela mesma conformidade, por isto a atmosfera se vai tornando cada vez mais pesada, e não há nada a fazer, a única abertura é a porta, às janelas não se lhes pode chegar, do altas que estão.

Deitada ao lado do marido, o mais juntos que podiam estar, por causa da estreiteza da cama, mas também por gosto, quanto lhes havia custado, no meio da noite, guardar o decoro, não fazer como aqueles a quem alguém tinha chamado porcos, a mulher do médico olhou o relógio. Marcava duas horas e vinte e três minutos. Firmou melhor a vista, viu que o ponteiro dos segundos não se movia. Tinha-se esquecido de dar corda ao maldito relógio, ou maldita ela, maldita eu, que nem sequer esse dever tão simples tinha sabido cumprir, ao cabo de apenas três dias de isolamento. Sem poder dominar-se, desatou num choro convulsivo, como se lhe tivesse acabado de suceder a pior das desgraças. O médico pensou que a mulher cegara, que acontecera o que tanto temia, desatinado esteve quase a perguntar Cegaste, foi no último instante que lhe ouviu o murmúrio, Não é isso, não é isso, e depois, num lento sussurro, quase inaudível, tapadas as cabeças de ambos com a manta, Estúpida de mim, não dei corda ao relógio, e continuou a chorar, inconsolável. Da sua cama do outro lado da coxia, a rapariga dos óculos escuros levantou-se e, guiada pelos soluços, aproximou-se de braços estendidos, Está aflita, precisa de alguma coisa, ia perguntando à medida que avançava, e tocou com as duas mãos nos corpos deitados. A discrição mandava que imediatamente as retirasse, e essa ordem deu-lha o cérebro com certeza, mas as mãos não obedeceram, apenas tornaram mais subtil o contacto, nada mais que um leve roce da epiderme na manta grosseira e tépida. Precisa de alguma coisa, tornou a perguntar a rapariga, e, agora sim, as mãos já se retiraram, já se levantaram, perderam-se na brancura estéril, no desamparo. Ainda soluçando, a mulher do médico saiu da cama, abraçou--se à rapariga, Não é nada, foi uma tristeza que me entrou de repente, disse, Se a senhora, que é tão forte, está a desanimar, então é porque não temos mesmo salvação, queixou-se a rapariga. Mais calma, a mulher do médico pensava, olhando-a de frente, Já quase não se lhe notam vestígios da conjuntivite, que pena não poder dizer-lho, ela ficaria contente. Provavelmente, sim, ficaria contente, embora um tal contentamento fosse absurdo, não tanto por estar ela cega, mas porque toda a gente ali o estava também, de que servirá ter os olhos límpidos, e belos, como estes são, se não há ninguém para os ver. A mulher do médico disse, Todos temos os nossos momentos de fraqueza, ainda o que nos vale é sermos capazes de chorar, o choro muitas vezes é uma salvação, há ocasiões em que morreríamos se não chorássemos, Não temos salvação, repetiu a rapariga dos óculos escuros, Quem sabe, esta cegueira não é igual às outras, assim como veio, assim poderá desaparecer, Já viria tarde para os que morreram, Todos temos de morrer, Mas não teríamos de ser mortos, e eu matei uma pessoa, Não se acuse, foram as circunstâncias, aqui todos somos culpados e inocentes, muito pior fizeram os soldados que nos estão a guardar, e até esses poderão alegar a maior de todas as desculpas, o medo, Que mais dava que o pobre homem me apalpasse, agora ele estaria vivo e eu não teria no corpo nem mais nem menos do que tenho, Não pense mais nisso, descanse, tente dormir. Acompanhou-a até à cama, Vá, deite-se, A senhora é muito boa, disse a rapariga, depois, baixando a voz, Não sei que fazer, está a chegar-me o período e não trouxe pensos, Esteja tranquila, eu tenho. As mãos da rapariga dos óculos escuros buscaram onde agarrar-se, mas foi a mulher do médico que suavemente as prendeu nas suas, Descanse, descanse. A rapariga fechou os olhos, ficou assim um minuto, teria talvez adormecido, se não fosse a altercação que de repente se armou, alguém que tinha ido às retretes e no regresso encontrou a cama ocupada, não tinha sido por mal, o outro levantara-se para o mesmo fim, cruzaram-se os dois no caminho, está claro que a nenhum deles lhe ocorreu dizer Veja lá agora se se engana na cama quando voltar. De pé, a mulher do médico olhava para os dois cegos que discutiam, notou que não faziam gestos, que quase não moviam o corpo, depressa haviam aprendido que só a voz e o ouvido tinham agora alguma utilidade, é certo que não lhes faltavam braços, que podiam brigar, lutar, vir às mãos, como se costuma dizer, mas uma cama trocada não valia tanto, todos os enganos da vida fossem como este, bastava que se pusessem de acordo, A dois é a minha, a três é a sua, que fique entendido de uma vez para sempre, Se não fôssemos cegos, este engano não teria acontecido, Tem razão, o mal é sermos cegos. A mulher do médico disse ao marido, O mundo está todo aqui dentro.

Nem todo. A comida, por exemplo, estava lá fora e tardava. De uma camarata e da outra, alguns homens tinham ido postar-se no átrio, à espera de que a ordem soasse no altifalante. Mexiam os pés, nervosos, impacientes.

Sabiam que iam ter de sair à cerca exterior para recolherem as caixas que os soldados, cumprindo-se o prometido, deixariam no espaço entre o portão e a escada, e
temiam que houvesse ali um truque, uma armadilha,
Quem nos diz que não vão disparar contra nós, Depois do
que já fizeram, são bem capazes disso, Não podemos
fiar-nos, Eu não vou lá fora, Nem eu, Alguém terá de ir,
se quisermos comer, Não sei se mais vale morrer de um
tiro, ou se ir morrendo de fome aos poucos, Eu vou, Eu
também, Não é preciso irmos todos, Os soldados podem
não gostar, Ou assustar-se, julgar que queremos fugir,
por causa disso, se calhar, é que mataram aquele da perna, Temos que nos decidir, Toda a cautela é pouca,
lembrem-se do que sucedeu ontem, nove mortos sem
mais nem menos, Os soldados tiveram medo de nós, E
eu tenho medo deles, O que eu gostava de saber é se eles
também cegam, Eles, quem, Os soldados, Na minha
opinião, até deviam de ser os primeiros. Todos estiveram de acordo, sem contudo se perguntarem porquê,
faltou alguém ali que desse a boa razão, Porque assim
não poderiam disparar. O tempo passava, passava, e o
altifalante mantinha-se calado. Vocês já trataram de enterrar os vossos, perguntou um cego da primeira camarata para dizer alguma coisa, Ainda não, Começam a
cheirar, infetam para aí tudo, Pois que infetem e que
cheirem, pela parte que me toca não tenciono mexer
uma palha enquanto não tiver comido, já dizia o outro
que primeiro come-se, depois é que se lava a panela, O
costume não é esse, o teu ditado está errado, em geral
depois dos enterros é que se come e se bebe, Pois comigo
é ao contrário. Passados uns minutos disse um destes cegos, Estou aqui a matutar numa coisa, Em quê, Em como
iremos dividir a comida, Como foi feito antes, sabemos

quantos somos, contam-se as rações, cada um recebe a sua parte, é a maneira mais simples e mais justa, Não deu resultado, houve quem ficasse a fazer cruzes na boca, E também houve quem tivesse comido a dobrar, A divisão foi malfeita, Será sempre malfeita se não houver respeito e disciplina, Se tivéssemos cá alguém que visse ao menos um bocadinho, Ora, arranjaria logo uma estrangeirinha para ficar com a maior parte para ele, Já lá dizia o outro que na terra dos cegos quem tem um olho é rei, Deixa lá o outro, Este não é o mesmo, Aqui nem os zarolhos se salvariam, Como eu entendo, a melhor solução seria dividir em partes iguais a comida pelas camaratas, depois cada uma governava-se com o que tivesse recebido, Quem é que falou, Fui eu, Eu, quem, Eu, De que camarata é você, Da segunda, Estava-se mesmo a ver, a grande esperteza, como têm menos gente convinha-lhes, passavam a comer mais do que nós, que temos a camarata completa, Só disse por ser mais fácil, O outro também dizia que quem parte e reparte e não fica com a melhor parte, ou é tolo, ou no partir não tem arte, Merda, acabe lá com o que diz o outro, os ditados põem-me nervoso, O que devíamos fazer era levar a comida toda para o refeitório, cada camarata eleger três para fazer a divisão, com seis pessoas a contar não haveria perigo de enganos nem de trafulhices, E como vamos nós saber que estão a falar verdade quando os outros disserem na nossa camarata somos tantos, Estamos a lidar com gente honesta, E isso, também foi dito pelo outro, Não, isto digo eu, Ó cavalheiro, o que nós somos de verdade aqui é pessoas com fome.

Como se tivesse estado todo este tempo à espera da palavra de código, da deixa, do abre-te sésamo, ouviu-se enfim a voz do altifalante, Atenção, atenção, os internados têm autorização para virem recolher a comida, mas cuidado, se alguém se aproximar demasiado do portão receberá um primeiro aviso verbal, no caso de não voltar imediatamente para trás, o segundo aviso será uma bala. Os cegos avançaram devagar, alguns, mais confiantes, a direito para onde pensavam que devia estar a porta, os outros, menos seguros das suas incipientes capacidades de orientação, preferiram ir deslizando ao longo da parede, assim não haveria engano possível, quando chegassem ao canto só tinham de seguir a parede em ângulo reto, aí estaria a porta. Imperativa, impaciente, a voz do altifalante repetiu a chamada. A mudança de tom, notória mesmo para quem não tivesse sobra de motivos de desconfiança, assustou os cegos. Um deles declarou, Eu não saio daqui, o que eles querem é apanhar-nos lá fora para depois nos matarem a todos, Eu também não saio, disse outro, Nem eu, reforçou um terceiro. Estavam parados, irresolutos, alguns queriam sair, mas o medo ia tomando conta de todos. A voz ouviu-se outra vez, Se dentro de três minutos ninguém aparecer para levar as caixas da comida, retiramo-las. A ameaça não venceu o temor, só o empurrou para as últimas cavernas da mente, como um animal perseguido que vai ficar à espera duma ocasião para atacar. Receosos, tentando cada qual esconder-se atrás doutro, os cegos foram saindo para o patamar da escada. Não podiam ver que as caixas não se encontravam junto ao corrimão, que era onde esperavam encontrá-las, não podiam saber que os soldados, com medo do contágio, se tinham recusado a aproximar-se sequer da corda a que se haviam agarrado todos os cegos que ali havia. As caixas da comida estavam juntas, empilhadas, mais ou menos no sítio onde a mulher do médico recolhera a enxada. Avancem, avancem, mandou o sargento. De modo confuso, os cegos procuravam pôr-se em fila para poderem avançar ordenadamente, mas o sargento gritou-lhes, As caixas não estão aí, larguem a corda, larguem-na, desloquem-se para a direita, a vossa, a vossa, estúpidos, não é preciso ter olhos para saber de que lado está a mão direita. O aviso foi dado a tempo, alguns cegos de espírito rigoroso tinham entendido a ordem à letra, se era a direita, logicamente teria de ser a direita de quem falava, por isso tentavam passar por debaixo da corda para irem à procura das caixas sabe Deus onde. Em circunstâncias diferentes, o grotesco espetáculo teria feito rir à gargalhada o mais sisudo dos observadores, era de morrer, uns quantos cegos a avançarem de gatas, de cara rente ao chão como suínos, um braço adiante rasoirando o ar, enquanto outros, talvez com medo de que o espaço branco, fora da proteção do teto, os engolisse, se mantinham desesperadamente aferrados à corda e apuravam o ouvido, à espera da primeira exclamação que assinalaria o achamento das caixas. A vontade dos soldados era apontar as armas e fuzilar deliberadamente, friamente, aqueles imbecis que se moviam diante dos seus olhos como caranguejos coxos, agitando as pinças trôpegas à procura da perna que lhes faltava. Sabiam o que no quartel tinha sido dito essa manhã pelo comandante do regimento, que o problema dos cegos só poderia ser resolvido pela liquidação física de todos eles, os havidos e os por haver, sem contemplações falsamente humanitárias, palavras suas, da mesma maneira que se corta um membro gangrenado para salvar a vida do corpo, A raiva de um cão morto, dizia ele, de modo ilustrativo, está curada por natureza. A alguns soldados, menos sensíveis às belezas da linguagem figurada, custou-lhes a entender que a raiva do cão tivesse algo que ver com os cegos, mas a palavra de um comandante de regimento, também figuradamente falando, vale quanto pesa, ninguém chega tão alto na vida militar sem ter razão em tudo quanto pensa, diz e faz. Um cego tinha finalmente esbarrado com as caixas, gritava abraçado a elas, Estão aqui, estão aqui, se este homem vier algum dia a recuperar a vista, de certeza não anunciará com mais alegria a estupenda boa nova. Em poucos segundos estavam os cegos restantes atropelados em cima das caixas, braços e pernas à mistura, a puxar cada um para seu lado, disputando a primazia, levo eu, quem leva sou eu. Os que se tinham deixado estar agarrados à corda estavam nervosos, agora o seu medo era outro, o de virem a ficar, por castigo da sua preguiça ou cobardia, excluídos da repartição dos alimentos Ah, vocês não quiseram andar no chão de cu para o ar, sujeitos a levar um tiro, pois então não comem, lembrem-se do que dizia o outro, quem não arrisca não petisca. Empurrado por este pensamento decisivo, um deles largou a corda e foi, de braços no ar, na direção do tumulto, A mim não me vão deixar de fora, mas as vozes calaram-se de repente, ficaram só uns ruídos de arrastamento, umas interjeições abafadas, uma massa dispersa e confusa de sons, que vinham de todos os lados e de nenhum. Parou, indeciso, quis regressar à segurança da corda, mas o sentido de orientação falhou-lhe, não há estrelas no céu branco, agora o que se ouvia era a voz do sargento a dar instruções aos das caixas para voltarem à escada, porém o que ele dizia só tinha sentido para esses, para poder chegar aonde se quer, tudo depende de onde se esteja. Já não havia cegos agarrados à corda, a eles bastara-lhes fazer o caminho ao contrário, e agora esperavam no patamar da escada a chegada dos outros. O cego desgarrado não se atrevia a mover-se donde estava. Angustiado, deu um grande grito, Ajudem-me, por favor, não sabia que os soldados o tinham na mira da espingarda, à espera de que ele pisasse a linha invisível por onde se passava da vida à morte. Vais ficar aí, ó cegueta, perguntou o sargento, mas na sua voz havia um certo nervosismo, a verdade é que não partilhava da opinião do seu comandante, Quem me diz a mim que amanhã não me bate este azar à porta, quanto aos soldados já se sabe, dá-se-lhes uma ordem e matam, dá-se-lhes outra e morrem, Só disparam à minha voz, gritou o sargento. Estas palavras fizeram compreender ao cego o perigo em que estava. Pôs-se de joelhos, implorou, Por favor, ajudem-me, digam-me por onde devo ir, Vem andando, ceguinho, vem andando, disse de lá um soldado em tom falsamente amigável, o cego levantou-se, deu três passos, mas estacou outra vez, o tempo do verbo pareceu-lhe suspeito, vem andando não é vai andando, vem andando está a dizer-te que por aqui, por aqui mesmo, nesta direção, chegarás aonde te estão a chamar, ao encontro da bala que substituirá em ti uma cegueira por outra. Foi uma iniciativa por assim dizer criminosa de um soldado de mau carácter, que o sargento imediatamente reduziu com dois berros sucessivos, Alto, Meia-volta, seguidos de uma severa chamada à ordem do desobediente, pelos vistos pertencente àquela espécie de pessoas a quem não se pode pôr uma espingarda nas mãos. Animados pela benevolente intervenção do sargento, os cegos que tinham alcançado o patamar da escada levantaram uma algazarra fortíssima que veio a servir de polo magnético ao desorientado invisual. Já seguro de si, avançou em linha reta, Continuem, continuem, dizia, enquanto os cegos aplaudiam como se estivessem a assistir a um longo, vibrante e esforçado esprinte. Foi recebido com abraços, não era o caso para menos, diante das adversidades, tanto as provadas quanto as previsíveis, é que se conhecem os amigos.

Não durou muito a confraternização. Aproveitando-se do alvoroço, alguns dos cegos tinham-se escapulido com umas quantas caixas, as que conseguiram transportar, maneira evidentemente desleal de prevenir hipotéticas injustiças de distribuição. Os de boa-fé, que sempre os há por mais que se lhes diga, protestaram, indignados, que assim não se podia viver, Se não podemos confiar uns nos outros, aonde é que vamos parar, perguntavam uns, retoricamente, ainda que cheios de razão, O que esses malandros estão a pedir é uma boa sova, ameaçavam outros, não era verdade que a tivessem pedido, mas todos entenderam o que aquele falar queria dizer, expressão, esta, levemente melhorada de um barbarismo que só espera ser perdoado pelo facto de vir tão a propósito. Já recolhidos ao átrio, os cegos puseram-se de acordo, como sendo essa a mais prática maneira de resolver a primeira parte da delicada situação que se tinha criado, em dividir igualmente pelas duas camaratas as caixas que haviam ficado, por sorte em número par, e criar uma comissão, também ela paritária, de investigação, com vista a recuperar as caixas perdidas, quer dizer, roubadas. Gastaram algum tempo a debater, como já se estava a tornar costume, o antes e o depois, isto é, se se devia comer primeiro e investigar a seguir, ou o contrário, tendo prevalecido a opinião de que o mais conveniente, havidas em conta as muitas horas que já levavam de jejum forçado, seria começar por confortar o estômago e proceder depois às averiguações, E não se esqueçam de que têm de enterrar os vossos, disse um dos da primeira camarata, Ainda não os matamos e já queres que os enterremos, respondeu um gracioso da segunda, jogando jovialmente com as palavras. Todos riram. Porém, não tardou a saber-se que os patifes não se encontravam nas camaratas. À porta de uma e da outra tinham estado sempre cegos à espera de que a comida chegasse, e estes foram os que disseram que de facto tinham ouvido passar nos corredores gente que parecia levar muita pressa, mas nas camaratas ali ninguém entrara, e muito menos com caixas de comida, isso podiam jurar. Alguém lembrou que o modo mais seguro de identificar os fulanos seria que todos quantos ali estavam fossem ocupar as respetivas camas, obviamente as que ficassem vazias seriam as dos ladravetes, portanto o que havia a fazer era esperar que eles voltassem lá de onde se tinham escondido, a lamber os beiços, e cair-lhes em cima, para que aprendessem a respeitar o sagrado princípio da propriedade coletiva. Proceder de conformidade com a sugestão, aliás oportuna e de um entranhado espírito de justiça, tinha porém o grave inconveniente de pospor, não se podia prever para quando, o desejado e a estas horas já frio pequeno-almoço, Comemos primeiro, disse um dos cegos, e a maioria achou que sim, o melhor era que comessem primeiro. Por desgraça, só o pouco que lhes tinha ficado depois do roubo infame. A essa hora, num lugar escondido das vetustas e arruinadas edificações, estariam os gatunos a empanturrar-se de rações duplas e triplas de um rancho que, inesperadamente, aparecia melhorado, composto de café com leite, frio com efeito, bolachas e pão com margarina, enquanto a gente honrada não tinha outro recurso que satisfazer-se com duas ou três vezes menos, e não de tudo. Ouviu-se lá fora, ouviram-no alguns da primeira ala, enquanto melancolicamente trincavam a sua água e sal, o altifalante chamando os contagiados a que fossem recolher a sua parte de comida. Um dos cegos, decerto influenciado pela atmosfera malsã deixada pelo delito cometido, teve uma inspiração, Se os esperássemos no átrio, eles levariam um valente susto só de nos verem, talvez deixassem cair uma ou duas caixas, mas o médico disse que não lhe parecia isso bem, seria uma injustiça, castigar quem não tinha culpa. Quando todos acabaram de comer, a mulher do médico e a rapariga dos óculos escuros levaram para o jardim as caixas de cartão, os recipientes vazios do leite e do café, os copos de papel, enfim, tudo o que não era para comer, Temos de queimar o lixo, disse depois a mulher do médico, acabar com este horrível mosquedo.

Sentados nas camas, cada um na sua, os cegos puseram--se à espera de que regressassem ao rebanho as cabras tresmalhadas, Cabrões é o que eles são, comentou uma voz grossa, sem adivinhar que respondia à pastoril reminiscência de quem não tem culpa de não saber dizer as coisas doutra maneira. Mas os meliantes não apareciam, deviam desconfiar, decerto havia entre eles um tão perspicaz como o daqui que teve a ideia da sova. Os minutos iam passando, um ou outro cego tinha-se deitado, algum adormecera já. Que isto, meus senhores, é comer e dormir. Bem vistas as coisas, nem se está mal de todo. Desde que a comida não venha a faltar, sem ela é que não se pode viver, é como estar num hotel. Ao contrário, que calvário seria o de um cego lá fora, na cidade, sim, que calvário. Andar aos tombos pelas ruas, todos a fugirem dele, a família apavorada, com medo de se aproximar, amor de mãe, amor de filho, histórias, se calhar faziam-me o mesmo que me fazem aqui, fechavam-me num quarto e punham-me o prato à porta por muito favor. Olhando a situação a frio, sem preconceitos nem ressentimentos que sempre obscurecem o raciocínio, havia que reconhecer que as autoridades tiveram visão quando decidiram juntar cegos com cegos, cada qual com seu igual, que é a boa regra da vizinhança, como os leprosos, não há dúvida, aquele médico lá ao fundo está no certo quando diz que nos temos de organizar, a questão, de facto, é de organização, primeiro a comida, depois a organização, ambas são indispensáveis à vida, escolher umas quantas pessoas disciplinadas e disciplinadoras para dirigirem isto, estabelecer regras consensuadas de convivência, coisas simples, varrer, arrumar e lavar, disso não nos podemos queixar, até nos mandaram sabão, detergentes, manter a cama feita, o fundamental é não perdermos o respeito por nós próprios, evitar conflitos com os militares que cumprem com o seu dever vigiando-nos, para mortos já temos que baste, perguntar quem é que conhece aqui histórias que queira contar ao serão, histórias, fábulas, anedotas, tanto faz, imagine-se a sorte que seria saber alguém a Bíblia de cor, repetíamos tudo desde a criação do mundo, o importante é que nos ouçamos uns aos outros, pena não haver um rádio, a música sempre foi uma grande distração, e íamos acompanhando as notícias, por exemplo, se se descobrisse a cura da nossa doença, a alegria que não seria aqui.

Então aconteceu o que tinha de acontecer. Ouviram-se tiros na rua. Vêm-nos matar, gritou alguém, Calma, disse o médico, devemos ser lógicos, se quisessem matar-nos era cá dentro que viriam disparar, não lá fora. Tinha razão o médico, foi o sargento quem deu a ordem de disparar para o ar, não foi um soldado que de repente tivesse cegado quando estava com o dedo no gatilho, compreende-se que não houvesse outra maneira de enquadrar e manter em respeito os cegos que saíam aos tropeções dos autocarros, o Ministério da Saúde tinha avisado o Ministério do Exército, Vamos despachar quatro camionetas deles, E isso dá quantos, Uns duzentos, Onde é que se vai meter toda essa gente, as camaratas destinadas aos cegos são as três da ala direita, segundo informação que temos, a lotação total é de cento e vinte, e já lá estão sessenta ou setenta, menos uma dúzia que tivemos de matar, O caso tem remédio, ocupam-se as camaratas todas, Sendo assim os contaminados vão ficar em contacto direto com cegos, O mais provável é que, mais tarde ou mais cedo, esses venham a cegar também, aliás, tal como a situação está, suponho que contaminados já estaremos todos, de certeza não há uma só pessoa que não tenha estado à vista de um cego, Se um cego não vê, pergunto eu, como poderá ele transmitir o mal pela vista, Meu general, esta deve de ser a doença mais lógica do mundo, o olho que está cego transmite a cegueira ao olho que vê, já se viu coisa mais simples, Temos aqui um coronel que acha que a solução era ir matando os cegos à medida que fossem aparecendo, Mortos em vez de cegos não alteraria muito o quadro, Estar cego não é estar morto, Sim, mas estar morto é estar cego, Bom, então vão ser uns duzentos, Sim, E que fazemos aos condutores dos autocarros, Metam-nos também lá dentro. Nesse mesmo dia, ao fim da tarde, o Ministério do Exército chamou o Ministério da Saúde, Quer saber a novidade, aquele coronel de quem lhe falei cegou, A ver agora que pensará ele da ideia que tinha, Já pensou, deu um tiro na cabeça, Coerente atitude, sim senhor, O exército está sempre pronto a dar o exemplo.

O portão fora aberto de par em par. Levado pelos hábitos do quartel, o sargento mandou formar em coluna de cinco de fundo, mas os cegos não conseguiam atinar com a conta certa, umas vezes eram de mais, outras vezes de menos, acabaram todos por amontoar-se à entrada, como civis que eram, sem nenhuma ordem, não se lembraram sequer de mandar adiante as mulheres e as crianças, como nos outros naufrágios. Há que dizer, antes que se nos esqueça, que nem todos os disparos haviam sido feitos para o ar, um dos condutores dos autocarros recusara-se a ir com os cegos, protestou que via perfeitamente, o resultado, três segundos depois, foi dar razão ao Ministério da Saúde quando dizia que estar morto é estar cego. O sargento deu as ordens já conhecidas, Sigam em frente, em cima há uma escada com seis degraus, seis, quando lá chegarem subam devagar, se alguém ali tropeça nem quero pensar no que poderá suceder, a única recomendação que faltou foi a de seguir a corda, mas isto compreende-se, se a usassem nunca mais acabariam de entrar, Atenção, recomendava o sargento, tranquilizado porque já estavam todos do lado de dentro do portão, há três camaratas à direita e três à esquerda, cada camarata tem quarenta camas, as famílias que não se separem, evitem os atropelos, contem-se à entrada, peçam aos que já lá estão que vos ajudem, tudo vai correr bem, acomodem-se, tranquilos, tranquilos, a comida vem depois.

O que não estaria bem seria imaginar que estes cegos, em tal quantidade, vão ali como carneiros ao matadouro, balindo como de costume, um pouco apertados, é certo, mas essa sempre foi a sua maneira de viver, pelo com pelo, bafo com bafo, cheiro com cheiro. Aqui vão uns que choram, outros que gritam de medo ou de raiva, outros que praguejam, algum soltou uma ameaça terrível e inútil, Se um dia vos apanho, supõe-se que se referia aos soldados, arranco-vos os olhos. Inevitavelmente, os primeiros a chegar à escada tiveram de parar, era preciso tentear com o pé a altura e a profundidade do degrau, a pressão dos que vinham atrás fez cair à frente dois ou três, felizmente não passou disso, apenas umas canelas esfoladas, o conselho do sargento tinha valido por uma bênção. Uma parte deles já entrou no átrio, mas duzentas pessoas não se arrumam com essa facilidade, de mais a mais cegas e sem guia, acrescendo a esta circunstância, já de si suficientemente penosa, o facto de nos encontrarmos num edifício antigo, de distribuição pouco funcional, não basta dizer um sargento que apenas sabe do seu ofício, São três camaratas de cada lado, há que ver é como é isto cá dentro, uns vãos de portas tão estreitos que mais parecem gargalos, uns corredores tão loucos como os outros ocupantes da casa, começam não se sabe porquê, acabam não se sabe onde, e não chega a saber-se o que querem. Por instinto, a vanguarda dos cegos tinha-se dividido em duas colunas, deslocando-se ao longo das paredes, de um lado e do outro, à procura de uma porta por onde entrar, método seguro, sem dúvida, supondo que não há móveis atravessados no caminho. Mais tarde ou mais cedo, com jeito e paciência, os novos hóspedes acabarão por acomodar-se, porém não antes que se decida a batalha que acabou de travar-se entre as primeiras linhas da coluna da esquerda e os contaminados que desse lado vivem. Era de esperar. O que havia sido combinado, havia mesmo um regulamento elaborado pelo Ministério da Saúde, era que essa ala ficaria reservada para os contaminados, e se era verdade que se podia prever, com altíssimo grau de probabilidade, que todos eles acabariam por cegar, verdade era também, em obediência à pura lógica, que enquanto eles não tivessem cegado não se poderia jurar que efetivamente estavam destinados a cegar. Está pois uma pessoa tranquilamente sentada em sua casa, confiada em que, apesar dos exemplos em contrário, ao menos no seu caso tudo venha a resolver-se em bem, e de repente vê que avança em sua direção justamente um bando ululante daqueles a quem mais teme.

No primeiro momento, os contaminados pensaram que se tratava de um grupo de iguais a eles, apenas mais numeroso, mas o engano pouco durou, aquela gente vinha mesmo cega, Aqui não podem entrar, esta ala é só nossa, não é para cegos, vocês pertencem ao outro lado, gritaram os que estavam de guarda à porta. Alguns cegos tentaram dar meia-volta e procurar outra entrada, para eles tanto fazia esquerda como direita, mas a massa dos que continuavam a afluir do exterior empurrava-os inexoravelmente. Os contaminados defendiam a porta a soco e a pontapé, os cegos respondiam como podiam, não viam os adversários, mas sabiam donde lhes vinham as pancadas. No átrio não podiam caber duzentas pessoas, nem nada que se parecesse, por isso não tardou muito que a porta que dava para a cerca, apesar de bastante larga, ficasse completamente entupida, como se a obstruísse um rolhão, nem para trás nem para diante, os que estavam dentro, comprimidos, espalmados, tentavam proteger-se escoicinhando, dando cotoveladas nos vizinhos que os sufocavam, ouviam-se gritos, crianças cegas que choravam, mulheres cegas que desmaiavam, enquanto os muitos que não tinham conseguido entrar empurravam cada vez mais, atemorizados pelos berros dos soldados, que não entendiam por que estavam aqueles idiotas ainda ali. Um momento terrível foi quando se produziu um refluxo violento da gente que forcejava por livrar-se da confusão, do perigo iminente de esmagamento, ponhamo-nos nós no lugar dos soldados, de repente veem sair de repelão uma quantidade dos que já tinham entrado, pensaram logo o pior, que os cegos iam voltar para trás, lembremo-nos dos precedentes, podia ter acontecido ali uma carnificina. Felizmente, o sargento esteve mais uma vez à altura da crise, deu ele próprio um tiro para o ar, de pistola, só para chamar a atenção, e gritou pelo altifalante, Calma, recuem um pouco os que estão na escada, desafoguem-se, não empurrem, ajudem-se uns aos outros. Era pedir de mais, lá dentro a luta continuava, mas o átrio, aos poucos, foi-se despejando graças a um deslocamento mais numeroso de cegos para a porta da ala direita, ali eram acolhidos por cegos que não se importaram de os encaminhar para a terceira camarata, livre até agora, e para as camas que da segunda ainda estavam vagas. Por um momento pareceu que a batalha se iria resolver a favor dos contaminados, não tanto por serem eles os mais fortes e os que mais vista tinham, mas porque os cegos, tendo percebido que a entrada do outro lado estava desimpedida, romperam o contacto, como diria o sargento nas suas preleções quarteleiras de estratégia e de tática elementar. Porém, não durou muito a alegria dos defensores. Da porta da ala direita começaram a chegar vozes anunciando que já não havia ali mais lugares, que todas as camaratas estavam cheias, houve mesmo cegos que vieram novamente de empurrão para o átrio, exatamente na altura em que, desfeito o rolhão humano que até aí atravancava a entrada principal, os cegos que ainda estavam fora, e que eram muitos, puderam avançar e acolher-se ao teto debaixo do qual, a salvo das ameaças dos soldados, iriam passar a viver. O resultado destas duas deslocações, praticamente simultâneas, foi reacender-se a peleja à entrada da ala esquerda, outra vez golpes, outra vez clamores, e, como se fosse isto pouco, uns quantos cegos desarvorados, que tinham encontrado e forçado a porta do átrio que dava acesso direto à cerca interior, desataram aos gritos de que ali havia mortos. Imagina-se o pavor. Recuaram esses como puderam, Há ali mortos, há ali mortos, repetiam, como se os próximos a morrer fossem eles, em um segundo o átrio voltou a ser o remoinho furioso dos piores momentos, depois a massa humana desviou-se num impulso súbito e desesperado para a ala esquerda, levando tudo à sua frente, desfeita a resistência dos contaminados, muitos que já tinham deixado de o ser, outros que, correndo como loucos, tentavam ainda escapar à negra fatalidade. Em vão corriam. Um após outro, todos foram cegando, com os olhos de repente afogados na hedionda maré branca que inundava os corredores, as camaratas, o espaço inteiro. Lá fora, no átrio, na cerca, arrastavam-se os cegos desamparados, doridos de golpes uns, pisados outros, eram sobretudo os anciãos, as mulheres e as crianças de sempre, seres em geral ainda ou já com poucas defesas, milagre foi não terem saído disto muitos mais mortos para enterrar. Pelo chão, espalhados, além de alguns sapatos que perderam os pés, há sacos, malas, cestos, a derradeira riqueza de cada um, agora para sempre perdida, quem vier aos achados dirá que o que lá leva é seu.

Um velho com uma venda preta num dos olhos veio da cerca. Ou também perdeu a bagagem, ou não a trouxe. Tinha sido o primeiro a tropeçar nos mortos, mas não gritou. Deixou-se ficar com eles, ao lado deles, à espera de que voltassem a paz e o silêncio. Durante uma hora esperou. Agora é a sua vez de procurar abrigo. Devagar, com os braços estendidos, buscou o caminho. Encontrou a porta da primeira camarata da ala direita, ouviu vozes que vinham de dentro, então perguntou, Há aqui uma cama para mim.

A chegada de tantos cegos pareceu trazer pelo menos uma vantagem. Pensando bem, duas, sendo a primeira de uma ordem por assim dizer psicológica, na verdade é muito diferente estar à espera, em cada momento, de que se nos apresentem novos inquilinos, e ver que o prédio finalmente se encontra cheio, que a partir de agora passou a ser possível estabelecer e manter com os vizinhos relações estáveis, duradouras, não perturbadas, como sucedia até aqui, por sucessivas interrupções e interposições de recém-chegados que nos obrigavam a reconstituir continuamente os canais de comunicação. A segunda vantagem, esta de ordem prática, direta e substancial, foi terem as autoridades de fora, civis e militares, compreendido que uma coisa tinha sido fornecer alimentos para duas ou três dúzias de pessoas, mais ou menos tolerantes, mais ou menos predispostas, pelo seu pequeno número, a resignar-se perante ocasionais falhas ou atrasos da comida, e outra coisa era agora a repentina e complexa responsabilidade de sustentar duzentos e quarenta seres humanos de todos os jeitos, procedências e feitios em matéria de humor e temperamento. Duzentos e quarenta, note-se, e é um modo de dizer, porque são pelo menos vinte os cegos que não conseguiram encontrar um catre e dormem no chão. Em todo o caso, reconheça-se que não é o mesmo terem de comer trinta pessoas daquilo que a dez deveria caber, e distribuir por duzentos e sessenta o alimento destinado a duzentos e quarenta. A diferença quase não se nota. Ora, foi a assunção consciente desta acrescida responsabilidade, e talvez, hipótese nada despicienda, o temor de que viessem a desencadear-se novos tumultos, que determinou a mudança de procedimento das autoridades no sentido de mandar vir a comida a tempo e a horas, e nas quantidades certas. Evidentemente, após a pugna, a todos os títulos lastimosa, a que tivemos de assistir, não poderia ser fácil nem isenta de conflitos localizados a acomodação de tantos cegos, bastará que nos recordemos daqueles infelizes contaminados que antes ainda viam e agora não veem, dos casais divididos e dos filhos perdidos, dos lamentos dos pisados e atropelados, alguns duas e três vezes, dos que andam à procura dos seus queridos bens e não os encontram, seria preciso ser-se de todo insensível para esquecer, como se nada fosse, as aflições da pobre gente. Contudo, o que se não pode negar é que o anúncio da chegada do almoço foi, para todos, um bálsamo reconfortante. E se é inegável que a recolha de tão grandes quantidades de comida e a sua distribuição por tantas bocas, devido à falta de uma organização adequada aos fins e de uma autoridade capaz de impor a necessária disciplina, deu origem a novas desinteligências, devemos reconhecer que o ambiente mudou muito, para melhor, quando em todo o antigo manicómio não se ouviu mais que o ruído de duzentas e sessenta bocas mastigando. Quem depois vai limpar tudo isto, é questão por enquanto sem resposta, só lá mais para o fim da tarde o altifalante voltará a recitar as regras de boa conduta que deverão ser observadas para o bem de todos, e então se verá que grau de acatamento irão elas merecer aos que acabam de chegar. Já não é pouco que os ocupantes da segunda camarata da ala direita se tenham decidido, enfim, a enterrar os seus mortos, pelo menos deste cheiro ficamos nós livres, ao cheiro dos vivos, mesmo fétido, será mais fácil habituarmo-nos.

Quanto à primeira camarata, talvez por ser a mais antiga e portanto estar há mais tempo em processo e seguimento de adaptação ao estado de cegueira, um quarto de hora depois de os seus ocupantes terem acabado de comer já não se via um papel sujo no chão, um prato esquecido, um recipiente pingando. Tudo havia sido recolhido, as coisas menores metidas dentro das maiores, as mais sujas metidas dentro das menos sujas, como o determinaria uma regulamentação de higiene racionalizada, tão atenta à maior eficácia possível na recolha dos restos e detritos como à economia do esforço necessário para realizar esse trabalho. A mentalidade que forçosamente haverá de determinar comportamentos sociais deste tipo não se improvisa nem nasce por geração espontânea. No caso em exame parece ter tido uma influência decisiva a ação pedagógica da cega do fundo da camarata, aquela que está casada com o oftalmologista, tanto ela se tem cansado a dizer-nos, Se não formos capazes de viver inteiramente como pessoas, ao menos façamos tudo para não viver inteiramente como animais, tantas vezes o repetiu, que o resto da camarata acabou por transformar em máxima, em sentença, em doutrina, em regra de vida, aquelas palavras, no fundo simples e elementares. Provavelmente, um tal estado de espírito, propício ao entendimento das necessidades e das circunstâncias, foi o que contribuiu, ainda que de forma colateral, para o benévolo acolhimento que ali foi encontrar o velho da venda preta quando assomou à porta e perguntou para dentro, Há uma cama para mim. Por um feliz acaso, obviamente prometedor de consequências no futuro, havia uma cama, a única, vá-se lá saber por que teria ela sobrevivido, por assim dizer, à invasão, naquela cama tinha o ladrão de automóveis sofrido indizíveis dores, talvez por isso lhe tenha ficado uma aura de sofrimento que fez afastar a gente. São disposições do destino, mistérios dos arcanos, guardado está o bocado, e este acaso não foi o primeiro, longe disso, basta reparar que a esta camarata vieram ter todos os pacientes da vista que se encontravam no consultório quando o primeiro cego lá apareceu, então ainda se pensava que daí não passaria. Baixinho, como de costume, para não descobrir o segredo da sua presença ali, a mulher do médico sussurrou ao ouvido do marido, Talvez tenha sido também teu doente, é um homem de idade, calvo, de cabelos brancos, e traz uma venda preta num dos olhos, lembro-me de que falaste dele, Que olho, O esquerdo, Deve de ser ele. O médico avançou para a coxia e disse, levantando um pouco a voz, Gostaria de poder tocar a pessoa que acabou de se juntar a nós, peço-lhe que venha andando nesta direção, eu irei ao seu encontro. Toparam-se a meio caminho, os dedos com os dedos, como duas formigas que deveriam reconhecer-se pelos manejos das antenas, não será assim neste caso, o médico pediu licença, com as mãos tenteou a cara do velho, encontrou rapidamente a venda, Não há dúvida, era o último que nos faltava aqui, o paciente da venda preta, exclamou, Que quer dizer, quem é o senhor, perguntou o velho, Sou, era o seu oftalmologista, lembra-se, estivemos a combinar a data da sua operação à catarata, Como foi que me reconheceu, Sobretudo pela voz, a voz é a vista de quem não vê, Sim, a voz, também estou a reconhecer a sua, quem nos diria, senhor doutor, agora já não é preciso que me opere, Se há remédio para isto, precisamos ambos dele, Recordo-me de o senhor doutor me ter dito que depois de operado nem iria reconhecer o mundo em que vivia, nesta altura sabemos quanta razão tinha, Quando foi que cegou, Ontem à noite, E já o trouxeram, O medo lá fora é tal que não tarda que comecem a matar as pessoas quando perceberem que elas cegaram, Aqui já liquidaram dez, disse uma voz de homem, Encontrei-os, respondeu o velho da venda preta simplesmente, Eram de outra camarata, os nossos enterramo-los logo, acrescentou a mesma voz, como se terminasse um relatório. A rapariga dos óculos escuros tinha-se aproximado, Lembra-se de mim, levava uns óculos escuros postos, Lembro-me bem, apesar da minha catarata lembro-me de que era muito bonita, a rapariga sorriu, Obrigada, disse, e voltou para o seu lugar. Disse de lá, Está aqui também aquele menino, Quero a minha mãe, disse a voz do rapazito, como cansada de um choro remoto e inútil. E eu sou o primeiro que cegou, disse o primeiro cego, estou com a minha mulher, E eu sou a empregada do consultório, disse a empregada do consultório. A mulher do médico disse, Só falta que me apresente eu, e disse quem era. Então o velho, como para retribuir o acolhimento, anunciou, Tenho um rádio, Um rádio, exclamou a rapariga dos óculos escuros batendo as palmas, música, que bom, Sim, mas é um rádio pequeno, de pilhas, e as pilhas não duram sempre, lembrou o velho, Não me diga que vamos ter de ficar aqui para sempre, disse o primeiro cego, Para sempre, não, para sempre é sempre demasiado tempo, Dará para ouvir as notícias, observou o médico, E um bocadinho de música, insistiu a rapariga dos óculos escuros, Nem todos gostariam das mesmas músicas, mas todos estamos com certeza interessados em saber como estão as coisas lá fora, o melhor é poupar o rádio, Também acho, disse o velho da venda preta. Tirou o pequeno aparelho do bolso exterior do casaco e ligou-o. Pôs-se à procura das estações emissoras, mas a sua mão, ainda pouco segura, perdia facilmente o ajuste do comprimento de onda, ao princípio não se ouviram mais que ruídos intermitentes, fragmentos de músicas e de palavras, enfim a mão ganhou firmeza, a música tornou-se reconhecível, Deixe estar só um bocadinho, pediu a rapariga dos óculos escuros, as palavras ganharam clareza, Não são notícias, disse a mulher do médico, e depois, como uma ideia que lhe tivesse ocorrido de repente, Que horas serão isto, perguntou, mas já sabia que ninguém poderia responder-lhe. O ponteiro de sintonização continuava a extrair ruídos da pequena caixa, depois fixou-se, era uma canção, uma canção sem importância, mas os cegos foram-se aproximando devagar, não se empurravam, paravam logo que sentiam uma presença à sua frente e ali se deixavam ficar, a ouvir, com os olhos muito abertos na direção da voz que cantava, alguns choravam, como provavelmente só os cegos podem chorar, as lágrimas correndo simplesmente, como de uma fonte. A canção chegou ao fim, o locutor disse, Atenção, ao terceiro sinal serão quatro horas. Uma das cegas perguntou, rindo, Da tarde, ou da madrugada, e foi como se o riso lhe doesse. Disfarçadamente, a mulher do médico acertou o relógio e deu-lhe corda, as quatro eram as da tarde, ainda que, na verdade, a um relógio tanto lhe faz, vai da uma às doze, o mais são ideias dos humanos. Que barulhinho é este, perguntou a rapariga dos óculos escuros, parecia, Fui eu, ouvi que diziam na rádio que eram quatro horas e dei corda ao meu relógio, foi um desses movimentos automáticos que fazemos tantas vezes, adiantou-se a mulher do médico. Depois pensou que não tinha valido a pena arriscar-se assim, bastar-lhe-ia olhar o pulso dos cegos que tinham entrado nesse dia, algum havia de ter o relógio a funcionar. Tinha-o o próprio velho da venda preta, como nesse momento reparou, e as horas dele estavam certas. Então o médico pediu, Fale-nos de como está a situação lá fora. O velho da venda preta disse, Pois sim, mas o melhor é que me sente, não me posso ter de pé. Desta vez aos três e quatro em cada cama, de companhia, os cegos acomodaram-se o melhor que puderam, fizeram silêncio, e então o velho da venda preta contou o que sabia, o que vira com os seus próprios olhos enquanto os tivera, o que ouvira dizer durante os poucos dias que decorreram entre o começo da epidemia e a sua própria cegueira.

Logo nas primeiras vinte e quatro horas, disse, se era verdadeira a notícia que correu, houve centenas de casos, todos iguais, todos manifestando-se da mesma maneira, a rapidez instantânea, a ausência desconcertante de lesões, a brancura resplandecente do campo visual, nenhuma dor antes, nenhuma dor depois. No segundo dia falou-se de haver uma certa diminuição no número de novos casos, passou-se das centenas às dezenas, e isso levou o Governo a anunciar prontamente que, de acordo com as mais razoáveis perspetivas, a situação não tardaria a estar sob controlo. A partir deste ponto, salvo alguns soltos comentários que não puderam ser evitados, o relato do velho da venda preta deixará de ser seguido à letra, sendo substituído por uma reorganização do discurso oral, orientada no sentido da valorização da informação pelo uso de um correto e adequado vocabulário. É motivo desta alteração, não prevista antes, a expressão sob controlo, nada vernácula, empregada pelo narrador, a qual por pouco o ia desqualificando como relator complementar, importante, sem dúvida, pois sem ele não teríamos maneira de saber o que se passou no mundo exterior, como relator complementar, dizíamos, destes extraordinários acontecimentos, quando se sabe que a descrição de quaisquer factos só tem a ganhar com o rigor e a propriedade dos termos usados. Voltando ao assunto, excluiu o Governo, portanto, a hipótese, primeiramente ventilada, de que o país se encontrasse sob a ação de uma epidemia sem precedentes conhecidos, provocada por um agente mórbido ainda não identificado, de efeito instantâneo, com ausência total de sinais prévios de incubação ou de latência. Tratar-se-ia, pois, de acordo com a nova opinião científica e a consequente e atualizada interpretação administrativa, de uma casual e desafortunada concomitância temporal de circunstâncias também por enquanto não averiguadas e em cuja exaltação patogénica já era possível, acentuava o comunicado do Governo, a partir do tratamento dos dados disponíveis, que indicam a proximidade de uma clara curva de resolução, observar indícios tendenciais de esgotamento. Um comentador de televisão teve o rasgo de encontrar a metáfora justa quando comparou a epidemia, ou fosse lá o que fosse, a uma flecha lançada para o alto, a qual, ao atingir o acúmen da ascensão, se detém um momento, como suspensa, e logo começa a descrever a obrigatória curva descendente, que, querendo-o Deus, com esta invocação regressava o comentador à trivialidade das trocas humanas e à epidemia propriamente dita, a gravidade tratará de acelerar, até que desapareça o terrível pesadelo que nos atormenta, meia dúzia de palavras estas que constantemente apareciam nos distintos meios de comunicação social, os quais sempre acabavam por formular o piedoso voto de que os infelizes cegos viessem a recuperar em breve a visão perdida, prometendo-lhes, entretanto, a solidariedade de todo o corpo social organizado, tanto o oficial quanto o privado. Num passado remoto, razões e metáforas semelhantes haviam sido traduzidas pelo impertérrito otimismo da gente do comum em ditérios como este, Não há bem que sempre dure, nem mal que ature, ou, em versão literária, Assim como não há bem que dure sempre, também não há mal que sempre dure, máximas supremas de quem teve tempo para aprender com os baldões da vida e da fortuna, e que, transportadas para a terra dos cegos, deverão ser lidas como segue, Ontem vimos, hoje não vemos, amanhã veremos, com uma ligeira entoação interrogativa no terço final da frase, como se a prudência, no último instante, tivesse decidido, pelo sim, pelo não, acrescentar a reticência de uma dúvida à esperançadora conclusão.

Desgraçadamente, não tardou a demonstrar-se a inanidade de tais votos, as expectativas do Governo e as previsões da comunidade científica foram simplesmente por água abaixo. A cegueira estava alastrando, não como uma maré repentina que tudo inundasse e levasse à sua frente, mas como uma infiltração insidiosa de mil e um buliçosos regatinhos que, tendo vindo a empapar lentamente a terra, de repente a afogam por completo. Perante o alarme social, já a ponto de tomar o freio nos dentes, as autoridades promoveram à pressa reuniões médicas, sobretudo de oftalmologistas e neurologistas. Por causa do tempo que fatalmente levaria a organizar, não se chegou a convocar o congresso que alguns preconizavam, mas em compensação não faltaram os colóquios, os seminários, as mesas-redondas, uns abertos ao público, outros celebrados à porta fechada. O efeito conjugado da patente inutilidade dos debates e os casos de algumas cegueiras súbitas ocorridas em meio das sessões, com o orador a gritar, Estou cego, estou cego, levaram os jornais, a rádio e a televisão, quase todos, a deixarem de ocupar-se de tais iniciativas, excetuando-se o discreto e a todos os títulos louvável comportamento de certos órgãos de comunicação que, vivendo à custa de sensacionalismos de todo o tipo, das graças e desgraças alheias, não estavam dispostos a perder nenhuma ocasião que aparecesse de relatar ao vivo, com a dramaticidade que a situação justificava, a cegueira súbita, por exemplo, de um catedrático de oftalmologia.

A prova da progressiva deterioração do estado de espírito geral deu-a o próprio Governo, alterando por duas vezes, em meia dúzia de dias, a sua estratégia. Primeiro, tinha acreditado ser possível circunscrever o mal recorrendo ao encerramento dos cegos e dos contaminados em uns quantos espaços discriminados, como o manicómio em que nos encontramos. Logo, o inexorável crescimento dos casos de cegueira levou alguns membros influentes do Governo, receosos de que a iniciativa oficial não chegasse para as encomendas, donde resultariam pesados custos políticos, a defender a ideia de que deveria competir às famílias guardar em casa os seus cegos, não os deixando sair à rua, a fim de não complicarem o já difícil trânsito nem ofenderem a sensibilidade das pessoas que ainda viam com os olhos que tinham e que, indiferentes a opiniões mais ou menos tranquilizadoras, acreditavam que o mal-branco se propagava por contacto visual, como o mau-olhado. Com efeito, não era legítimo esperar uma reação diferente de alguém que, ocupado com os seus pensamentos, tristes, neutros, ou alegres, se ainda os há destes, via de repente transformar-se a expressão de uma pessoa que vinha andando na sua direção, desenharem-se-lhe no rosto os sinais todos do terror absoluto, e logo o grito inevitável, Estou cego, estou cego. Não havia nervos que resistissem. O pior é que as famílias, sobretudo as menos numerosas, rapidamente se tornaram em famílias completas de cegos, deixando portanto de haver quem os pudesse guiar e guardar, e deles proteger a comunidade de vizinhos com boa vista, e estava claro que não podiam esses cegos, por muito pai, mãe e filho que fossem, cuidar uns dos outros, ou teria de suceder-lhes o mesmo que aos cegos da pintura, caminhando juntos, caindo juntos e juntos morrendo.

Perante esta situação, o Governo não teve outro remédio que fazer marcha atrás em acelerado, ampliando os critérios que estabelecera sobre lugares e espaços requisitáveis, do que resultou a utilização imediata e improvisada de fábricas abandonadas, templos sem culto, pavilhões desportivos e armazéns vazios, Desde há dois dias que se falava em montar acampamentos de barracas de campanha, acrescentou o velho da venda preta. Ao princípio, muito ao princípio, algumas organizações caritativas ainda ofereceram voluntários para irem tratar dos cegos, fazer-lhes as camas, limpar-lhes as retretes, lavar-lhes a roupa, preparar-lhes a comida, esses cuidados mínimos sem os quais a vida depressa se torna insuportável, até para os que veem. Os pobres queridos cegavam imediatamente, mas ao menos ficava para a história a beleza do gesto. Algum desses veio para aqui, perguntou o velho da venda preta, Não, respondeu a mulher do médico, não veio ninguém, Se calhar foi boato, E a cidade, e os transportes, perguntou o primeiro cego, lembrando-se do seu próprio carro e do motorista de táxi que o tinha levado ao consultório e que ajudara a enterrar, Os transportes estão num caos, respondeu o velho da venda preta, e passou aos pormenores, aos casos e aos acidentes. Quando pela primeira vez sucedeu cegar um condutor de autocarro, em andamento e em plena via pública, as pessoas, apesar dos mortos e feridos causados pelo desastre, não deram grande atenção, pela mesma razão, isto é, a força do costume, que levou o diretor de relações públicas da empresa transportadora a declarar, sem mais, que o desastre fora ocasionado por uma falha humana, sem dúvida lamentável, mas, pensando bem, tão imprevisível como teria sido um enfarte mortal em pessoa que nunca tivesse sofrido do coração. Os nossos empregados, explicou o diretor, tal como as mecânicas e os sistemas elétricos dos nossos autocarros, são periodicamente sujeitos a revisões de um extremo rigor, como o confirma, em direta e clara relação de causa e efeito, a baixíssima percentagem de acidentes, no cômputo geral, em que estiveram envolvidos, até hoje, veículos da nossa companhia. A profusa explicação saiu nos jornais, mas as pessoas tinham mais em que pensar do que preocuparem-se com um simples desastre de autocarro, afinal de contas não teria sido pior se se lhe tivessem partido os travões. Aliás, foi essa, dois dias depois, a autêntica causa de outro acidente, mas, assim está o mundo feito, que tem a verdade muitas vezes de disfarçar-se de mentira para chegar aos seus fins, a voz que correu foi ter cegado o condutor. Não houve maneira de convencer o público do que efetivamente acontecera, e o resultado não tardou a ver-se, de um momento para outro as pessoas deixaram de servir-se dos autocarros, diziam que antes queriam cegar elas que morrerem por terem cegado outros. Um terceiro acidente, logo a seguir, pelo mesmo motivo, implicando um veículo que não levava passageiros, deu azo a comentários como este, de tom sabidamente popular, Olha se eu ia lá dentro. Nem podiam imaginar, os que assim falavam, quanta razão tinham. Por causa da cegueira simultânea dos dois pilotos, não tardou que um avião comercial se despedaçasse e incendiasse quando tomava terra, morrendo todos os passageiros e tripulantes, apesar de, neste caso, se encontrarem em perfeito estado tanto a mecânica como a eletrónica, conforme viria a revelar o exame da caixa negra, única sobrevivente. Uma tragédia destas dimensões não era o mesmo que um vulgar acidente de autocarro, a consequência foi perderem as últimas ilusões aqueles que ainda as tinham, daí em diante não se ouviu mais um ruído de motor, nenhuma roda, grande ou pequena, rápida ou lenta, voltou a pôr-se em movimento. Aquelas pessoas que antes costumavam queixar-se das dificuldades cada vez maiores do trânsito, peões que à primeira vista pareciam não levar rumo certo porque os automóveis, parados ou andando, constantemente lhes cortavam o caminho, condutores que, depois de terem dado mil e três voltas até conseguirem descobrir um local onde arrumar enfim o carro, se tornavam em peões e passavam a protestar pelas mesmas razões deles depois de terem andado a reclamar pelas suas, todos eles deveriam estar agora satisfeitos, salvo pela circunstância manifesta de que, não havendo mais quem se atrevesse a conduzir um veículo, nem que fosse para ir daqui ali, os automóveis, os camiões, as motos, até as bicicletas, tão discretas, se espalhavam caoticamente por toda a cidade, abandonados onde quer que o medo tivesse tido mais força que o sentido de propriedade, como era símbolo de uma grotesca evidência aquela grua com um automóvel meio levantado, suspenso do eixo dianteiro, provavelmente o primeiro a cegar tinha sido o condutor da grua. Má para toda a gente, a situação, para os cegos, era catastrófica, uma vez que, segundo a expressão corrente, não podiam ver aonde iam nem onde punham os pés. Dava lástima vê-los esbarrar nos carros abandonados, um após outro, esfolando as canelas, alguns caíam e choravam, Está aí alguém que me ajude a levantar, mas também os havia, brutos de desespero ou por natureza, que praguejavam e repeliam a mão benemérita que acudira a auxiliá-los, Deixe lá que a sua vez também lhe há de chegar, então a compassiva pessoa assustava-se, fugia, perdia-se na espessura do nevoeiro branco, subitamente consciente do risco em que a sua bondade a tinha feito incorrer, quem sabe se para ir cegar uns metros adiante.

Assim estão as coisas lá fora, rematou o velho da venda preta, e ainda eu não sei tudo, só falo do que pude ver com os meus próprios olhos, aqui interrompeu-se, fez uma pausa e corrigiu, Com os meus olhos, não, porque só tinha um, agora nem esse, isto é, tenho um mas não me serve, Nunca lhe perguntei por que não usava um olho de vidro, em vez de trazer a pala, E para que o quereria eu, faça o favor de me dizer, perguntou o velho da venda preta, É o costume, por causa da estética, além disso é muito mais higiénico, tira-se, lava-se e põe-se, como as dentaduras, Sim senhor, diga-me então cá como seria hoje se todos os que se encontram agora cegos tivessem perdido, digo materialmente perdido, ambos os olhos, de que lhes serviria andarem agora com dois olhos de vidro, De facto, não serviria de nada, Acabando nós todos cegos, como parece ir suceder, para que queremos a estética, e quanto à higiene, diga-me o senhor doutor que espécie de higiene poderá haver aqui, Provavelmente, só num mundo de cegos as coisas serão o que verdadeiramente são, disse o médico, E as pessoas, perguntou a rapariga dos óculos escuros, As pessoas também, ninguém lá estará para vê-las, Tive uma ideia, disse o velho da venda preta, vamos a um jogo para passar o tempo, Como é que se pode jogar sem ver o que se joga, perguntou a mulher do primeiro cego, Não será bem um jogo, é só dizer cada um de nós exatamente o que estava a ver no momento em que cegou, Pode ser inconveniente, lembrou alguém, Quem não quiser entrar no jogo, não entra, o que não vale é inventar, Dê o exemplo, disse o médico, Dou sim senhor, disse o velho da venda preta, ceguei quando estava a ver o meu olho cego, Que quer dizer, É muito simples, senti como se o interior da órbita vazia estivesse inflamado e tirei a venda para certificar-me, foi nesse momento que ceguei, Parece uma parábola, disse uma voz desconhecida, o olho que se recusa a reconhecer a sua própria ausência, Eu, disse o médico, tinha estado a consultar em casa uns tratados de oftalmologia, precisamente por causa do que está a acontecer, o último que vi foi as minhas mãos sobre um livro, A minha última imagem foi diferente, disse a mulher do médico, o interior duma ambulância quando ajudava o meu marido a entrar, O meu caso já eu o tinha contado ao senhor doutor, disse o primeiro cego, tinha parado num semáforo, a luz estava vermelha, havia gente a atravessar a rua de um lado para o outro, foi então que fiquei cego, depois aquele que morreu no outro dia levou-me a casa, a cara não lha vi, claro, Quanto a mim, disse a mulher do primeiro cego, a última coisa que me lembro de ter visto foi o meu lenço, estava em casa a chorar, levei o lenço aos olhos e nesse instante ceguei, Eu, disse a empregada do consultório, tinha acabado de entrar no elevador, estendi a mão para carregar no botão e de repente fiquei sem ver, imagine-se a minha aflição, ali fechada, sozinha, não sabia se devia subir ou descer, não achava o botão que abria a porta, O meu caso, disse o ajudante de farmácia, foi mais simples, ouvi dizer que havia pessoas a cegarem, então pensei como seria se eu cegasse também, fechei os olhos a experimentar e quando os abri estava cego, Parece outra parábola, falou a voz desconhecida, se queres ser cego, sê-lo-ás. Ficaram calados. Os outros cegos tinham voltado para as suas camas, o que não era pequeno trabalho, porque se é verdade que sabiam os números que lhes cabiam, só começando a contar de um dos extremos, de um para cima ou de vinte para baixo, podiam ter a certeza de chegar aonde queriam. Quando o murmúrio da enumeração, monótono como uma ladainha, se extinguiu, a rapariga dos óculos escuros contou o que lhe sucedera, Estava no quarto de um hotel, tinha um homem em cima de mim, neste ponto calou-se, sentiu vergonha de dizer o que fazia ali, que vira tudo branco, mas o velho da venda preta perguntou, E viu tudo branco, Sim, respondeu ela, Talvez a sua cegueira não seja como a nossa, disse o velho da venda preta. Só faltava a criada do hotel, Estava a fazer uma cama, uma certa pessoa tinha ali cegado, levantei e estendi o lençol branco na minha frente, entalei-o nos lados como se deve, e quando com as duas mãos o alisava, foi nessa altura que deixei de ver, lembro-me de como alisava o lençol, devagarinho, era o de baixo, rematou, como se isso tivesse alguma importância particular. Já todos contaram a sua última história do tempo em que viam, perguntou o velho da venda preta, Conto eu a minha, se não há mais ninguém, disse a voz desconhecida, Se houver, falará a seguir, diga lá, O último que eu vi foi um quadro, Um quadro, repetiu o velho da venda preta, e onde estava, Tinha ido ao museu, era uma seara com corvos e ciprestes e um sol que dava a ideia de ter sido feito com bocados doutros sóis, Isso tem todo o aspeto de ser de um holandês, Creio que sim, mas havia também um cão a afundar-se, já estava meio enterrado, o infeliz, Quanto a esse, só pode ser de um espanhol, antes dele ninguém tinha pintado assim um cão, depois dele ninguém mais se atreveu, Provavelmente, e havia uma carroça carregada de feno, puxada por cavalos, a atravessar uma ribeira, Tinha uma casa à esquerda, Sim, Então é de inglês, Poderia ser, mas não creio, porque havia lá também uma mulher com uma criança ao colo, Crianças ao colo de mulheres é do mais que se vê em pintura, De facto, tenho reparado, O que eu não entendo é como poderiam encontrar-se em um único quadro pinturas tão diferentes e de tão diferentes pintores, E estavam uns homens a comer, Têm sido tantos os almoços, as merendas e as ceias na história da arte, que só por essa indicação não é possível saber quem comia, Os homens eram treze, Ah, então é fácil, siga, Também havia uma mulher nua, de cabelos louros, dentro de uma concha que flutuava no mar, e muitas flores ao redor dela, Italiano, claro, E uma batalha, Estamos como no caso das comidas e das mães com crianças ao colo, não chega para saber quem pintou, Mortos e feridos, É natural, mais tarde ou mais cedo todas as crianças morrem, e os soldados também, E um cavalo com medo, Com os olhos a quererem saltar-lhe das órbitas, Tal e qual, Os cavalos são assim, e que outros quadros havia mais nesse seu quadro, Não cheguei a sabê-lo, ceguei precisamente quando estava a olhar para o cavalo. O medo cega, disse a rapariga dos óculos escuros, São palavras certas, já éramos cegos no momento em que cegamos, o medo nos cegou, o medo nos fará continuar cegos, Quem está a falar, perguntou o médico, Um cego, respondeu a voz, só um cego, é o que temos aqui. Então perguntou o velho da venda preta, Quantos cegos serão precisos para fazer uma cegueira. Ninguém lhe soube responder. A rapariga dos óculos escuros pediu-lhe que ligasse o rádio, talvez dessem notícias. Deram-nas mais tarde, entretanto estiveram a ouvir um pouco de música. Em certa altura apareceram à porta da camarata uns quantos cegos, um deles disse, Que pena não ter trazido a guitarra. As notícias não foram animadoras, corria o rumor de estar para breve a formação de um governo de unidade e salvação nacional.

Quando ao princípio os cegos daqui ainda se contavam pelos dedos, quando bastavam duas ou três palavras trocadas para que os desconhecidos se convertessem em companheiros de infortúnio, e com mais três ou quatro se perdoavam mutuamente todas as faltas, algumas delas bem graves, e se o perdão não podia ser completo, era só ter a paciência de esperar uns dias, bem se viu quantas ridículas aflições tiveram de sofrer os infelizes, de cada vez que o corpo lhes exigiu qualquer daqueles urgentes alívios que costumamos designar por satisfação de necessidades. Apesar disso, e embora sabendo que são raríssimas as educações perfeitas e que mesmo os mais discretos recatos têm os seus pontos débeis, há que reconhecer que os primeiros cegos trazidos a esta quarentena foram capazes, com maior ou menor consciência, de levar com dignidade a cruz da natureza eminentemente escatológica do ser humano. Mas agora, ocupados como se encontram todos os catres, duzentos e quarenta, sem contar os cegos que dormem no chão, nenhuma imaginação, por muito fértil e criadora que fosse em comparações, imagens e metáforas, poderia descrever com propriedade o estendal de porcaria que por aqui vai. Não é só o estado a que rapidamente chegaram as sentinas, antros fétidos, como deverão ser, no inferno, os desaguadoiros das almas condenadas, é também a falta de respeito de uns ou súbita urgência de outros que, em pouquíssimo tempo, tornaram os corredores e outros lugares de passagem em retretes que começaram por ser de ocasião e se tornaram de costume. Os descuidados ou urgidos pensavam, Não tem importância, ninguém me vê, e não iam mais longe. Quando se tornou impossível, em qualquer sentido, chegar aonde estavam as sentinas, os cegos passaram a usar a cerca como lugar para todos os desafogos e descomposições corporais. Os que eram delicados por natureza ou por educação levavam todo o santíssimo dia a encolher-se, aguentavam conforme podiam à espera da noite, presumia-se que seria noite quando nas camaratas havia mais gente a dormir, e então lá iam, agarrados à barriga ou apertando as pernas, à procura de três palmos de chão limpo, se os havia entre um contínuo tapete de excrementos mil vezes pisados, e ainda por cima com perigo de se perderem no espaço infinito da cerca, onde não existiam outros sinais orientadores que as poucas árvores cujos troncos tinham podido sobreviver à mania exploratória dos antigos loucos, e também as pequenas lombas, já quase rasas, que mal cobriam os mortos. Uma vez ao dia, sempre ao fim da tarde, como um despertador regulado para a mesma hora, a voz do altifalante repetia as conhecidas instruções e proibições, insistia nas vantagens de um uso regular dos produtos de limpeza, recordava que havia um telefone em cada camarata para requisitar os suprimentos necessários, quando faltassem, mas o que ali verdadeiramente se necessitava era um poderoso jorro de mangueira que levasse à frente toda a merda, depois uma brigada de canalizadores que viessem reparar os autoclismos, pô-los a funcionar, depois água, água em quantidade, para levar aos canos de esgoto o que ao esgoto deveria ir, depois, por favor, olhos, uns simples olhos, uma mão capaz de nos conduzir e guiar, uma voz que me diga, Por aqui. Estes cegos, se não lhes acudirmos, não tardarão a transformar-se em animais, pior ainda, em animais cegos. Não o disse a voz desconhecida, aquela que falou dos quadros e das imagens do mundo, está a dizê-lo, por outras palavras, noite alta, a mulher do médico, deitada ao lado do seu marido, cobertas as cabeças com a mesma manta, Há que dar remédio a este horror, não aguento, não posso continuar a fingir que não vejo, Pensa nas consequências, o mais certo é que depois tentem fazer de ti uma escrava, um pau-mandado, terás de atender a todos e a tudo, exigir-te-ão que os alimentes, que os laves, que os deites e os levantes, que os leves daqui para ali, que os assoes e lhes seques as lágrimas, grita-rão por ti quando estiveres a dormir, insultar-te-ão se tardares, E tu, como queres tu que continue a olhar para estas misérias, tê-las permanentemente diante dos olhos, e não mexer um dedo para ajudar, O que fazes já é muito, Que faço eu, se a minha maior preocupação é evitar que alguém se aperceba de que vejo, Alguns irão odiar-te por veres, não creias que a cegueira nos tornou melhores, Também não nos tornou piores, Vamos a ca-minho disso, vê tu só o que se passa quando chega a altu-ra de distribuir a comida, Precisamente, uma pessoa que visse poderia tomar a seu cargo a divisão dos alimentos por todos os que estão aqui, fazê-lo com equidade, com critério, deixaria de haver protestos, acabariam essas disputas que me põem louca, tu não sabes o que é ver dois cegos a lutarem, Lutar foi sempre, mais ou menos, uma forma de cegueira, Isto é diferente, Farás o que melhor te parecer, mas não te esqueças daquilo que nós somos aqui, cegos, simplesmente cegos, cegos sem retóricas nem comiserações, o mundo caridoso e pitoresco dos ceguinhos acabou, agora é o reino duro, cruel e implacável dos cegos, Se tu pudesses ver o que eu sou obrigada a ver, quererias estar cego, Acredito, mas não preciso, cego já estou, Perdoa-me, meu querido, se tu soubesses, Sei, sei, levei a minha vida a olhar para dentro dos olhos das pessoas, é o único lugar do corpo onde talvez ainda exista uma alma, e se eles se perderam, Amanhã vou dizer-lhes que vejo, Oxalá não venhas a ter de arrepender-te, Amanhã lhes direi, fez uma pausa e acrescentou, Se não tiver eu finalmente entrado também nesse mundo.

Ainda não foi desta vez. Quando de manhã acordou, muito cedo, como costumava, os seus olhos viam tão distintamente como antes. Todos os cegos da camarata dormiam. Pensou em como haveria de comunicar-lhes, se convocá-los a todos e anunciar-lhes a novidade, talvez fosse preferível fazê-lo de uma maneira discreta, sem alarde, dizer, por exemplo, como se não quisesse dar demasiada importância ao caso, Imaginem, quem havia de pensar que eu ia conservar a vista no meio de tantos que cegaram, ou então, talvez mais conveniente, fazer de conta que havia estado realmente cega e que de repente recuperara a visão, era até uma maneira de lhes dar alguma esperança, Se ela passou a ver, diriam uns aos outros, talvez nós também, mas igualmente poderia suceder que lhe dissessem Se assim é, então saia, vá-se embora, em tal caso responderia que não podia ir-se dali sem o marido, e uma vez que o Exército não deixava sair da quarentena nenhum cego, não tinham mais remédio que

consentir que ficasse. Alguns cegos estavam a remexer-
-se nos catres, como todas as manhãs aliviavam-se dos
gases, mas a atmosfera não se tornou por isso mais nau-
seabunda, o nível de saturação já deveria ter sido atingido. Não era só o cheiro fétido que vinha das latrinas em
lufadas, em exalações que davam vontade de vomitar,
era também o odor acumulado de duzentas e cinquenta
pessoas, cujos corpos, macerados no seu próprio suor,
não podiam nem saberiam lavar-se, que vestiam roupas em cada dia mais imundas, que dormiam em camas
onde não era raro haver dejeções. De que poderiam servir os sabões, as lixívias, os detergentes por aí esquecidos, se os duches, muitos deles, estavam entupidos ou
soltos das canalizações, se os escoadouros devolviam a
água suja, que alastrava para fora dos balneários, empa-
pando as tábuas do chão dos corredores, infiltrando-se
pelas frinchas das lajes. Em que loucura estou eu a pensar em meter-me, duvidou então a mulher do médico,
mesmo que eles não exigissem que eu os servisse, e nada
é menos certo, eu própria não aguentaria sem me pôr aí
a lavar, a limpar, quanto tempo me durariam as forças,
isto não é trabalho para uma pessoa sozinha. A sua afoi-
teza, que antes parecera tão firme, começava a esboroar-
-se, a cair aos bocados perante a realidade abjeta que lhe
invadia as narinas e lhe ofendia os olhos, agora que tinha chegado o momento de passar das palavras aos atos.
Sou cobarde, murmurou exasperada, para isto mais valia estar cega, não andaria com veleidades de missio-
nária. Tinham-se levantado três cegos, um deles era o
ajudante de farmácia, iam tomar posições no átrio para
recolherem a quota-parte de comida que cabia à primeira camarata. Não se podia afirmar, se justamente olhos
faltavam, que a repartição fosse feita a olho, embalagem

mais, embalagem menos, pelo contrário, dava pena ver como se enganavam ao contar e voltavam ao princípio, algum de carácter mais desconfiado queria saber exatamente o que levavam os outros, acabava sempre por haver discussões, um que outro empurrão, um sopapo às cegas, como tinha de ser. Na camarata já toda a gente estava acordada, pronta para receber o seu quinhão, com a experiência haviam estabelecido ali um modo bastante cómodo de fazer a distribuição, começavam por levar a comida toda para o fundo da camarata, onde estavam os catres do médico e da mulher e os da rapariga dos óculos escuros e do rapazinho que chamava pela mãe, e aí é que a iam buscar, aos dois de cada vez, principiando pelas camas mais perto da entrada, um direito um esquerdo, dois direito dois esquerdo, e assim sucessivamente, sem zangas nem atropelos, demorava mais, é certo, mas a tranquilidade compensava a espera. Os primeiros, isto é, aqueles que tinham a comida logo ali, ao alcance da mão, eram os últimos a servirem-se, exceto o rapazinho estrábico, claro está, que sempre acabava de comer antes que a rapariga dos óculos escuros recebesse o seu quinhão, do que vinha a resultar que uma parte do que devia ser dela terminava invariavelmente no estômago do mocinho. Os cegos estavam todos de cabeça virada para o lado da porta, à espera de ouvirem os passos dos companheiros, o rumor inseguro, inconfundível, de quem traz carga, mas o som que de súbito se ouviu não foi esse, antes mais parecia que vinham correndo ligeiros, se tal proeza era possível tratando-se de pessoas que não podiam ver onde punham os pés. E contudo não ocorreria dizer outra coisa quando eles apareceram ofegantes à porta, Que se terá passado lá fora para assim terem vindo, a correr, e aí estavam os três a quererem entrar ao mesmo tempo para dar a inesperada notícia, Não nos deixaram trazer a comida, disse um, e os outros repetiram, Não nos deixaram, Quem, os soldados, perguntou uma voz qualquer, Não, os cegos, Que cegos, aqui somos todos cegos, Não sabemos quem eles sejam, disse o ajudante de farmácia, mas penso que devem ser dos que vieram todos juntos, os últimos que chegaram, E como foi isso de não vos deixarem trazer a comida, perguntou o médico, até agora não tinha havido qualquer problema, Eles dizem que isso acabou, a partir de hoje quem quiser comer terá de pagar. Os protestos saltaram de todos os lados na camarata, Não pode ser, Tirarem-nos a nossa comida, Cambada de gatunos, Uma vergonha, cegos contra cegos, nunca esperei ter de viver para ver uma coisa destas, Vamo-nos queixar ao sargento. Alguém mais decidido propôs que se juntassem todos para irem reclamar o que lhes pertencia, Não será fácil, foi a opinião do ajudante de farmácia, eles são muitos, fiquei com a impressão de serem um grupo grande, e o pior é que estão armados, Armados, como, Paus pelo menos têm eles, ainda me dói este braço da pancada que levei, disse um dos outros, Vamos tentar resolver isto às boas, disse o médico, vou com vocês falar com essa gente, deve haver aqui um mal-entendido, Pois sim, senhor doutor, eu alinho, disse o ajudante de farmácia, mas, pelos modos deles, duvido muito de que consiga convencê-los, Seja como for, temos de lá ir, não podemos ficar-nos assim, Vou contigo, disse a mulher do médico. Saiu o pequeno grupo da camarata, menos o que se queixava do braço, esse achou que já tinha cumprido a obrigação e ficou a contar aos outros a arriscada aventura, a comidinha ali a dois passos, e uma muralha de corpos a defendê-la, Com paus, insistia.

Avançando juntos, como uma pinha, romperam caminho por entre os cegos das outras camaratas. Quando alcançaram o átrio, a mulher do médico compreendeu logo que nenhuma conversação diplomática iria ser possível, e que provavelmente não o seria nunca. No meio do átrio, rodeando as caixas da comida, um círculo de cegos armados de paus e de ferros de cama, apontados para a frente como baionetas ou lanças, fazia frente ao desespero dos cegos que os cercavam e que, em desajeitados intentos, forcejavam por penetrar na linha defensiva, alguns, com a esperança de encontrarem uma aberta, um postigo deixado mal fechado por descuido, aparavam os golpes nos braços levantados, outros arrastavam-se de gatas até esbarrarem com as pernas dos adversários, que os recebiam com pontoadas nos lombos e pontapés. Porrada de cego, se costuma dizer. Não faltavam ao quadro os protestos indignados, os gritos furiosos, Exigimos a nossa comida, Reclamamos o direito ao pão, Malandros, O que isto é, é uma grande sacanagem, Parece impossível, houve mesmo um ingénuo ou distraído que disse, Chame-se a polícia, talvez ali os houvesse, polícias, a cegueira, já se sabe, não olha a mesteres e ofícios, mas um polícia cego não é o mesmo que um cego polícia, e quanto aos dois que conhecíamos, esses estão mortos e, com muito trabalho, enterrados. Impelida pela esperança absurda de uma autoridade que viesse restaurar no manicómio a paz perdida, fortalecer a justiça, devolver a tranquilidade, uma cega chegou-se conforme pôde à porta principal e gritou para os ares, Ajudem-nos, que estes estão a querer roubar-nos a comida. Os soldados fizeram de conta que não tinham ouvido, as ordens que o sargento recebera de um capitão que por ali havia passado em visita de inspeção eram perentórias, claríssimas, Se eles se matarem uns aos outros, melhor, menos ficam. A cega esgoelava-se como as loucas de antigamente, quase louca ela também, mas de pura aflição. Por fim, percebendo a inutilidade dos seus apelos, calou-se, virou-se para dentro a soluçar e, sem se dar conta de por onde ia, apanhou na cabeça desprotegida com uma cacetada que a derrubou. A mulher do médico quis correr a levantá-la, mas a confusão era tal que não pôde dar nem dois passos. Os cegos que tinham vindo reclamar a comida começavam já a recuar desbaratados, perdida de todo a orientação tropeçavam uns nos outros, caíam, levantavam-se, tornavam a cair, alguns nem o tentavam, desistiam, deixavam-se ficar prostrados no chão, exaustos, míseros, torcidos de dores, com a cara no lajedo. Então a mulher do médico, aterrorizada, viu um dos cegos quadrilheiros tirar do bolso uma pistola e levantá-la bruscamente ao ar. O disparo fez soltar-se do teto uma grande placa de estuque que foi cair sobre as cabeças desprevenidas, aumentando o pânico. O cego gritou, Quietos todos aí, e calados, se alguém se atreve a levantar a voz, faço fogo a direito, sofra quem sofrer, depois não se queixem. Os cegos não se mexeram. O da pistola continuou, Está dito e não há volta atrás, a partir de hoje seremos nós a governar a comida, ficam todos avisados, e que ninguém tenha a ideia de ir lá fora buscá-la, vamos pôr guardas nesta entrada, sofrerão as consequências de qualquer tentativa de ir contra as ordens, a comida passa a ser vendida, quem quiser comer, paga, Pagamos como, perguntou a mulher do médico, Eu disse que não queria que ninguém falasse, berrou o da pistola, agitando a arma à sua frente, Alguém terá de falar, precisamos saber como deveremos proceder, aonde vamos buscar a comida, se vamos todos juntos ou um de cada vez, Esta está-se a armar em esperta, comentou um dos do grupo, se lhe deres um tiro é uma boca a menos a comer, Visse-a eu, e já tinha uma bala na barriga. Depois, dirigindo-se a todos, Voltem imediatamente para as camaratas, já, já, quando tivermos levado a comida para dentro diremos o que têm de fazer, E o pagamento, tornou a mulher do médico, quanto nos vai custar um café com leite e uma bolacha, A gaja está mesmo a pedir poucas, disse a mesma voz, Deixa-a comigo, disse o outro, e mudando de tom, Cada camarata nomeará dois responsáveis, esses ficam encarregados de recolher os valores, todos os valores, seja qual for a sua natureza, dinheiro, joias, anéis, pulseiras, brincos, relógios, o que lá tiverem, e levam tudo para a terceira camarata do lado esquerdo, que é onde nós estamos, e se querem um conselho de amigo, que não lhes passe pela cabeça tentarem enganar-nos, já sabemos que alguns de vocês vão esconder uma parte do que tiverem de valioso, mas digo-lhes que será uma péssima ideia, se não nos parecer suficiente o que entregarem, simplesmente não comem, entretenham-se a mastigar as notas de banco e a trincar os brilhantes. Um cego da segunda camarata lado direito perguntou, E como fazemos, entregamos tudo de uma vez, ou vamos pagando conforme o que formos comendo, Pelos vistos não me expliquei bem, disse o da pistola rindo-se, primeiro pagam, depois é que comem, e, quanto ao resto, pagar segundo o que comessem, isso iria exigir uma contabilidade muito complicada, o melhor é levarem tudo de uma vez e nós veremos que quantidade de comida merecem, mas ficam mais uma vez avisados, livrem-se de esconder qualquer coisa porque lhes sairá muito caro, e para não dizerem que não procedemos com lealdade, tomem nota de que depois de entregarem o que têm faremos uma inspeção, ai de vocês se encontrarmos nem que seja uma moeda, e agora toda a gente fora daqui, rápido. Levantou o braço e disparou outro tiro. Caiu mais um bocado de estuque. E tu, disse o da pistola, não me hei de esquecer da tua voz, Nem eu da tua cara, respondeu a mulher do médico.

Ninguém pareceu reparar no absurdo de dizer uma cega que não se vai esquecer de uma cara que não viu. Os cegos já tinham recuado o mais depressa que podiam, à procura das portas, em pouco tempo estavam os da primeira camarata a dar conhecimento da situação aos companheiros, Pelo que ouvimos, não creio que possamos, por agora, fazer mais do que obedecer, disse o médico, devem ser muitos, e o pior é que têm armas, Nós também as podíamos arranjar, disse o ajudante de farmácia, Sim, uns paus arrancados das árvores, se ainda ficaram alguns ramos à altura do braço, uns ferros das camas, que mal teríamos forças para manejar, enquanto eles dispõem, pelo menos, de uma arma de fogo, Eu não dou o que me pertence a esses filhos de uma puta cega, disse alguém, Nem eu, ajuntou outro, Isto, ou damos todos, ou não dá nenhum, disse o médico, Não temos alternativa, disse a mulher, além disso, a regra, aqui dentro, vai ter de ser a mesma que nos impuseram lá fora, quem não quiser pagar, que não pague, está no seu direito, mas nesse caso não comerá, o que não pode é estar a alimentar-se à custa dos outros, Daremos todos e daremos tudo, disse o médico, E quem não tiver nada para dar, perguntou o ajudante de farmácia, Esse, sim, comerá do que os outros derem, é justo o que alguém disse, de cada um segundo as suas possibilidades, a cada um segundo as suas necessidades. Fez-se uma pausa, e o velho da venda preta perguntou, A quem designaremos então como responsáveis, Eu escolho o senhor doutor, disse a rapariga dos óculos escuros. Não foi preciso prosseguir a votação, a camarata estava toda de acordo. Teremos de ser dois, recordou o médico, há alguém que se disponha, perguntou, Eu, se mais ninguém se apresenta, disse o primeiro cego, Muito bem, comecemos então a recolha, precisamos de um saco, uma bolsa, uma pequena mala, qualquer destas coisas serve, Posso despejar isto, disse a mulher do médico, e logo começou a esvaziar uma bolsa onde tinha reunido uns quantos produtos de beleza e outras miudezas, quando não podia imaginar as condições em que estava destinada a viver. No meio dos frascos, caixas e tubos vindos doutro mundo, havia uma tesoura comprida, de pontas finas. Não se lembrava de a ter posto ali, mas ali estava. A mulher do médico levantou a cabeça. Os cegos esperavam, o marido tinha ido até à cama do primeiro cego, conversava com ele, a rapariga dos óculos escuros dizia ao rapazinho estrábico que a comida já não tardava, no chão, empurrado para trás da mesa de cabeceira, como se a rapariga dos óculos escuros ainda tivesse querido, com um pueril e inútil pudor, ocultá-lo das vistas de quem não via, estava um penso higiénico manchado de sangue. A mulher do médico olhava a tesoura, tentava pensar por que razão a estaria olhando assim, assim como, assim, mas não encontrava nenhuma razão, realmente que razão poderia achar-se numa simples tesoura comprida, deitada nas mãos abertas, com as suas duas folhas niqueladas e as pontas agudas e brilhantes, Já a tens, perguntava de lá o marido, Já a tenho, respondeu, e estendeu o braço que segurava a bolsa vazia enquanto o outro braço se movia para trás das costas, a esconder a tesoura, Que se passa, perguntou o médico, Nada, respondeu a mulher, como poderia igualmente ter respondido Nada que tu possas ver, deves é ter estranhado a minha voz, foi só isso, nada mais. Juntamente com o primeiro cego, o médico adiantou-se para este lado, tomou a bolsa nas mãos vacilantes e disse, Vão preparando o que têm, vamos começar a recolher. A mulher desafivelou o relógio, fez o mesmo ao do marido, tirou os brincos, um pequeno anel com rubis, o fio de ouro que trazia ao pescoço, a aliança de casamento, a do marido, não deram grande trabalho a retirar, Temos os dedos mais finos, pensou, foi deitando tudo para dentro da bolsa, depois o dinheiro que tinham trazido de casa, umas quantas notas de diferentes valores, algumas moedas, Está tudo, disse, Tens a certeza, perguntou o médico, procura bem, De valor, era o que tínhamos. A rapariga dos óculos escuros já reunira os seus bens, não variavam muito, a mais só havia duas pulseiras, a menos uma aliança de casamento. A mulher do médico esperou que o marido e o primeiro cego voltassem as costas, que a rapariga dos óculos escuros se debruçasse para o rapazinho estrábico, Faz de conta que sou a tua mãe, dizia, pago por mim e por ti, e então recuou até à parede do fundo. Ali, como ao longo das outras paredes, havia grandes pregos espetados que deviam ter servido aos loucos para neles dependurarem sabe-se lá que tesouros e manias. Escolheu o mais alto a que podia chegar, e enfiou nele a tesoura. Depois sentou-se na cama. Devagar, o marido e o primeiro cego iam andando na direção da porta, paravam para recolher, de um lado e do outro, o que cada um tinha para entregar, alguns protestavam que estavam a ser vergonhosamente roubados, e era uma pura verdade, outros desfaziam-se do que possuíam com uma espécie de indiferença, como se pensassem que, vistas bem as coisas, não há no mundo nada que em sentido absoluto nos pertença, outra não menos transparente verdade. Quando chegaram à porta da camarata, terminada a coleta, o médico perguntou, Entregamos tudo, responderam-lhe que sim umas quantas vozes resignadas, houve quem tivesse ficado calado, a seu tempo saberemos se foi para não mentir. A mulher do médico levantou os olhos para onde a tesoura estava. Estranhou vê-la tão alto, dependurada por uma das argolas ou olhais, como se não tivesse sido ela própria quem a tinha posto lá, depois, de si para consigo, considerou que havia sido uma excelente ideia trazê-la, agora já poderia aparar a barba do seu homem, torná-lo mais apresentável, uma vez que, já se sabe, nas condições em que vivemos é impossível um homem barbear--se normalmente. Quando olhou outra vez na direção da porta, os dois homens já haviam desaparecido na sombra do corredor, a caminho da terceira camarata lado esquerdo, aonde tinham ordem de ir pagar a comida. A de hoje, a de amanhã também, talvez a de toda a semana, E depois, a pergunta não tinha resposta, tudo quanto possuíamos vai ali.

Contra o costume, os corredores estavam desimpedidos, em geral não era assim, quando se saía das camaratas não se fazia mais que tropeçar, esbarrar e cair, os agredidos praguejavam, largavam palavrões grosseiros, os agressores respondiam no mesmo tom, porém ninguém dava importância, uma pessoa tem de desabafar de qualquer maneira, mormente se está cego. À frente deles havia um rumor de passos e de vozes, deviam de ser os emissários doutra camarata que iam à mesma obrigação. Que situação a nossa, senhor doutor, disse o primeiro cego, já não nos bastava estarmos cegos, viemos cair nas garras de uns cegos ladrões, até parece sina minha, primeiro foi o do carro, agora estes que roubam a comida, e ainda por cima de pistola, A diferença é essa, a arma, Mas os cartuchos não duram sempre, Nada dura sempre, contudo, neste caso, talvez fosse de desejar que sim, Porquê, Se os cartuchos vierem a acabar, será porque alguém os disparou, e nós já temos mortos de sobra, Estamos numa situação insustentável, É insustentável desde que aqui entramos, e apesar disso vamo-nos aguentando, O senhor doutor é otimista, Otimista não sou, mas não posso imaginar nada pior do que o que estamos a viver, Pois eu estou desconfiado de que não há limites para o mau, para o mal, Talvez tenha razão, disse o médico, e depois, como se estivesse a falar consigo mesmo, Alguma coisa vai ter de suceder aqui, conclusão esta que comporta uma certa contradição, ou há afinal algo pior do que isto, ou daqui para diante tudo vai melhorar, ainda que pela amostra o não pareça. Pelo caminho percorrido, pelas esquinas que viraram, estavam a aproximar-se da terceira camarata. Nem o médico, nem o primeiro cego tinham aqui vindo alguma vez, mas a construção das duas alas, logicamente, obedecera a uma estrita simetria, quem conhecesse bem a ala direita facilmente se poderia orientar na ala esquerda, e vice-versa, bastava virar à esquerda num lado quando no outro tivesse de virar à direita. Ouviram vozes, deviam ser os que tinham vindo à frente, Temos de esperar, disse o médico em voz baixa, Porquê, Os de dentro quererão saber exatamente o que estes trazem, para eles tanto faz, como já comeram não têm pressa, Não deve faltar muito para a hora do almoço, Mesmo que pudessem ver, a estes não lhes serviria de nada sabê-lo, nem relógios já têm. Um quarto de hora depois, minuto mais, minuto menos, a troca acabou. Os dois homens passaram diante do médico e do primeiro cego, pela conversa percebia-se que levavam comida, Cuidado, não deixes cair, dizia um, e o outro murmurava, O que eu não sei é se vai chegar para todos, Apertamos o cinto. Deslizando a mão pela parede, com o primeiro cego logo atrás de si, o médico avançou até que os dedos tocaram no alizar da porta, Somos da primeira camarata lado direito, anunciou para dentro. Fez menção de dar um passo, mas a perna chocou contra um obstáculo. Percebeu que era uma cama atravessada, ali posta a fazer as vezes de um balcão de negócio, Estão organizados, pensou, isto não nasceu de um improviso. Ouviu vozes, passos, Quantos serão, a mulher falara-lhe de uns dez, mas não era de excluir que fossem bastantes mais, certamente nem todos estavam no átrio quando tinham ido deitar a mão à comida. O da pistola era o chefe, era sua a voz chocarreira que dizia, Ora vamos lá ver as riquezas que nos traz a primeira camarata lado direito, e depois, em tom mais baixo, falando para alguém que devia estar muito perto, Toma nota. O médico ficou perplexo, isto que significa, ele disse Toma nota, portanto há aqui alguém que pode escrever, portanto há alguém que não está cego, já são dois os casos, Temos de nos acautelar, pensou, amanhã o tipo pode estar ao pé de nós sem que demos por ele, este pensamento do médico diferia em pouco daquilo que o primeiro cego estava a pensar, Com a pistola e um espião, estamos lixados, nunca mais podemos levantar a cabeça. O cego de dentro, capitão dos ladrões, já tinha aberto a bolsa, com mãos hábeis ia retirando, apalpando e identificando os objetos, o dinheiro, sem dúvida distinguia pelo tato o que era ouro do que o não era, pelo tato também o valor das notas e das moedas, é fácil quando se tem experiência, foi só passados alguns minutos que o ouvido distraído do médico começou a perceber um ruído inconfundível de picotagem, que imediatamente identificou, ali ao lado encontrava-se alguém a escrever em alfabeto braille, também anagliptografia chamado, ouvia-se o som ao mesmo tempo surdo e nítido do ponteiro ao perfurar o papel grosso e bater contra a chapa metálica do tabuleiro inferior. Havia portanto um cego normal entre os cegos delinquentes, um cego como todos aqueles a quem dantes se dava o nome de cegos, evidentemente tinha sido apanhado na rede com os de mais, não era a altura de pôr-se o caçador a averiguar, Você é dos cegos modernos ou dos antigos, explique-nos lá de que maneira não vê. Que sorte estes tiveram, além de lhes ter saído na rifa um escriturário, também poderão aproveitá-lo como guia, um cego com treino de cego é outra coisa, vale o que pesa em ouro. O inventário continuava, uma vez ou outra o da pistola pedia a opinião do contabilista, Que achas disto, e ele interrompia o registo para dar um parecer, dizia Pechisbeque, caso em que o da pistola comentava, Muitos assim, e não comem, ou É bom, e então o comentário passava a ser, Não há nada como lidar com gente honesta. No fim, foram colocadas três caixas em cima da cama, Levam isto, disse o da pistola. O médico contou-as, Três não chegam, disse, recebíamos quatro quando a comida era só para nós, no mesmo instante sentiu o frio do cano da pistola no pescoço, para cego não tinha sido má a pontaria, Mando tirar uma caixa de cada vez que reclamares, agora desanda, levas essas e dás graças a Deus por ainda poderes comer. O médico murmurou, Está bem, agarrou em duas caixas, o primeiro cego tomou conta da outra, e, mais devagar agora porque levavam carrego, refizeram o caminho que os levaria à camarata. Quando chegaram ao átrio, onde não parecia que houvesse alguém, o médico disse, Não voltarei a ter uma oportunidade assim, Que quer dizer, perguntou o primeiro cego, Ele encostou-me a pistola ao pescoço, podia ter-lha arrancado das mãos, Seria arriscado, Não tanto quanto parece, eu sabia onde a pistola estava, ele não podia saber onde estavam as minhas mãos, Ainda assim, Tenho a certeza, naquele momento o mais cego dos dois era ele, foi pena eu não ter pensado, ou então pensei, mas não tive a coragem, E depois, perguntou o primeiro cego, Depois, quê, Vamos supor que realmente conseguia tirar-lhe a arma, o que não acredito é que fosse capaz de a usar, Se tivesse a certeza de que poderia resolver a situação, sim, Mas não tem a certeza, Não, de facto não tenho, Então vale mais que as armas estejam do lado deles, pelo menos enquanto não nos atacarem com elas, Ameaçar com uma arma já é atacar, Se lhe tivesse tirado a pistola, a verdadeira guerra já teria começado, e o mais provável é que nem de lá tivéssemos saído, Tem razão, disse o médico, irei fazer de conta que pensei em tudo isso, O senhor doutor tem é de lembrar-se daquilo que me disse há bocado, Que foi que eu disse, Que alguma coisa vai ter de suceder, Sucedeu, e não aproveitei, Outra coisa será, não esta.

Quando entraram na camarata e tiveram de apresentar o pouco que traziam para pôr na mesa, houve quem achasse que a culpa era deles, por não terem reclamado e exigido mais, para isso é que tinham sido nomeados representantes do coletivo. Então o médico explicou o que se havia passado, falou do cego escriturário, dos modos insolentes do cego da pistola, da pistola também. Os descontentes baixaram o tom, acabaram por concordar que sim senhor, a defesa dos interesses da camarata estava bem entregue. Distribuiu-se enfim a comida, houve quem não deixasse de lembrar aos impacientes que o pouco sempre é melhor do que o nada, além disso, pela hora que devia ser, o almoço já não demoraria, O mal é se nos acontece o mesmo que ao cavalo daquele, que morreu quando já se tinha desabituado de comer, disse alguém. Os outros sorriram palidamente, e um disse, Não seria má ideia, se é certo que o cavalo, quando morre, não sabe que vai morrer.

O velho da venda preta tinha entendido que o rádio portátil, tanto pela fragilidade da sua estrutura como pela informação conhecida sobre o tempo da sua vida útil, se encontrava excluído da lista dos valores que tinham de entregar como pagamento da comida, considerando que o funcionamento do aparelho dependia, em primeiro lugar, de ter ou não ter pilhas dentro, e, em segundo lugar, do tempo que elas durassem. Pelo som roufenho das vozes que ainda saíam da pequena caixa, era evidente que não haveria muito mais a esperar dela. Decidiu por isso o velho da venda preta não repetir as audições gerais, e também porque os cegos da terceira camarata lado esquerdo poderiam aparecer por ali com uma opinião diferente, não por causa do valor material do aparelho, praticamente nulo a curto prazo, como ficou demonstrado, mas pelo seu valor de uso no imediato, que esse é sem dúvida altíssimo, sem falar na hipótese plausível de haver pilhas lá onde pelo menos há uma pistola. Disse pois o velho da venda preta que passaria a escutar as notícias debaixo da manta da cama, com a cabeça toda tapada, e que se houvesse alguma novidade interessante, logo avisaria. A rapariga dos óculos escuros ainda lhe pediu que a deixasse ouvir de vez em quando um bocadinho de música, Só para não perder a lembrança, justificou, mas ele foi inflexível, dizia que o importante era saber o que se ia passando lá fora, quem quisesse música que a ouvisse dentro da sua própria cabeça, para alguma coisa boa nos haverá de servir a memória. Tinha razão o velho da venda preta, a música do rádio já arranhava como só uma má recordação é capaz de arranhar, por isso mantinha-o no mínimo volume sonoro possível, à espera de que as notícias chegassem. Então, espevitava um pouco o som e apurava o ouvido para não perder uma sílaba. Depois, com palavras suas, resumia as informações e transmitia-as aos vizinhos próximos. Assim, de cama em cama, as notícias iam lentamente dando a volta à camarata, desfiguradas de cada vez que passavam de um recetor ao recetor seguinte, diminuída ou agravada desta maneira a importância das informações, consoante o grau pessoal de otimismo e pessimismo próprio de cada emissor. Até que chegou o momento em que as palavras se calaram e o velho da venda preta se achou sem ter que dizer. E não foi porque o rádio se tivesse avariado ou as pilhas esgotado, a experiência da vida e das vidas tem cabalmente demonstrado que ao tempo não há quem o governe, parecia esta maquineta que pouco iria durar e afinal alguém teve de calar-se antes dela. Ao longo de todo este primeiro dia vivido sob a pata dos cegos malvados, o velho da venda preta tinha estado a ouvir e a passar notícias, rebatendo por sua conta a óbvia falsidade dos otimistas vaticínios oficiais, e agora, já adiantada a noite, com a cabeça enfim fora da manta, aplicava o ouvido à ronqueira em que a débil alimentação elétrica do rádio transformava a voz do locutor, quando de súbito o ouviu gritar, Estou cego, depois o ruído de algo chocando violentamente contra o microfone, uma sequência precipitada de rumores confusos, exclamações, e de repente o silêncio. A única estação de rádio que ali dentro o aparelho tinha podido captar calara--se. Durante muito tempo ainda o velho da venda preta manteve o ouvido pegado à caixa agora inerte, como se estivesse à espera do regresso da voz e da continuação do noticiário. Porém, adivinhava, sabia que ela não tornaria mais. O mal-branco não cegara apenas o locutor. Como um rastilho, atingira rápida e sucessivamente quantos se encontravam na estação. Então o velho da venda preta deixou cair o rádio no chão. Os cegos malvados, se viessem aí ao cheiro de joias escondidas, encontrariam confirmada a razão, se em tal coisa haviam pensado, por que não tinham, eles próprios, incluído os rádios portáteis na lista dos objetos de valor. O velho da venda preta puxou a manta para cima da cabeça para poder chorar à vontade.

Aos poucos, sob a luz amarelada e suja das lâmpadas débeis, a camarata foi entrando num sono profundo, reconfortados os corpos pelas três refeições do dia, como antes raramente havia sucedido. A continuarem assim as coisas, acabaremos, uma vez mais, por ter de chegar à conclusão de que mesmo nos males piores é possível achar-se uma porção de bem suficiente para que os levemos, aos ditos males, com paciência, o que, transportado para a presente situação, significa que, contrariamente às primeiras e inquietantes previsões, a concentração dos alimentos em uma única entidade rateadora e distribuidora tinha, afinal, os seus aspetos positivos, por muito que se queixassem alguns idealistas que teriam preferido continuar a lutar pela vida pelos seus próprios meios, mesmo tendo de passar por causa dessa teimosia alguma fome. Descuidados do dia de amanhã, esquecidos de que quem paga adiantado, sempre acaba mal servido, a maioria dos cegos, em todas as camaratas, dormiam a sono solto. Os outros, cansados de buscar sem resultado uma saída honrosa para os vexames sofridos, foram, pouco a pouco, adormecendo também, sonhando com a esperança de uns dias melhores do que estes, mais livres, se não mais fartos. Na primeira camarata lado direito só a mulher do médico não dormia. Deitada na sua cama, pensava no que o marido tinha contado, quando por um momento julgou que entre os cegos ladrões estava alguém que via, alguém que eles poderiam vir a usar como espião. Era curioso que depois não tivessem voltado a falar do assunto, como se ao médico, o que faz o hábito, não lhe tivesse ocorrido que a sua própria mulher continuava a ver. Pensou-o ela, mas calou-se, não quis pronunciar as palavras óbvias, Isso que, afinal, ele não poderá fazer, posso fazê-lo eu, O quê, perguntaria o médico, fingindo não compreender. Agora, com os olhos fitos na tesoura pendurada na parede, a mulher do médico estava a perguntar-se a si mesma, De que me serve ver. Servira-lhe para saber do horror mais do que pudera imaginar alguma vez, servira-lhe para ter desejado estar cega, nada senão isso. Com um movimento cauteloso sentou-se na cama. Na sua frente dormiam a rapariga dos óculos escuros e o rapazinho estrábico. Reparou que as duas camas estavam muito próximas, a rapariga tinha empurrado a sua, certamente para estar mais perto do rapaz, se ele precisasse de consolo, de que lhe enxugassem as lágrimas pela falta de uma mãe perdida. Como foi que não me lembrei, pensou, podia já ter unido as nossas camas, dormiríamos juntos, sem estar eu com a constante preocupação de ele poder cair da cama. Olhou o marido, que dormia pesadamente, num sono de pura exaustão. Não chegara a dizer-lhe que tinha trazido a tesoura, que um dia destes lhe haveria de aparar a barba, é trabalho que até um cego é capaz de fazer, desde que não chegue demasiado as lâminas à pele. Dera a si mesma uma boa justificação para não lhe falar da tesoura, Depois vinham-me aí os homens todos, não fazia outra coisa que cortar barbas. Rodou o corpo para fora, assentou os pés no chão, procurou os sapatos. Quando ia calçá--los, deteve-se, olhou-os fixamente, depois abanou a cabeça e, sem ruído, tornou a pousá-los. Passou para a coxia entre as camas e começou a andar lentamente em direção à porta da camarata. Os pés descalços sentiram a imundície pegajosa do chão, mas ela sabia que lá fora, nos corredores, seria muito pior. Ia olhando a um lado e a outro, a ver se havia algum cego acordado, embora estar um ou mais deles vigilando, ou a camarata toda, não tivesse qualquer importância, desde que não fizesse ruído, e mesmo que o fizesse, sabemos a quanto obrigam as necessidades do corpo, que não escolhem horas, enfim, o que ela não queria era que o marido despertasse e desse pela ausência a tempo ainda de perguntar--lhe Aonde vais, que é, provavelmente, a pergunta que os homens mais fazem às suas mulheres, a outra é Onde estiveste. Uma das cegas estava sentada na cama, com as costas apoiadas na cabeceira baixa, o olhar vazio lançado para a parede da frente, sem conseguir chegar--lhe. A mulher do médico parou um momento, como se duvidasse em tocar aquele fio invisível que pairava no ar, como se um simples contacto o pudesse destruir irremediavelmente. A cega levantou um braço, devia ter percebido alguma leve vibração da atmosfera, depois deixou-o cair desinteressada, já lhe bastava não poder dormir por causa do ressonar dos vizinhos. A mulher do médico continuou a andar, cada vez mais depressa, à medida que se aproximava da porta. Antes de seguir em direção ao átrio, olhou ao longo do corredor que levava às outras camaratas deste lado, lá mais para diante, às sentinas, e finalmente, à cozinha e ao refeitório. Havia cegos deitados junto às paredes, daqueles que à chegada não foram capazes de conquistar uma cama, ou porque no assalto se deixaram ficar para trás, ou porque lhes faltaram forças para disputá-la e vencer na luta. A dez metros, um cego estava deitado em cima de uma cega, ele enganchado entre as pernas dela, faziam-no o mais discretamente que podiam, eram dos discretos em público, mas não seria preciso ter o ouvido muito apurado para saber em que se ocupavam, muito menos quando um e outro já não puderam reprimir os ais e os gemidos, alguma palavra inarticulada, que são os sinais de que tudo aquilo está prestes a acabar. A mulher do médico ficou parada a olhá-los, não por inveja, tinha o seu marido e a satisfação que ele lhe dava, mas por causa de uma impressão doutra natureza, para a qual não encontrava nome, poderia ser um sentimento de simpatia, como se estivesse a pensar em dizer-lhes Não liguem a estar eu aqui, também sei o que isso é, continuem, poderia ser um sentimento de compaixão Ainda que esse instante de gozo supremo pudesse durar-vos a vida inteira, nunca os dois que sois poderíeis chegar a ser um só. O cego e a cega descansavam agora, já separados, um ao lado do outro, mas continuavam de mãos dadas, eram novos, talvez fossem namorados, tinham ido ao cinema e ali cegaram, ou um acaso milagroso os juntou aqui, e, sendo assim, como foi que se reconheceram, ora essa, pelas vozes, claro está, não é só a voz do sangue que não precisa de olhos, o amor, que dizem ser cego, também tem a sua palavra a dizer. O mais provável, porém, é que os tivessem apanhado ao mesmo tempo, nesse caso aquelas mãos entrelaçadas não são de agora, estão assim desde o princípio.

A mulher do médico suspirou, levou as mãos aos olhos, necessitou fazê-lo porque estava a ver mal, mas não se assustou, sabia que eram só lágrimas. Depois continuou o seu caminho. Chegando ao átrio, aproximou--se da porta que dava para a cerca exterior. Olhou para fora. Por detrás do portão havia uma luz, sobre ela a silhueta negra de um soldado. Do outro lado da rua, os prédios estavam todos às escuras. Saiu para o patamar. Não havia perigo. Mesmo que o soldado se apercebesse do vulto, só dispararia se ela, tendo descido a escada, se aproximasse, depois de um aviso, daquela outra linha invisível que era, para ele, a fronteira da sua segurança. Habituada já aos rumores contínuos da camarata, a mulher do médico estranhou o silêncio, um silêncio que parecia estar a ocupar o espaço de uma ausência, como se a humanidade, toda ela, tivesse desaparecido, deixando apenas uma luz acesa e um soldado a guardá-la, a ela e a um resto de homens e de mulheres que a não podiam ver. Sentou-se no chão, com as costas apoiadas na ombreira da porta, na mesma posição em que vira a cega da camarata, e olhando em frente como ela. A noite estava fria, o vento soprava ao longo da fachada do edifício, parecia impossível que ainda houvesse vento no mundo, que fosse negra a noite, não o dizia por si, pensava, sim, nos cegos para quem o dia durava sempre. Sobre a luz apareceu uma outra silhueta, devia de ser o render da guarda, Sem novidade, estaria a dizer o soldado que irá para a tenda dormir o resto da noite, não imaginavam eles o que se estava a passar por detrás daquela porta, provavelmente o barulho dos tiros nem tinha chegado cá fora, uma pistola comum não faz muito ruído. Uma tesoura ainda menos, pensou a mulher do médico. Não se perguntou inutilmente de onde lhe viera um tal pensamento, apenas se surpreendeu com a lentidão dele, como a primeira palavra tinha tardado tanto a aparecer, o vagar das seguintes, e como depois achou que o pensamento já lá se encontrava antes, onde quer que fosse, e só as palavras lhe faltavam, assim como um corpo que procurasse, na cama, o côncavo que havia sido preparado para ele pela simples ideia de deitar-se. O soldado chegou-se ao portão, apesar de estar em contraluz percebe-se que olha para este lado, deve ter dado pelo vulto imóvel, por enquanto não há luz bastante para ver que é só uma mulher sentada no chão, com os braços envolvendo as pernas e o queixo apoiado nos joelhos, então o soldado aponta o foco de uma lanterna para este lado, já não pode haver dúvidas, é uma mulher que está a erguer--se com um movimento tão lento como antes havia sido o pensamento, mas isto não o pode saber o soldado, o que ele sabe é que tem medo daquela figura que parece não acabar mais de levantar-se, num momento pergunta-se se deve dar o alarme, noutro decide que não, afinal é só uma mulher e está longe, em todo o caso, pelo sim pelo não, aponta-lhe preventivamente a arma, mas para o fazer teve de largar a lanterna, nesse movimento o foco luminoso deu-lhe em cheio nos olhos, como uma queimadura instantânea ficou-lhe na retina uma impressão de deslumbramento. Quando a visão se restabeleceu, a mulher tinha desaparecido, agora esta sentinela não poderá dizer a quem a vier render, Sem novidade.

A mulher do médico já está na ala do lado esquerdo, no corredor que a levará à terceira camarata. Também aqui há cegos a dormirem no chão, mais do que na ala direita. Caminha sem fazer ruído, lentamente, sente o chão viscoso pegar-se-lhe aos pés. Olha para dentro das duas primeiras camaratas, e vê o que esperava ver, os vultos deitados sob as mantas, um cego que também não consegue adormecer e o diz com voz desesperada, ouve o ressonar entrecortado de quase todos. Quanto ao cheiro que tudo isto desprende, não o estranha, não há outro em todo o edifício, é o cheiro do seu próprio corpo, das roupas que veste. Ao dobrar a esquina para a parte do corredor que dá acesso à terceira camarata, deteve-se. Há um homem à porta, outra sentinela. Tem um cajado na mão, faz com ele movimentos lentos, a um lado e a outro, como para intercetar a passagem de alguém que pretendesse aproximar-se. Aqui não há cegos a dormirem no chão, o corredor está desimpedido. O cego da porta continua no seu vaivém uniforme, parece ele que não se cansa, mas não é assim, passados uns minutos muda o cajado de mão e recomeça. A mulher do médico avançou rente à parede do outro lado, tendo o cuidado de não roçar por ela. O arco que o cajado descreve não chega sequer ao meio do corredor largo, dá vontade de dizer que esta sentinela faz guarda com uma arma descarregada. A mulher do médico está agora exatamente em frente do cego, pode ver a camarata por trás dele. As camas não estão todas ocupadas. Quantos serão, pensou. Avançou um pouco mais, quase até ao limite de alcance do cajado, e aí parou, o cego tinha virado a cabeça para o lado onde ela estava, como se tivesse percebido algo anormal, um suspiro, um estremecimento do ar. Era um homem alto, de mãos grandes. Primeiro esticou para a frente o braço que segurava o cajado, varreu com gestos rápidos o vazio diante de si, deu depois um passo breve, durante um segundo a mulher do médico temeu que ele estivesse a vê-la, que só procurasse por onde seria melhor atacá-la, Aqueles olhos não estão cegos, pensou, alarmada. Sim, claro que estavam cegos, tão cegos como os de quantos viviam debaixo destes tetos, entre estas paredes, todos, todos, exceto ela. Em voz baixa, quase num sussurro, o homem perguntou, Quem está aí, não gritou como as sentinelas de verdade Quem vem lá, a resposta boa deveria ser Gente de paz, e ele remataria Passe de largo, não foi assim que as coisas se passaram, só abanou a cabeça como se respondesse a si mesmo Que disparate, aqui não pode haver ninguém, a estas horas está tudo a dormir. Apalpando com a mão livre, recuou para junto da porta, e, tranquilizado pelas suas próprias palavras, deixou pender os braços. Tinha sono, há muito tempo que estava à espera de que um dos companheiros o viesse render, mas para isso era preciso que o outro, à voz interior do dever, acordasse por si mesmo, que ali não havia despertadores nem meio nenhum de os usar. Cautelosamente, a mulher do médico chegou-se à outra ombreira da porta e olhou para dentro. A camarata não estava cheia. Fez uma contagem rápida, pareceu-lhe que deviam ser uns dezanove ou vinte. Ao fundo viu umas quantas caixas de comida empilhadas, outras em cima das camas desocupadas, Era de esperar, eles não distribuem a comida toda que vão recebendo, pensou. O cego pareceu ficar outra vez inquieto, mas não fez qualquer movimento para investigar. Os minutos passavam. Ouviu-se uma tosse violenta, de fumador, vinda de dentro. O cego virou a cabeça ansioso, enfim poderia ir dormir. Nenhum dos que estavam deitados se levantou. Então o cego, lentamente, como se tivesse medo de que o viessem surpreender em delito flagrante de abandono de posto ou infringindo de uma vez só todas as regras por que estão obrigadas a reger-se as sentinelas, sentou-se na borda da cama que tapava a entrada. Ainda cabeceou durante uns momentos, mas depois deixou-se ir no rio do sono, o mais certo foi ter pensado ao afundar-se, Não tem importância, ninguém me vê. A mulher do médico tornou a contar os que dormiam lá dentro, Com este são vinte, ao menos levava dali uma informação certa, não tinha sido inútil a excursão noturna, Mas terá sido apenas para isto que vim cá, perguntou a si mesma, e não quis procurar a resposta. O cego dormia com a cabeça apoiada à ombreira da porta, o cajado escorregara sem ruído para o chão, ali estava um cego desarmado e sem colunas para derrubar. Deliberadamente, a mulher do médico quis pensar que este homem era um ladrão de comida, que roubava o que a outros pertencia de justiça, que tirava à boca de crianças, mas apesar de o pensar não chegou a sentir desprezo, nem sequer uma leve irritação, só uma estranha piedade diante do corpo descaído, da cabeça inclinada para trás, do pescoço alongado de veias grossas. Pela primeira vez desde que saíra da camarata teve um arrepio de frio, parecia que as lajes do chão lhe estavam a gelar os pés, como se os queimassem, Oxalá não seja isto febre, pensou. Não seria, seria só uma fadiga infinita, uma vontade de enrolar-se sobre si mesma, os olhos, ah, sobretudo os olhos, virados para dentro, mais, mais, mais, até poderem alcançar e observar o interior do próprio cérebro, ali onde a diferença entre o ver e o não ver é invisível à simples vista. Devagar, ainda mais devagar, arrastando o corpo, voltou para trás, para o lugar aonde pertencia, passou ao lado de cegos que pareciam sonâmbulos, sonâmbula ela também para eles, nem tinha de fingir que estava cega. Os cegos enamorados já não estavam de mãos dadas, dormiam deitados de lado, encolhidos para conservarem o calor, ela na concha formada pelo corpo dele, afinal, reparando melhor, tinham-se dado as mãos, o braço dele por cima do corpo dela, os dedos entrelaçados. Lá dentro, na camarata, a cega que não conseguia dormir continuava sentada na cama, à espera de que a fadiga do corpo fosse tal que acabasse por render a resistência obstinada da mente. Todos os outros pareciam dormir, alguns com a cabeça tapada, como se ainda estivessem à procura de uma escuridão impossível. Sobre a mesa de cabeceira da rapariga dos óculos escuros, via-se o frasquinho de colírio. Os olhos já estavam curados, mas ela não o sabia.

Se o cego encarregado de escriturar os ilícitos ganhos da camarata dos malvados tivesse decidido, por efeito de uma iluminação esclarecedora do seu duvidoso espírito, passar-se para este lado com os seus tabuleiros de escrever, o seu papel grosso e o seu punção, certamente andaria agora ocupado a redigir a instrutiva e lamentável crónica do mau passadio e outros muitos sofrimentos destes novos e espoliados companheiros. Começaria por dizer que lá de onde tinha vindo, não só os usurpadores haviam expulsado da camarata os cegos honrados, para ficarem donos e senhores eles de todo o espaço, como haviam, ainda por cima, proibido aos ocupantes das outras duas camaratas da ala esquerda o acesso e a serventia das respetivas instalações sanitárias, como se lhes chama. Comentaria que o resultado imediato da infame prepotência fora ter afluído toda aquela aflita gente às sentinas deste lado, com consequências fáceis de imaginar a quem não se tenha esquecido do estado em que tudo isto já se encontrava antes. Faria constar que não se pode andar pela cerca interior sem tropeçar em cegos escoando as suas diarreias ou retorcendo-se com a angústia de tenesmos que tinham prometido muito e afinal não resolviam nada, e, sendo um espírito observador, não deixaria, a propósito, de registar a patente contradição entre o pouco que se ingeria e o muito que se eliminava, desta maneira ficando porventura demonstrado que a célebre relação de causa e efeito, tantas vezes citada, não é, pelo menos de um ponto de vista quantitativo, sempre de fiar. Também diria que enquanto a estas horas a camarata dos malvados deverá estar já atulhada de caixas de comida, aqui os desgraçados não tarda que se vejam reduzidos a apanhar migalhas do chão imundo. Não se esqueceria o cego contabilista de condenar, na sua dupla qualidade de parte no processo e cronista dele, o procedimento criminoso dos cegos opressores, que preferem deixar que se estrague a comida a dá-la a quem dela tão precisado está, pois se é certo que alguns daqueles alimentos podem durar umas semanas sem perder a virtude, outros, em particular os que vêm cozinhados, se não são comidos logo, em pouco tempo estão azedos ou cobertos de bolores, portanto imprestáveis para seres humanos, se estes o são ainda. Mudando de assunto, mas não de tema, escreveria o cronista, com grande mágoa de coração, que as doenças daqui não são apenas as do trato digestivo, ou seja por carência de ingestão suficiente, ou seja por mórbida descomposição do ingerido, para cá não vieram apenas pessoas saudáveis, ainda que cegas, inclusive algumas destas, que pareciam trazer saúde para dar e vender, estão agora, como as outras, sem se poderem levantar dos pobres catres, derrubadas por umas gripes fortíssimas que entraram não se sabe como. E não se encontra em nenhuma parte das cinco camaratas uma aspirina que possa baixar esta febre e aliviar esta dor de cabeça, em pouco tempo acabou o que ainda havia, rebuscado até ao forro das malinhas de mão das senhoras. Renunciaria o cronista, por circunspeção, a fazer um relato discriminativo de outros males que estão afligindo muitas das quase trezentas pessoas postas em tão desumana quarentena, mas não poderia deixar de mencionar, pelo menos, dois casos de cancro bastante adiantados, que não quiseram as autoridades ter contemplações humanitárias na hora de caçar os cegos e trazê-los para aqui, disseram mesmo que a lei quando nasce é igual para todos e que a democracia é incompatível com tratamentos de favor. Médicos, em tanta gente, assim quis a má sorte, não há mais do que um, ainda por cima oftalmologista, aquele que menos falta nos fazia. Chegando a este ponto, o cego contabilista, cansado de descrever tanta miséria e dor, deixaria cair sobre a mesa o punção metálico, buscaria com a mão trémula o bocado de pão duro que havia deixado a um lado enquanto cumpria a sua obrigação de cronista do fim dos tempos, mas não o encontraria, porque outro cego, de tanto lhe pôde valer o olfato nesta necessidade, o tinha roubado. Então, renegando o gesto fraterno, o abnegado impulso que o tinha feito acudir a este lado, decidiu o cego contabilista que o melhor, se ainda ia a tempo, seria regressar à terceira camarata lado esquerdo, ao menos, lá, por muito que se lhe esteja revolvendo o espírito de honesta indignação contra as injustiças dos malvados, não passará fome.

Disto realmente se trata. De cada vez que os encarregados de ir buscar a comida tornam às camaratas com o pouco que lá lhes foi entregue, rebentam, furiosos, os protestos. Há sempre alguém que propõe uma ação coletiva organizada, uma manifestação maciça, apresentando como argumento valedor a tantas vezes verificada força expansiva do número, sublimada na afirmação

dialética de que as vontades, em geral apenas adicio-
náveis umas às outras, também são muito capazes, em
certas circunstâncias, de multiplicar-se entre si, até ao
infinito. Porém, não tardava que os ânimos acalmassem, bastava que alguém, mais prudente, com a simples
e objetiva intenção de ponderar as vantagens e os riscos
da ação proposta, lembrasse aos entusiastas os efeitos
mortais que costumam ter as pistolas, Os que forem
adiante, diziam, sabem o que lá têm à espera, e quanto aos de trás, o melhor é nem imaginar o que sucederá
no caso muito provável de nos assustarmos ao primeiro
disparo, seremos mais a morrer esborrachados do que a
tiros. Como solução intermédia, foi decidido numa das
camaratas, e dessa decisão passaram palavra às outras,
que mandariam a buscar a comida, não os já escarmen-
tados emissários do costume, mas um grupo nutrido
deles, maneira esta obviamente imprópria, umas dez
ou doze pessoas, as quais tratariam de expressar, co-
ralmente, o descontentamento de todos. Pediram-se
voluntários, mas, talvez por efeito das conhecidas ad-
vertências dos cautelosos, em nenhuma camarata foram
tantos os que se apresentaram para a missão. Graças a
Deus, esta evidente mostra de fraqueza moral deixou
de ter qualquer importância, e mesmo de ser motivo
de vergonha, quando, dando razão à prudência, houve
conhecimento do resultado da expedição organizada
pela camarata que tivera a ideia. Os oito corajosos que
se atreveram foram incontinente corridos a cacete, e
se é verdade que apenas uma bala foi disparada, não o
é menos que esta não levava a pontaria tão alta como as
primeiras, a prova está em que os reclamantes juraram
depois tê-la ouvido assobiar pertíssimo das cabeças.
Se já tinha havido aqui intenção assassina, talvez o ve-

nhamos a saber mais tarde, por ora conceda-se ao atirador o benefício da dúvida, isto é, ou aquele tiro não passou realmente de um aviso, ainda que mais a sério, ou o chefe dos malvados se equivocou acerca da altura dos manifestantes, por imaginá-los mais baixos, ou então, suposição esta inquietante, o equívoco terá sido imaginá-los ele mais altos do que o eram de facto, caso em que a intenção de matar passaria a ter de ser inevitavelmente considerada. Deixando agora de parte estas miúdas questões, e atendendo aos interesses gerais, que são os que contam, foi uma autêntica providência, mesmo que tenha sido apenas uma casualidade, terem-se anunciado os reclamantes como delegados da camarata número tantos. Assim, só ela teve de jejuar por castigo durante três dias, e com muita sorte, que podiam ter-lhes cortado os víveres para sempre, como é justo que suceda a quem ousa morder a mão que lhe dá de comer. Não tiveram pois outro remédio os da camarata insurreta, durante esses três dias, do que andar de porta em porta a implorar a esmola de uma côdea de pão, pelas alminhas, se possível adubado com algum conduto, não morreram de fome, é certo, mas tiveram de ouvir do bom e do bonito, Com ideias dessas bem podem vocês limpar as mãos à parede, Se tivéssemos ido na vossa conversa, em que situação estaríamos agora, mas pior do que tudo foi quando lhes disseram, Tenham paciência, tenham paciência, não há palavras mais duras de ouvir, antes o insulto. E quando os três dias do castigo acabaram e se acreditou que ia nascer um dia novo, viu-se que a punição da infeliz camarata, aquela onde se albergavam todos os quarenta cegos insurretos, afinal não tinha terminado, pois a comida, que até aí mal tinha chegado para vinte, passara a ser tão pouca que nem a dez conseguiria matar a fome. Pode-se portanto imaginar a revolta, a indignação, e também, doa a quem doer, factos são factos, o medo das camaratas restantes, que já se viam assaltadas pelos necessitados, divididas, elas, entre os deveres clássicos da humana solidariedade e a observância do velho e não menos clássico preceito de que a caridade bem entendida por nós próprios é que terá de começar.

Estavam as coisas neste ponto quando veio ordem dos malvados para que lhes fossem entregues mais dinheiro e objetos valiosos, porquanto, consideravam eles, a comida fornecida já havia ultrapassado o valor do pagamento inicial, aliás, segundo eles afirmavam, generosamente calculado por alto. Responderam aflitas as camaratas que não lhes tinha ficado nos bolsos nem um único centavo, que todos os bens recolhidos haviam sido pontualmente entregues, e que, argumento este em verdade vergonhoso, não seria de todo equânime qualquer decisão que deliberadamente ignorasse as diferenças de valor das distintas contribuições, isto é, em palavras simples, não estava bem que fosse o justo a pagar pelo pecador, e que portanto não se deviam cortar os alimentos a quem, provavelmente, ainda teria um saldo a seu favor. Nenhuma das camaratas, evidentemente, conhecia o valor do que fora entregue pelas restantes, mas cada uma achava que tinha razões para ainda continuar a comer quando às de mais já se lhes tivesse acabado o crédito. Felizmente, graças ao que os conflitos latentes morreram à nascença, os malvados foram terminantes, a ordem era para ser cumprida por toda a gente, se tinha havido diferenças na avaliação ficavam no segredo da contabilidade do cego escriturário. Nas camaratas, a discussão foi acesa, áspera, algumas vezes chegou à violência. Suspeitavam alguns que certos egoístas e mal-intencionados haviam escondido parte dos seus valores na altura da recolha, e portanto tinham andado a comer à custa de quem honestamente se tinha despojado de tudo em benefício da comunidade. Alegavam outros, recuperando para uso pessoal o que até aí fora uma argumentação coletiva, que aquilo que haviam entregado, só por si, daria para continuarem a comer ainda por muitos dias, em lugar de terem de estar ali a sustentar parasitas. A ameaça que os cegos malvados tinham feito ao princípio, de virem passar revista às camaratas e punir os infratores, acabou por ser executada dentro de cada uma, cegos bons contra cegos maus, malvados também. Não se encontraram riquezas estupendas, mas ainda foram descobertos uns quantos relógios e anéis, tudo mais de homem que de mulher. Quanto aos castigos da justiça interna, não passaram de uns safanões ao acaso, uns débeis socos mal dirigidos, o que mais se ouviu foram insultos, alguma frase pertencente a uma antiga retórica acusatória, por exemplo, Até eras capaz de roubar a tua própria mãe, imagine-se, como se uma ignomínia assim, e outras de ainda maior consideração, para virem a ser cometidas, tivessem de esperar o dia em que toda a gente cegasse e, por ter perdido a luz dos olhos, perdesse o farol do respeito. Os cegos malvados receberam o pagamento com ameaças de duras represálias, que por fortuna depois não cumpriram, supôs-se que por esquecimento, quando o certo é que andavam já com outra ideia na cabeça, como não tardará a saber-se. Tivessem eles executado as ameaças, e mais injustiças viriam agravar a situação, acaso com consequências dramáticas imediatas, porquanto duas das camaratas, para ocultarem o delito de retenção de

que eram culpadas, se apresentaram em nome de outras, carregando as camaratas inocentes com culpas que
não eram suas, alguma até tão honesta que tudo havia
entregado no primeiro dia. Felizmente, para não estar
com mais trabalhos, o cego contabilista resolvera escriturar à parte, em uma só folha de papel, as diferentes novas contribuições, e foi o que a todos valeu, tanto
inocentes como culpados, porque de certeza a irregu-
laridade fiscal lhe teria saltado aos olhos se as tivesse
levado às respetivas contas.

Passada uma semana, os cegos malvados mandaram recado de que queriam mulheres. Assim, simplesmente, Tragam-nos mulheres. Esta inesperada, ainda
que não de todo insólita, exigência causou a indignação
que é fácil imaginar, os aturdidos emissários que vieram com a ordem voltaram logo lá para comunicar que
as camaratas, as três da direita e as duas da esquerda,
sem exceção dos cegos e cegas que dormiam no chão,
haviam decidido, por unanimidade, não acatar a degra-
dante imposição, objetando que não se podia rebaixar
a esse ponto a dignidade humana, neste caso feminina,
e que se na terceira camarata lado esquerdo não havia
mulheres, a responsabilidade, se a havia, não lhes poderia ser assacada. A resposta foi curta e seca, Se não
nos trouxerem mulheres, não comem. Humilhados, os
emissários regressaram às camaratas com a ordem, Ou
vão lá, ou não nos dão de comer. As mulheres sozinhas,
as que não tinham parceiro, ou não o tinham fixo, protestaram imediatamente, não estavam dispostas a pagar
a comida dos homens das outras com o que tinham entre pernas, uma delas teve mesmo o atrevimento de dizer, esquecendo o respeito que devia ao seu sexo, Eu sou
muito senhora de lá ir, mas o que ganhar é para mim, e

se me apetecer fico a viver com eles, assim tenho cama e mesa garantida. Por estas inequívocas palavras o disse, mas não passou aos atos subsequentes, lembrou-se a tempo do mau bocado que iria ser se tivesse de aguentar sozinha o furor erótico de vinte machos desenfreados que, pela urgência, pareciam estar cegos de cio. Porém, esta declaração, assim levianamente proferida na segunda camarata lado direito, não caiu em cesto roto, um dos emissários, com particular sentido de ocasião, deitou-lhe logo a mão para propor que se apresentassem voluntárias ao serviço, tendo em conta que o que se faz de moto próprio custa em geral menos do que o que tem de fazer-se por obrigação. Só um derradeiro cuidado, uma última prudência o impediram de rematar o apelo citando o conhecido provérbio Quem corre por gosto, não cansa. Mesmo assim, os protestos explodiram mal ele acabou de falar, saltaram as fúrias de todos os lados, sem dó nem piedade os homens foram moralmente arrasados, apelidados de chulos, de proxenetas, de chupistas, de vampiros, de exploradores, de alcoviteiros, conforme a cultura, o meio social e o estilo pessoal das justamente indignadas mulheres. Algumas delas declararam-se arrependidas de terem cedido, por pura generosidade e compaixão, às solicitações sexuais de companheiros de infortúnio que tão mal agora lhes agradeciam, querendo empurrá-las para a pior das sortes. Os homens procuraram justificar-se, que não era bem assim, que não dramatizassem, que diabo, falando é que a gente se entende, foi só porque o costume manda pedir voluntários em situações difíceis e perigosas, como esta sem dúvida o é, Estamos todos em risco de morrer à fome, vocês e nós. Acalmaram-se algumas das mulheres, deste modo chamadas à razão, mas uma das outras, subitamente inspirada, lançou uma nova acha à fogueira quando perguntou, irónica, E o que é que vocês fariam se eles, em vez de pedirem mulheres, tivessem pedido homens, o que é que fariam, contem lá para a gente ouvir. As mulheres rejubilaram, Contem, contem, gritavam em coro, entusiasmadas por terem encostado os homens à parede, apanhados na sua própria ratoeira lógica de que não poderiam escapar, agora queriam ver até onde ia a tão apregoada coerência masculina, Aqui não há maricas, atreveu-se um homem a protestar, Nem putas, retorquiu a mulher que fizera a pergunta provocadora, e ainda que as haja, pode ser que não estejam dispostas a sê-lo aqui por vocês. Incomodados, os homens encolheram-se, conscientes de que só haveria uma resposta capaz de dar satisfação às vingativas fêmeas, Se eles pedissem homens, nós iríamos, mas nem um deles teve a coragem de pronunciar estas breves, explícitas e desinibidas palavras, e tão perturbados ficaram que nem se lembraram de que não haveria grande perigo em dizê-las, uma vez que aqueles filhos de puta não queriam desafogar-se com homens, mas com mulheres.

Ora, aquilo que nenhum homem pensou, pareceu que o pensaram as mulheres, não devia ter outra explicação o silêncio que pouco a pouco se foi instalando na camarata onde se deram estes confrontos, como se tivessem compreendido que, para elas, a vitória na peleja verbal não se distinguia da derrota que inevitavelmente viria depois, porventura nas restantes camaratas não terá sido diferente o debate, porquanto é sabido que as razões humanas se repetem muito e as sem-razões também. Aqui, quem proferiu a sentença final foi uma mulher já de cinquenta anos que tinha consigo a mãe velha e nenhum outro modo de lhe dar de comer, Eu vou, disse, não sabia que estas palavras eram o eco das que na primeira camarata lado direito haviam sido ditas pela mulher do médico, Eu vou, nesta camarata daqui as mulheres são poucas, talvez por isso os protestos não foram tão numerosos nem tão veementes, estava a rapariga dos óculos escuros, estava a mulher do primeiro cego, estava a empregada do consultório, estava a criada do hotel, estava uma que não se sabe quem seja, estava a que não podia dormir, mas esta era tão infeliz, tão desgraçada, que o melhor seria deixá-la em paz, da solidariedade das mulheres não tinham por que beneficiar só os homens. O primeiro cego começara por declarar que mulher sua não se sujeitaria à vergonha de entregar o corpo a desconhecidos em troca do que fosse, que nem ela o quereria nem ele o permitiria, que a dignidade não tem preço, que uma pessoa começa por ceder nas pequenas coisas e acaba por perder todo o sentido da vida. O médico perguntou-lhe então que sentido da vida via ele na situação em que todos ali se encontravam, famintos, cobertos de porcaria até às orelhas, roídos de piolhos, comidos de percevejos, espicaçados de pulgas, Também eu não quereria que a minha mulher lá fosse, mas esse meu querer não serve de nada, ela disse que está disposta a ir, foi a sua decisão, sei que o meu orgulho de homem, isto a que chamamos orgulho de homem, se é que depois de tanta humilhação ainda conservamos algo que mereça tal nome, sei que vai sofrer, já está a sofrer, não o posso evitar, mas é provavelmente o único recurso, se queremos viver, Cada qual procede segundo a moral que tem, eu penso assim e não tenciono mudar de ideias, retorquiu agressivo o primeiro cego. Então a rapariga dos óculos escuros disse, Os outros não sabem quantas mulheres há aqui, portanto você poderá ficar com a sua para seu exclusivo gasto, que nós os alimentaremos, a si e a ela, sempre quero ver como se irá sentir de dignidade depois, como lhe vai saber o pão que nós lhe trouxermos, A questão não é essa, começou o primeiro cego a responder, a questão é, mas ficou com a frase no ar, na verdade não sabia qual era a questão, tudo quanto ele havia dito antes não passava de umas quantas opiniões avulsas, nada mais que opiniões, pertencentes a outro mundo, não a este, o que ele deveria, isso sim, era levantar as mãos ao céu e agradecer a sorte de poderem ficar-lhe, por assim dizer, as vergonhas em casa, em vez de ter de suportar o vexame de saber-se sustentado pelas mulheres dos outros. Pela mulher do médico, para ser preciso e exato, porque, quanto às restantes, excetuando a rapariga dos óculos escuros, solteira e livre, de cuja vida dissipada já temos mais do que suficiente informação, se elas tinham maridos, não se encontravam ali. O silêncio que se seguiu à frase interrompida pareceu ficar à espera de que alguém aclarasse definitivamente a situação, por isso não tardou muito que falasse quem tinha de falar, foi ela a mulher do primeiro cego, que disse sem que a voz lhe tremesse, Sou tanto como as outras, faço o que elas fizerem, Só fazes o que eu mandar, interrompeu o marido, Deixa-te de autoridades, aqui não te servem de nada, estás tão cego como eu, É uma indecência, Está na tua mão não seres indecente, a partir de agora não comas, foi esta a cruel resposta, inesperada em pessoa que até hoje se mostrara dócil e respeitadora do seu marido. Ouviu-se uma brusca risada, era a criada do hotel, Ai, come, come, que há de ele fazer, coitado, de repente o riso converteu-se em choro, as palavras mudaram, Que havemos nós de fazer, disse, era quase uma pergunta, uma mal resignada pergunta para que não existia resposta, como um desalentado abanar de cabeça, tanto assim que a empregada do consultório não fez mais do que repeti-la, Que havemos nós de fazer. A mulher do médico levantou os olhos para a tesoura dependurada na parede, pela expressão deles dir-se-ia que estava a fazer-lhe a mesma pergunta, salvo se o que procuravam era uma resposta à pergunta que ela lhe devolvia, Que queres fazer comigo.

Porém, cada coisa chegará no tempo próprio, não é por muito ter madrugado que se há de morrer mais cedo. Os cegos da terceira camarata lado esquerdo são pessoas organizadas, já decidiram que vão começar pelo que têm de mais perto, pelas mulheres das camaratas da sua ala. A aplicação do método rotativo, palavra mais do que justa, apresenta todas as vantagens e nenhum inconveniente, em primeiro lugar, porque permitirá saber, em qualquer momento, o que foi feito e o que está por fazer, é como olhar um relógio e dizer do dia que passa, Vivi desde aqui até aqui, falta-me tanto ou tão pouco, em segundo lugar, porque quando a volta das camaratas estiver concluída, o regresso ao princípio trará uma indiscutível aragem de novidade, sobretudo para os de memória sensorial mais curta. Folguem portanto as mulheres das camaratas da ala direita, com o mal das minhas vizinhas posso eu bem, palavras que nenhuma disse, mas que todas pensaram, na verdade ainda está por nascer o primeiro ser humano desprovido daquela segunda pele a que chamamos egoísmo, bem mais dura que a outra, que por qualquer coisa sangra. Há que dizer, ainda, que duplamente estão estas mulheres folgando, assim são os mistérios da alma humana, pois a ameaça, de todos os modos próxima, da humilhação a que irão ser sujeitas, acordou e exacerbou, dentro de cada camarata, apetites sensuais que a continuação da convivência havia debilitado, era como se os homens estivessem pondo nas mulheres desesperadamente a sua marca antes que lhas levassem, era como se as mulheres quisessem encher a memória de sensações experimentadas voluntariamente para melhor se poderem defender da agressão daquelas que, podendo ser, recusariam. É inevitável perguntar, tomando como exemplo a primeira camarata lado direito, como foi resolvida a questão da diferença de quantidades de homens e de mulheres, mesmo descontando os incapazes do sexo masculino, que os há, como deve ser o caso do velho da venda preta e de outros, desconhecidos, velhos ou novos, que por isto ou por aquilo não disseram nem fizeram nada que interessasse ao relato. Já foi dito que são sete as mulheres nesta camarata, incluindo a cega das insónias e a que não se sabe quem seja, e que os casais normalmente constituídos não são mais do que dois, o que deixaria de fora uma desequilibrada quantidade de homens, o rapazinho estrábico ainda não conta. Acaso noutras camaratas haverá mais mulheres do que homens, mas uma regra não escrita, que o uso fez aqui nascer e depois tornou lei, manda que todas as questões devam ser resolvidas dentro das camaratas em que tenham sido suscitadas, a exemplo do que ensinavam os antigos, cuja sabedoria nunca nos cansaremos de louvar, Fui a casa da vizinha, envergonhei-me, voltei para a minha, remediei-me. Darão portanto as mulheres da primeira camarata lado direito remédio às necessidades dos homens que vivem debaixo do seu mesmo teto, com exceção da mulher do médico, que, vá-se lá saber porquê, ninguém se atreveu a solicitar, por palavras ou mão estendida. Já a mulher do primeiro cego, depois do passo em frente que tinha sido a abrupta resposta dada ao marido, fez, embora discretamente, o que fizeram as outras, como ela própria avisara. Há porém resistências contra as quais não podem nem razão nem sentimento, como foi o caso da rapariga dos óculos escuros, a quem o ajudante de farmácia, por mais que se tivesse multiplicado em argumentos, por mais que se desfizesse em súplicas, não conseguiu render, pagando assim a falta de respeito que cometera ao princípio. Esta mesma rapariga, entenda as mulheres quem puder, que é a mais bonita de todas as que aqui se encontram, a de corpo mais bem-feito, a mais atraente, a que todos passaram a desejar quando correu a voz do que valia, foi afinal, numa noite destas, meter-se por sua própria vontade na cama do velho da venda preta, que a recebeu como chuva de Verão e cumpriu o melhor que podia, bastante bem para a idade, ficando por esta via demonstrado, mais uma vez, que as aparências são enganadoras, e que não é pelo aspeto da cara e pela presteza do corpo que se conhece a força do coração. Toda a gente na camarata compreendeu que tinha sido por pura caridade que a rapariga dos óculos escuros se fora oferecer ao velho da venda preta, mas houve ali homens, dos sensíveis e sonhadores, que, tendo já antes gozado dela, se puseram a devanear, a pensar que não deveria haver melhor prémio neste mundo que encontrar-se um homem estendido na sua cama, sozinho, imaginando impossíveis, e perceber que uma mulher vem levantar as cobertas muito devagar e por debaixo delas se insinua, roçando lentamente o corpo ao longo do corpo, até ficar quieta enfim, em silêncio, à espera de que o ardor dos sangues apazigue o súbito tremor da pele sobressaltada.

E tudo isto por nada, só porque ela o quis. São fortunas que não andam por aí ao desbarato, às vezes é preciso ser-se velho e levar uma venda preta a tapar uma órbita definitivamente cega. Ou então, certas coisas o melhor é deixá-las sem explicação, dizer simplesmente o que aconteceu, não interrogar o íntimo das pessoas, como foi daquela vez que a mulher do médico tinha saído da cama para ir aconchegar o rapazinho estrábico que se havia destapado. Não se deitou logo. Encostada à parede do fundo, no espaço estreito entre as duas fileiras de catres, olhava desesperada a porta no outro extremo, aquela por onde tinham entrado num dia que já parecia distante e que não levava agora a parte alguma. Assim estava quando viu o marido levantar-se e, de olhos fixos, como um sonâmbulo, dirigir-se à cama da rapariga dos óculos escuros. Não fez um gesto para o deter. De pé, sem se mexer, viu como ele levantava as cobertas e depois se deitava ao lado dela, como a rapariga despertou e o recebeu sem protesto, como as duas bocas se buscaram e encontraram, e depois o que tinha de suceder sucedeu, o prazer de um, o prazer do outro, o prazer de ambos, os murmúrios abafados, ela disse, Ó senhor doutor, e estas palavras podiam ter sido ridículas e não o foram, ele disse, Desculpa, não sei o que me deu, de facto tínhamos razão, como poderíamos nós, que apenas vemos, saber o que nem ele sabe. Deitados no catre estreito, não podiam imaginar que estavam a ser observados, o médico decerto que sim, subitamente inquieto, estaria dormindo a mulher, perguntou-se, andaria aí pelos corredores como todas as noites, fez um movimento para voltar à sua cama, mas uma voz disse, Não te levantes, e uma mão pousou-se no seu peito com a leveza de um pássaro, ele ia falar, talvez repetir que não sabia o que lhe tinha dado, mas a voz disse, Se não disseres nada compreenderei melhor. A rapariga dos óculos escuros começou a chorar, Que infelizes nós somos, murmurava, e depois, Eu também quis, eu também quis, o senhor doutor não tem culpa, Cala-te, disse suavemente a mulher do médico, calemo-nos todos, há ocasiões em que as palavras não servem de nada, quem me dera a mim poder também chorar, dizer tudo com lágrimas, não ter de falar para ser entendida. Sentou-se na borda da cama, estendeu o braço por cima dos dois corpos, como para cingi-los no mesmo amplexo, e, inclinando-se toda para a rapariga dos óculos escuros, murmurou-lhe baixinho ao ouvido, Eu vejo. A rapariga ficou imóvel, serena, apenas perplexa porque não sentia nenhuma surpresa, era como se já o soubesse desde o primeiro dia e só não tivesse querido dizê-lo em voz alta por ser um segredo que não lhe pertencia. Girou a cabeça um pouco e sussurrou por sua vez ao ouvido da mulher do médico, Eu sabia, não sei se tenho a certeza, mas acho que sabia, É um segredo, não o podes dizer a ninguém, Esteja descansada, Tenho confiança em ti, Pode tê-la, antes queria morrer que enganá-la, Deves tratar-me por tu, Isso não, não sou capaz. Murmuravam ao ouvido, ora uma, ora outra, tocando com os lábios o cabelo, o lóbulo da orelha, era um diálogo insignificante, era um diálogo profundo, se podem estar juntos estes contrários, uma pequena conversa cúmplice que parecia não conhecer o homem deitado entre as duas, mas que o envolvia numa lógica fora do mundo das ideias e realidades comuns. Depois a mulher do médico disse ao marido, Deixa-te ficar um pouco mais, se queres, Não, vou para a nossa cama, Então ajudo-te. Ergueu-se para lhe deixar os movimentos livres, contemplou por um instante as duas cabeças cegas, pousadas lado a lado no travesseiro encardido, as caras sujas, os cabelos emaranhados, só os olhos resplandecendo inutilmente. Ele levantou-se devagar, buscando apoio, depois ficou parado ao lado da cama, indeciso, como se de súbito tivesse perdido a noção do lugar onde se encontrava, então ela, como sempre havia feito, agarrou-lhe um braço, mas agora o gesto tinha um sentido novo, nunca ele necessitara tanto que o guiassem como neste momento, porém não poderia saber até que ponto, só as duas mulheres o souberam verdadeiramente, quando a mulher do médico tocou com a outra mão a face da rapariga e ela impulsivamente lha tomou para a levar aos lábios. Pareceu ao médico que ouvia chorar, um som quase inaudível, como só pode ser o de umas lágrimas que vão deslizando lentamente até às comissuras da boca e aí se somem para recomeçarem o ciclo eterno das inexplicáveis dores e alegrias humanas. A rapariga dos óculos escuros ia ficar só, ela era a que devia ser consolada, por isso a mão da mulher do médico tardou tanto a desprender-se.

No dia seguinte, à hora do jantar, se uns míseros pedaços de pão duro e carne bafienta mereciam tal nome, apareceram à porta da camarata três cegos vindos do outro lado, Quantas mulheres têm vocês aqui, perguntou um deles, Seis, respondeu a mulher do médico, com a boa intenção de deixar de fora a cega das insónias, mas ela emendou em voz apagada, Somos sete. Os cegos riram, Ó diabo, disse um, então vocês vão ter de trabalhar muito esta noite, e outro sugeriu, Talvez fosse melhor ir buscar reforço à camarata a seguir, Não vale a pena, disse o terceiro cego, que sabia aritmética, praticamente são três homens para cada mulher, elas aguentam. Riram todos outra vez, e o que tinha perguntado quantas mulheres havia deu a ordem, Quando acabarem vão ter connosco, e acrescentou, Isto é se quiserem comer amanhã e dar de mamar aos vossos homens. Diziam estas palavras em todas as camaratas, mas continuavam a divertir-se tanto com a chalaça como no dia em que a tinham inventado. Torciam-se de riso, davam patadas, batiam com os grossos paus no chão, um deles preveniu subitamente, Eh, se alguma de vocês está com o sangue, não a queremos, ficará para a próxima vez, Nenhuma está com o sangue, disse serenamente a mulher do médico, Então preparem-se, e não se demorem, estamos à vossa espera. Viraram costas e desapareceram. A camarata ficou em silêncio. Um minuto depois, disse a mulher do primeiro cego, Não posso comer mais, era quase nada o que tinha na mão, e não o conseguia comer, Nem eu, disse a cega das insónias, Nem eu, disse aquela que não se sabe quem seja, Eu já acabei, disse a criada de hotel, Eu também, disse a empregada do consultório, Eu vomitarei na cara do primeiro que se chegar a mim, disse a rapariga dos óculos escuros. Estavam todas levantadas, trémulas e firmes. Então a mulher do médico disse, Eu vou à frente. O primeiro cego tapou a cabeça com a manta, como se isso servisse para alguma coisa, cego já ele estava, o médico atraiu a mulher a si e, sem falar, deu-lhe um rápido beijo na testa, que mais podia ele fazer, aos outros homens tanto se lhes devia dar, não tinham nem direitos nem obrigações de marido sobre nenhuma das mulheres que ali iam, por isso ninguém poderá vir a dizer-lhes, Corno consentidor é duas vezes corno. A rapariga dos óculos escuros foi pôr-se atrás da mulher do médico, depois, sucessivamente, a criada do hotel, a empregada do consultório, a mulher do primeiro cego, aquela que não se sabe quem seja, e enfim a cega das insónias, uma fila grotesca de fêmeas malcheirosas, com as roupas imundas e andrajosas, parece impossível que a força animal do sexo seja assim tão poderosa, ao ponto de cegar o olfato, que é o mais delicado dos sentidos, não faltam mesmo teólogos que afirmam, embora não por estas exatas palavras, que a maior dificuldade para chegar a viver razoavelmente no inferno é o cheiro que lá há. Devagar, guiadas pela mulher do médico, cada uma com a mão no ombro da seguinte, as mulheres começaram a caminhar. Estavam todas descalças porque não queriam perder os sapatos no meio das aflições e angústias por que iam passar. Quando chegaram ao átrio de entrada, a mulher do médico encaminhou-se para a porta, devia querer saber se ainda haveria mundo. Ao sentir a frescura do ar, a criada do hotel lembrou assustada, Não podemos sair, os soldados estão lá fora, e a cega das insónias disse, Mais valia, em menos de um minuto estaríamos mortas, era como deveríamos estar, todas mortas, Nós, perguntou a empregada do consultório, Não, todas, todas as que nos encontramos aqui, ao menos teríamos a melhor das razões para estarmos cegas. Nunca pronunciara tantas palavras seguidas desde que a trouxeram. A mulher do médico disse, Vamos, só quem tiver de morrer morrerá, a morte escolhe sem avisar. Passaram a porta que dava acesso à ala esquerda, enfiaram-se pelos compridos corredores, as mulheres das duas primeiras camaratas poderiam, se quisessem, falar-lhes daquilo que as esperava, mas estavam encolhidas nas suas camas como bestas espancadas, os homens não se atreviam a tocar--lhes, nem sequer tentavam aproximar-se, que elas punham-se aos gritos.

No último corredor, lá ao fundo, a mulher do médico viu um cego que estava de sentinela, como de costume. Ele devia ter ouvido os passos arrastados, deu um aviso, Já aí vêm, já aí vêm. De dentro saíram gritos, relinchos, risadas. Quatro cegos afastaram rapidamente a cama que servia de barreira à entrada, Depressa, meninas, entrem, entrem, estamos todos aqui como uns cavalos, vão levar o papo cheio, dizia um deles. Os cegos rodearam-nas, tentavam apalpá-las, mas recuaram logo, aos tropeções, quando o chefe, o que tinha a pistola, gritou, O primeiro a escolher sou eu, já sabem. Os olhos de todos aqueles homens buscavam ansiosamente as mulheres, alguns estendiam as mãos ávidas, se de fugida tocavam em uma delas sabiam enfim para onde olhar. No meio da coxia, entre as camas, as mulheres eram como os soldados em parada à espera de que lhes venham passar revista. O chefe dos cegos, de pistola na mão, aproximou-se, tão ágil e despachado como se com os olhos que tinha pudesse ver. Pôs a mão livre na cega das insónias, que era a primeira, apalpou-a por diante e por detrás, as nádegas, as mamas, o entrepernas. A cega começou aos gritos e ele empurrou-a, Não vales nada, puta. Passou à seguinte, que era aquela que não se sabe quem seja, agora apalpava com as duas mãos, tinha metido a pistola no bolso das calças, Olhem que esta não é nada má, e logo se foi à mulher do primeiro cego, depois à empregada do consultório, depois à criada do hotel, exclamou, Rapazes, estas gajas são mesmo boas. Os cegos relincharam, deram patadas no chão, Vamos a elas que se faz tarde, berraram alguns, Calma, disse o da pistola, deixem-me ver primeiro como são as outras. Apalpou a rapariga dos óculos escuros e deu um assobio, Olá, saiu-nos a sorte grande, deste gado ainda cá não tinha aparecido. Excitado, enquanto continuava a apalpar a rapariga, passou à mulher do médico, assobiou outra vez, Esta é das maduras, mas tem jeito de ser também uma rica fêmea. Puxou para si as duas mulheres, quase se babava quando disse, Fico com estas, depois de as despachar passo-as a vocês. Arrastou-as para o fundo da camarata, onde se amontoavam as caixas de comida, os pacotes, as latas, uma despensa que poderia abastecer um regimento. As mulheres, todas elas, já estavam a gritar, ouviam-se golpes, bofetadas, ordens, Calem-se, suas putas, estas gajas são todas iguais, sempre têm de pôr-se aos berros, Dá-lhe com força, que se calará, Deixem-nas chegar à minha vez e já vão ver como pedem mais, Despacha-te daí, não aguento um minuto. A cega das insónias uivava de desespero debaixo de um cego gordo, as outras quatro estavam rodeadas de homens com as calças arriadas que se empurravam uns aos outros como hienas em redor de uma carcaça. A mulher do médico encontrava-se junto ao catre para onde tinha sido levada, estava de pé, com as mãos convulsas apertando os ferros da cama, viu como o cego da pistola puxou e rasgou a saia da rapariga dos óculos escuros, como desceu as calças e, guiando-se com os dedos, apontou o sexo ao sexo da rapariga, como empurrou e forçou, ouviu os roncos, as obscenidades, a rapariga dos óculos escuros não dizia nada, só abriu a boca para vomitar, com a cabeça de lado, os olhos na direção da outra mulher, ele nem deu pelo que estava a acontecer, o cheiro do vómito só se nota quando o ar e o resto não cheiram ao mesmo, enfim o homem sacudiu-se todo, deu três sacões violentos como se cravasse três espeques, resfolegou como um cerdo engasgado, acabara. A rapariga dos óculos escuros chorava em silêncio. O cego da pistola retirou o sexo que ainda vinha a pingar e disse com voz vacilante, enquanto estendia o braço para a mulher do médico, Não tenhas ciúmes, já vou tratar de ti, e depois subindo o tom, Eh, rapazes, podem vir buscar esta, mas tratem-na com carinho, que ainda posso precisar dela. Meia dúzia de cegos avançaram de rebolão pela coxia, deitaram mãos à rapariga dos óculos escuros, levaram-na quase de rastos, Primeiro eu, primeiro eu, diziam todos. O cego da pistola tinha-se sentado na cama, o sexo flácido estava pousado na beira do colchão, as calças enroladas aos pés. Ajoelha-te aqui, entre as minhas pernas, disse. A mulher do médico ajoelhou-se. Chupa, disse ele, Não, disse ela, Ou chupas, ou bato-te, e não levas comida, disse ele, Não tens medo de que to arranque à dentada, perguntou ela, Podes experimentar, tenho as mãos no teu pescoço, estrangulava-te antes que chegasses a fazer-me sangue, respondeu ele. Depois disse, Estou a reconhecer a tua voz, E eu a tua cara, És cega, não me podes ver, Não, não te posso ver, Então por que dizes que reconheces a minha cara, Porque essa voz só pode ter essa cara, Chupa, e deixa-te de conversa fina, Não, Ou chupas, ou na tua camarata nunca mais entrará uma migalha de pão, vai lá dizer-lhes que se não comerem é porque te recusaste a chupar-me, e depois volta para me contares o que sucedeu. A mulher do médico inclinou-se para diante, com as pontas de dois dedos da mão direita segurou e levantou o sexo pegajoso do homem, a mão esquerda foi apoiar-se no chão, tocou nas calças, tateou, sentiu a dureza metálica e fria da pistola, Posso matá-lo, pensou. Não podia. Com as calças assim como estavam, enrodilhadas aos pés, era impossível chegar ao bolso onde a arma se encontrava. Não o posso matar agora, pensou.

Avançou a cabeça, abriu a boca, fechou-a, fechou os olhos para não ver, começou a chupar.

Amanhecia quando os cegos malvados deixaram ir as mulheres. A cega das insónias teve de ser levada dali em braços pelas companheiras, que mal se podiam, elas próprias, arrastar. Durante horas haviam passado de homem em homem, de humilhação em humilhação, de ofensa em ofensa, tudo quanto é possível fazer a uma mulher deixando-a ainda viva. Já sabem, o pagamento é em géneros, digam aos homenzinhos que lá têm que venham buscar as sopas, escarnecera à despedida o cego da pistola. E acrescentou, chocarreiro, Até à vista, meninas, vão-se preparando para a próxima sessão. Os outros cegos repetiram mais ou menos em coro, Até à vista, alguns disseram gajas, alguns disseram putas, mas notava-se-lhes a fadiga da libido na pouca convicção das vozes. Surdas, cegas, caladas, aos tombos, apenas com vontade suficiente para não largarem a mão da que seguia à frente, a mão, não o ombro, como quando tinham vindo, certamente nenhuma saberia responder se lhe perguntassem, Por que vão vocês de mãos dadas, tinha calhado assim, há gestos para que nem sempre se pode encontrar uma explicação fácil, algumas vezes nem a difícil pôde ser encontrada. Quando atravessaram o átrio, a mulher do médico olhou para fora, lá estavam os soldados, havia também uma camioneta que devia andar a fazer a distribuição da comida pelas quarentenas. Nesse preciso momento a cega das insónias foi-se abaixo das pernas, literalmente, como se lhas tivesssem decepado de um golpe, foi-se-lhe também o coração abaixo, nem acabou a sístole que tinha começado, finalmente ficamos a saber por que não podia esta cega dormir, agora dormirá, não a acordemos. Está morta, disse a mulher do médico, e a sua voz não tinha nenhuma expressão, se era possível uma voz assim, tão morta como a palavra que dissera, ter saído de uma boca viva. Levantou em braços o corpo subitamente desconjuntado, as pernas ensanguentadas, o ventre espancado, os pobres seios descobertos, marcados com fúria, uma mordedura num ombro, Este é o retrato do meu corpo, pensou, o retrato do corpo de quantas aqui vamos, entre estes insultos e as nossas dores não há mais do que uma diferença, nós, por enquanto, ainda estamos vivas. Para onde a levamos, perguntou a rapariga dos óculos escuros, Agora para a camarata, mais tarde a enterraremos, disse a mulher do médico.

Os homens esperavam à porta, só faltava o primeiro cego, que tornara a tapar a cabeça com a manta ao perceber que vinham as mulheres, e o rapazinho estrábico, que dormia. Sem nenhuma hesitação, sem precisar de contar as camas, a mulher do médico foi deitar a cega das insónias no catre que lhe pertencera. Não se importou com a possível estranheza dos outros, afinal toda a gente ali sabia que ela era a cega que melhor conhecia os cantos à casa. Está morta, repetiu, Como foi, perguntou o médico, mas a mulher não lhe respondeu, a pergunta dele poderia ser apenas o que parecia significar, Como foi que ela morreu, mas também poderia ser Que vos fizeram lá, ora, nem para uma nem para outra deveria haver resposta, ela morreu, simplesmente, não importa de quê, perguntar de que morreu alguém é estúpido, com o tempo a causa esquece, só uma palavra fica, Morreu, e nós já não somos as mesmas mulheres que daqui saímos, as palavras que elas diriam, já não as podemos dizer nós, e quanto às outras, o inominável existe, é esse o seu nome, nada mais. Vão buscar a comida, disse a mulher do médico. O acaso, o fado, a sorte, o destino, ou lá como se chame exatamente o que tantos nomes tem, estão feitos de pura ironia, nem de outro modo se entenderia por que foram precisamente os maridos de duas destas mulheres os escolhidos para representarem a camarata e recolherem os alimentos, quando ninguém imaginava que o preço pudesse vir a ser o que acabara de ser pago. Podiam ter sido outros homens, solteiros, livres, sem uma honra conjugal a defender, mas logo tiveram de ser estes, com certeza não vão querer agora envergonhar-se a estender a mão da esmola aos brutos e malvados que lhes violaram as mulheres. Disse-o o primeiro cego, com todas as letras duma firme decisão, Vá quem quiser, eu não vou, Eu irei, disse o médico, Eu vou consigo, disse o velho da venda preta, A comida não será muita, mas olhe que pesa, Para transportar o pão que como ainda me chegam as forças, O que mais pesa sempre é o pão dos outros, Não terei o direito de me queixar, o peso da parte dos outros é o que pagará o meu alimento. Imaginemos, não o diálogo, que esse já aí ficou, mas os homens que o sustentaram, estão ali frente a frente como se se pudessem ver, que neste caso nem é impossível, basta que a memória de cada um de-les faça emergir da deslumbrante brancura do mundo a boca que está articulando as palavras, e depois, como uma lenta irradiação a partir desse centro, o restante das caras irá aparecendo, uma de homem velho, outro não tanto, não se diga que é cego quem ainda assim seja capaz de ver. Quando eles se afastaram para irem cobrar o salário da vergonha, como o primeiro cego protestara com retórica indignação, a mulher do médico disse às outras mulheres, Fiquem aqui, eu já volto. Sabia o que queria, não sabia se o encontraria. Queria um balde ou alguma coisa que lhe fizesse as vezes, queria enchê-lo de água, ainda que fétida, ainda que apodrecida, queria lavar a cega das insónias, limpá-la do sangue próprio e do ranho alheio, entregá-la purificada à terra, se tem ainda algum sentido falar de purezas de corpo neste manicómio em que vivemos, que às da alma, já se sabe, não há quem lhes possa chegar.

Nas compridas mesas do refeitório havia cegos deitados. De uma torneira mal fechada, por cima de uma pia de despejos, corria um fio de água. A mulher do médico olhou em redor à procura do balde, do recipiente, mas não viu nada que pudesse servir. Um dos cegos estranhou a presença, perguntou, Quem anda aí. Ela não respondeu, sabia que não seria bem recebida, ninguém lhe diria Queres água, pois leva-a, e se é para lavar uma falecida, toda a que precisares. Pelo chão, espalhados, havia sacos de plástico, dos da comida, grandes alguns. Pensou que deviam estar rotos, depois pensou que usando dois ou três, metidos uns nos outros, seria pouca a água perdida. Agiu rapidamente, os cegos já desciam das mesas, perguntavam, Quem está aí, ainda mais alarmados quando ouviram o ruído da água a correr, avançaram naquela direção, a mulher do médico foi desviar e empurrar uma mesa para que não pudessem aproximar-se, voltou depois ao saco, a água corria lentamente, desesperada forçou o manípulo, então, como se a tivessem libertado duma prisão, a água jorrou com força, esparrinhou violentamente e cobriu-a dos pés à cabeça. Os cegos assustaram-se e recuaram, pensaram que um cano tinha rebentado, e mais razão tiveram para pensá-lo quando a água entornada lhes chegou de inundação aos pés, não podiam saber que fora despejada pelo estranho que tinha entrado, foi o caso de ter a mulher compreendido que não iria poder com tanto peso. Torceu e enrolou a boca do saco, lançou-o para as costas, e, como pôde, correu para fora dali.

Quando o médico e o velho da venda preta entraram na camarata com a comida, não viram, não podiam ver, sete mulheres nuas, a cega das insónias estendida na cama, limpa como nunca estivera em toda a sua vida, enquanto outra mulher lavava, uma por uma, as suas companheiras, e depois a si própria.

Ao quarto dia, os malvados tornaram a aparecer. Vinham chamar ao pagamento do imposto de serviço as mulheres da segunda camarata, mas detiveram-se por um momento à porta da primeira a perguntar se as mulheres daqui já estavam restabelecidas dos assaltos eróticos da outra noite, Uma noite bem passada, sim senhores, exclamou um deles lambendo os beiços, e outro confirmou, Estas sete valeram por catorze, é certo que uma não era grande coisa, mas no meio daquela confusão quase nem se notava, têm sorte estes gajos, se são bastante homens para elas, Melhor que não sejam, assim elas levarão mais vontade. Do fundo da camarata, a mulher do médico disse, Já não somos sete, Fugiu alguma, perguntou a rir um do grupo, Não fugiu, morreu, Ó diabo, então vocês terão de trabalhar mais na próxima vez, Não se perdeu muito, não era grande coisa, disse a mulher do médico. Desconcertados, os mensageiros não atinaram como responder, o que tinham acabado de ouvir parecia-lhes indecente, algum deles terá mesmo chegado a pensar que no fim de contas as mulheres são todas umas cabras, que falta de respeito, falar de uma tipa nestes termos, só porque não tinha as mamas no seu lugar e era fraca de nádegas. A mulher do médico olhava-os, parados à entrada da porta, indecisos, movendo o corpo como bonecos mecânicos. Reconhecia-os, tinha sido violada pelos três. Por fim, um deles bateu com o pau no chão, Vamos embora, disse. As pancadas e os avisos, Afastem-se, afastem-se, somos nós, foram diminuindo ao longo do corredor, houve depois um silêncio, rumores confusos, as mulheres da segunda camarata estavam a receber a ordem de se apresentarem depois do jantar. Soaram novamente as pancadas no chão, Afastem-se, afastem-se, os vultos dos três cegos passaram no enquadramento da porta, desapareceram.

A mulher do médico, que antes tinha estado a contar uma história ao rapazinho estrábico, levantou o braço e, sem ruído, retirou a tesoura do prego. Disse ao rapaz, Depois te contarei o resto da aventura. Ninguém da camarata lhe havia perguntado por que tinha ela falado da cega das insónias com aquele desdém. Passado algum tempo, descalçou os sapatos e foi dizer ao marido, Não me demoro, volto já. Encaminhou-se para a porta, Aí parou e ficou à espera. Dez minutos depois apareceram no corredor as mulheres da segunda camarata. Eram quinze. Algumas choravam. Não vinham em fila, mas aos grupos, ligados uns aos outros por tiras de pano, pelo aspeto rasgadas dos cobertores. Quando acabaram de passar, a mulher do médico seguiu-as. Nenhuma delas se apercebeu de que levavam companhia. Sabiam o que as esperava, a notícia dos vexames não era segredo para ninguém, nem verdadeiramente havia neles nada de novo, o mais certo é o mundo ter começado assim. O que as aterrorizava não era tanto a violação, mas a orgia, a desvergonha, a previsão da noite terrível, quinze mulheres esparramadas nas camas e no chão, os homens a ir de umas para outras, resfolegando como porcos, O pior de tudo é se eu vou sentir prazer, isto pensava-o uma das mulheres. Quando entraram no corredor por onde se chegava à camarata do destino, o cego de sentinela deu o alerta, Já as ouço, já aí vêm. A cama que servia de cancela foi afastada rapidamente, uma a uma as mulheres entraram, Eram tantas, exclamou o cego da contabilidade, e ia contando com entusiasmo, Onze, doze, treze, catorze, quinze, quinze, são quinze. Foi atrás da última, metia-lhe as mãos sôfregas por baixo das saias, Esta já cá canta, esta já é minha, dizia. Tinham deixado de fazer a revista, a avaliação prévia dos dotes físicos das fêmeas. Realmente, se estavam todas condenadas ali a passar pelo mesmo, não valia a pena gastar o tempo e esfriar a concupiscência com escolhas de alturas e medições de busto e ancas. Já as levavam para as camas, já as despiam aos repelões, não tardou que se ouvissem os costumados choros, as súplicas, as implorações, mas as respostas, quando as havia, não variavam, Se queres comer, abre as pernas. E elas abriam as pernas, a algumas mandava-se-lhes que usassem a boca, como aquela que estava de cócoras entre os joelhos do chefe destes malvados, essa não dizia nada. A mulher do médico entrou na camarata, deslizou devagar entre as camas, mas nem esses cuidados precisava ter, ninguém a ouviria ainda que tivesse vindo de tamancos, e se, no meio da balbúrdia, algum cego lhe tocasse e se apercebesse de que se tratava de uma mulher, o pior que lhe poderia suceder seria ter de juntar-se às outras, nem se daria por isso, numa situação como esta não é fácil notar a diferença que há entre quinze e dezasseis.

A cama do chefe dos malvados continuava a ser a do fundo da camarata, onde se amontoavam as caixas de comida. Os catres ao lado do seu tinham sido retirados, o homem gostava de mexer-se à vontade, não ter de tropeçar nos vizinhos. Ia ser simples matá-lo. Enquanto lentamente avançava pela estreita coxia, a mulher do médico observava os movimentos daquele que não tardaria a matar, como o gozo o fazia inclinar a cabeça para trás, como já parecia estar a oferecer-lhe o pescoço. Devagar, a mulher do médico aproximou-se, rodeou a cama e foi colocar-se por trás dele. A cega continuava no seu trabalho. A mão levantou lentamente a tesoura, as lâminas um pouco separadas para penetrarem como dois punhais. Nesse momento, o último, o cego pareceu dar por uma presença, mas o orgasmo retirara-o do mundo das sensações comuns, privara-o de reflexos, Não chegarás a gozar, pensou a mulher do médico, e fez descer violentamente o braço. A tesoura enterrou-se com toda a força na garganta do cego, girando sobre si mesma lutou contra as cartilagens e os tecidos membranosos, depois furiosamente continuou até ser detida pelas vértebras cervicais. O grito mal se ouviu, podia ser o ronco animal de quem estivesse a ejacular, como a outros já estava sucedendo, e talvez o fosse, na verdade, ao mesmo tempo que um jato de sangue lhe regava em cheio a cara, a cega recebia na boca a descarga convulsiva do sémen. Foi o grito dela que alarmou os cegos, de gritos tinham experiência de sobra, mas este não era como os outros. A cega gritava, não percebia o que tinha acontecido, mas gritava, este sangue viera donde, provavelmente, sem saber como, havia feito o que chegara a pensar, arrancar-lhe o pénis à dentada. Os cegos deixavam as mulheres, vinham-se aproximando às apalpadelas, Que é que se passa, por que estás a gritar dessa maneira, perguntavam, mas agora a cega tinha uma mão sobre a boca, alguém lhe murmurara ao ouvido, Cala-te, e depois sentiu que a puxavam suavemente para trás, Não digas nada, era uma voz de mulher, e isto acalmou-a, se tanto se pode dizer em tais aflições. O cego das contas vinha à frente, foi ele o primeiro a tocar no corpo que caíra atravessado na cama, a percorrê-lo com as mãos, Está morto, exclamou daí a um momento. A cabeça pendia para o outro lado do catre, o sangue ainda saía em borbotões, Mataram-no, disse. Os cegos pararam interditos, não podiam acreditar no que ouviam, Mataram-no como, quem foi que o matou, Fizeram-lhe um rasgão enorme na garganta, deve ter sido a puta da mulher que estava com ele, temos de apanhá-la. Moveram-se outra vez os cegos, mais devagar agora, como se tivessem medo de ir ao encontro da lâmina que lhes matara o chefe. Não podiam ver que o cego da contabilidade metia precipitadamente as mãos nas algibeiras do morto, que encontrava a pistola e um pequeno saco de plástico com uma dezena de cartuchos. A atenção de todos foi de súbito distraída pelo alarido das mulheres, já postas de pé, em pânico, querendo sair dali, mas algumas tinham perdido a noção de onde estava a porta da camarata, foram na direção errada e esbarraram com os cegos, e estes julgaram que elas os atacavam, então a confusão dos corpos atingiu a culminância de um delírio. Quieta, ao fundo, a mulher do médico esperava a ocasião para escapar-se. Mantinha a cega firmemente agarrada, com a outra mão empunhava a tesoura, pronta a desferir a primeira punhalada se algum homem se aproximasse. Por enquanto, o espaço livre naquele sítio favorecia-a, mas ela sabia que não podia demorar-se ali. Umas quantas mulheres tinham encontrado finalmente a porta, outras lutavam para livrar-se de mãos que as prendiam, alguma ainda tentava esganar o inimigo e acrescentar um morto ao morto. O cego das contas gritou com autoridade aos seus, Calma, tenham calma, vamos já resolver este assunto, e com a intenção de dar mais convencimento à ordem disparou um tiro para o ar. O resultado foi precisamente o contrário do que esperava. Surpreendidos por perceberem que a pistola já estava noutras mãos e que portanto iam ter um novo chefe, os cegos deixaram de lutar com as cegas, desistiram de tentar dominá-las, um deles via-se que desistira mesmo de tudo porque já havia sido estrangulado. Foi nesta altura que a mulher do médico decidiu avançar. Desferindo golpes à esquerda e à direita, foi abrindo caminho. Agora eram os cegos que gritavam, que se atropelavam, que subiam uns por cima dos outros, quem tivesse ali olhos para ver perceberia que, comparada com esta, a primeira confusão tinha sido uma brincadeira. A mulher do médico não queria matar, só queria sair o mais depressa possível, sobretudo não deixar atrás de si nenhuma cega. Provavelmente este não vai sobreviver, pensou quando cravou a tesoura num peito. Ouviu-se outro tiro, Vamos, vamos, dizia a mulher do médico empurrando à sua frente as cegas que encontrava no caminho. Ajudava-as a levantarem-se, repetia, Depressa, depressa, e agora era o cego da contabilidade que gritava lá do fundo, Agarrem-nas, não as deixem fugir, mas era demasiado tarde, já iam todas no corredor, fugiam aos tombos, meio vestidas, segurando os trapos como podiam. Parada à entrada da camarata, a mulher do médico gritou com fúria, Lembrem-se do que eu no outro dia disse, que não me esqueceria da cara dele, e daqui em diante pensem no que vos digo agora, que também não me esquecerei das vossas, Hás de pagar-mas, ameaçou o cego da contabilidade, tu e as tuas amigas, mais os cabrões dos homens que lá tendes, Não sabes quem eu sou nem donde vim, És da primeira camarata do outro lado, disse um dos que tinham ido chamar as mulheres, e o cego das contas acrescentou, A voz não engana, basta que pronuncies uma palavra ao pé de mim e estás morta, O outro também tinha dito isso, e aí o tens, Mas eu não sou um cego como ele, como vocês, quando vocês cegaram já eu conhecia tudo do mundo, Da minha cegueira não sabes nada, Tu não és cega, a mim não me enganas, Talvez eu seja a mais cega de todos, já matei, e tornarei a matar se for preciso, Antes disso morrerás de fome, a partir de hoje acabou-se a comida, nem que venham cá todas oferecer numa bandeja os três buracos com que nasceram, Por cada dia que estivermos sem comer por vossa culpa, morrerá um dos que aqui se encontram, basta que ponham um pé fora desta porta, Não conseguirás, Conseguiremos, sim, a partir de agora seremos nós a recolher a comida, vocês comam do que cá têm, Filha da puta, As filhas das putas não são homens nem são mulheres, são filhas das putas, já ficaste a saber o que valem as filhas das putas. Furioso, o cego da contabilidade disparou um tiro na direção da porta. A bala passou entre as cabeças dos cegos, sem atingir nenhum, e foi cravar-se na parede do corredor. Não me apanhaste, disse a mulher do médico, e tem cuidado, se te acabam as munições, há outros aí que também querem ser chefes.

Afastou-se, deu uns quantos passos ainda firmes, depois avançou ao longo da parede do corredor, quase a desmaiar, de repente os joelhos dobraram-se, e caiu redonda. Os olhos nublaram-se-lhe, Vou cegar, pensou, mas logo compreendeu que ainda não ia ser desta vez, eram só lágrimas o que lhe cobria a visão, lágrimas como nunca as tinha chorado em toda a sua vida, Matei, disse em voz baixa, quis matar e matei. Virou a cabeça na direção da porta da camarata, se os cegos viessem aí não seria capaz de defender-se. O corredor estava deserto. As mulheres tinham desaparecido, os cegos, ainda assustados pelos disparos e muito mais pelos cadáveres dos seus, não se atreviam a sair. Pouco a pouco foram regressando as forças. As lágrimas continuavam a correr, mas lentas, serenas, como diante de um irremediável. Levantou-se a custo. Tinha sangue nas mãos e na roupa, e subitamente o corpo exausto avisou-a de que estava velha, Velha e assassina, pensou, mas sabia que se fosse necessário tornaria a matar, E quando é que é necessário matar, perguntou-se a si mesma enquanto ia andando na direção do átrio, e a si mesma respondeu, Quando já está morto o que ainda é vivo. Abanou a cabeça, pensou, E isto que quer dizer, palavras, palavras, nada mais. Continuava sozinha. Aproximou-se da porta que dava para a cerca. Por entre as grades do portão distinguiu mal o vulto do soldado que estava de sentinela, Ainda há gente lá fora, gente que vê. Um ruído de passos atrás de si fê-la estremecer, São eles, pensou, e virou-se rapidamente com a tesoura pronta. Era o marido. As mulheres da segunda camarata tinham vindo a gritar pelo caminho o que acontecera no outro lado, que uma mulher tinha morto à facada o chefe dos malvados, que houvera tiros, o médico não perguntou quem era a mulher, só poderia ser a sua, dissera ao rapazinho estrábico que depois lhe contaria o resto da aventura, e agora como estaria, provavelmente morta também, Estou aqui, disse ela, e foi para ele, e abraçou-o, sem reparar que o manchava de sangue, ou reparando, não tinha importância, até hoje têm partilhado tudo. Que foi que se passou, perguntou o médico, disseram que foi morto um homem, Sim, matei-o eu, Porquê, Alguém teria de o fazer, e não havia mais ninguém, E agora, Agora estamos livres, eles sabem o que os espera se quiserem outra vez servir-se de nós, Vai haver luta, guerra, Os cegos estão sempre em guerra, sempre estiveram em guerra, Tornarás a matar, Se tiver de ser, dessa cegueira já não me livrarei, E a comida, Viremos nós buscá-la, duvido que eles se atrevam a vir até aqui, pelo menos nestes próximos dias terão medo de que lhes suceda o mesmo, que uma tesoura lhes atravesse o pescoço, Não soubemos resistir como deveríamos quando eles apareceram com as primeiras exigências, Pois não, tivemos nós medo, e o medo nem sempre é bom conselheiro, e agora vamo-nos, será conveniente, para maior segurança, que barriquemos a porta das camaratas pondo camas sobre camas, como eles fazem, se alguns de nós tivermos de dormir no chão, paciência, antes isso do que morrer de fome.

Nos dias seguintes perguntaram-se se não seria isso que lhes iria acontecer. Ao princípio não estranharam, desde o princípio que estavam habituados, falhas nas entregas da comida sempre as havia, os cegos malvados tinham razão quando diziam que os militares às vezes se atrasavam, mas a essa razão pervertiam-na logo quando, em tom jocoso, afirmavam que por isso não tinham tido mais remédio que impor um racionamento, são as penosas obrigações de quem governa. No terceiro dia, quando já não se conseguiria encontrar nas camaratas uma côdea, uma migalha, a mulher do médico, com alguns companheiros, saiu à cerca e perguntou, Olá, que atraso é este, que se passa com a comida, já vão dois dias passados que não comemos. O sargento, outro, não o de antes, veio à grade para declarar que a responsabilidade não era do Exército, ali não se tirava o pão da boca a ninguém, que a honra militar nunca o permitiria, se não havia comida é porque não havia comida, e vocês não deem um passo, o primeiro que avançar já sabe a sorte que o espera, as ordens não mudaram. Assim intimados, voltaram para dentro, e falaram uns com os outros, E agora, que fazemos, se não nos trazem de comer, Pode ser que tragam amanhã, Ou depois de amanhã, Ou quando já não nos pudermos mexer, Devíamos sair, Não chegaríamos nem ao portão, Se tivéssemos vista, Se tivéssemos vista não nos teriam metido neste inferno, Como estará a vida lá fora, Talvez que os tipos não se importem de nos dar comida se a lá formos pedir, afinal se falta para nós também há de vir a faltar para eles, Por isso mesmo não nos dariam a que têm, E antes que ela se lhes acabe teremos nós morrido de fome, Que podemos fazer então. Estavam sentados no chão, sob a luz amarelada da única lâmpada do átrio, mais ou menos formando um círculo, o médico e a mulher do médico, o velho da venda preta, entre outros homens e mulheres dois ou três de cada camarata, tanto da ala esquerda como da ala direita, e então, sendo este mundo dos cegos o que é, sucedeu o que sempre há de suceder, um dos homens disse, O que eu sei é que não estaríamos nesta situação se não fosse terem-lhes matado o chefe, que importância teria irem lá as mulheres duas vezes por mês a dar-lhes o que deu para dar-se a natureza, pergunto. Houve quem achasse graça à reminiscência, houve quem disfarçasse o riso, a alguma voz de protesto não a deixou falar o estômago, e o mesmo homem insistiu, Quem teria sido o da façanha gostava eu de saber, As mulheres que estavam lá nessa altura juram que não foi nenhuma delas, O que devíamos fazer era tomar a justiça nas nossas mãos e levá-lo ao castigo, Desde que soubéssemos quem é, Dizíamos-lhes aqui está o tipo que vocês procuram, agora deem-nos a comida, Desde que soubéssemos quem é. A mulher do médico baixou a cabeça, pensou, Têm razão, se alguém aqui morrer de fome a culpa será minha, mas depois, dando voz à cólera que sentia subir dentro de si contradizendo esta aceitação da sua responsabilidade, Mas que sejam estes os primeiros a morrer para que a minha culpa pague a culpa deles. Depois pensou, levantando os olhos, E se agora lhes dissesse que fui eu que matei, entregar-me--iam sabendo que me entregavam a uma morte certa. Fosse por efeito da fome ou porque o pensamento subitamente a seduziu como um abismo, variou-lhe a cabeça uma espécie de aturdimento, o corpo moveu-se-lhe para diante, a boca abriu-se para falar, mas nesse momento alguém lhe agarrou e apertou o braço, olhou, era o velho da venda preta, que disse, Mataria com as minhas mãos quem a si próprio se denunciasse, Porquê, perguntaram da roda, Porque se a vergonha ainda tem algum significado neste inferno em que nos puseram a viver e que nós tornamos em inferno do inferno, é graças a essa pessoa que teve a coragem de ir matar a hiena ao covil da hiena, Pois sim, mas não será a vergonha que nos virá encher o prato, Quem quer que sejas, estás certo no que dizes, sempre houve quem enchesse a barriga com a falta de vergonha, mas nós, que já nada temos, a não ser esta última e não merecida dignidade, ao menos que ainda sejamos capazes de lutar pelo que de direito nos pertence, Que queres dizer com isso, Que tendo começado por mandar as mulheres e comido à custa delas como pequenos chulos de bairro, é agora a altura de mandar os homens, se ainda os temos aqui, Explica-te, mas primeiro diz-nos donde és, Da primeira camarata do lado direito, Fala, É muito simples, vamos buscar a comida pelas nossas próprias mãos, Eles têm armas, Que se saiba só têm uma pistola, e os cartuchos não vão durar-lhes sempre, Com os que têm morrerão alguns de nós, Outros já morreram por menos, Não estou disposto a perder a vida para que os mais fiquem cá a gozar, Também estarás disposto a não comer se alguém vier a perder a vida para que tu comas, perguntou sarcástico o velho da venda preta, e o outro não respondeu.

À entrada da porta que dava para as camaratas da ala direita apareceu uma mulher que estivera a ouvir escondida. Era a que tinha recebido na cara o jorro de sangue, aquela em cuja boca o morto ejaculara, aquela ao ouvido de quem a mulher do médico tinha dito, Cala-te, e agora está esta mulher pensando, Daqui onde estou, sentada no meio destes, não te posso dizer cala-te, não me denuncies, mas sem dúvida reconheces a minha voz, é impossível que a tenhas esquecido, a minha mão esteve sobre a tua boca, o teu corpo contra o meu corpo, e eu disse cala--te, agora chegou o momento de saber verdadeiramente a quem salvei, de saber quem és, por isso vou falar, por isso vou dizer em voz alta e clara para que possas acusar-me, se é esse o teu destino e o meu destino, já o digo, Não irão apenas os homens, irão também as mulheres, voltaremos ao lugar onde nos humilharam para que da humilhação nada fique, para que possamos libertar-nos dela da mesma maneira que cuspimos o que nos lançaram à boca. Disse e ficou à espera, até que a mulher falou, Aonde tu fores, eu irei, foi isto o que disse. O velho da venda preta sorriu, pareceu um sorriso feliz, e talvez o fosse, não é a ocasião para lho perguntar, mais interessante é reparar na expressão de estranheza dos outros cegos, como se alguma coisa lhes tivesse passado por cima das cabeças, um pássaro, uma nuvem, uma primeira e tímida luz. O médico segurou a mão da mulher, depois perguntou, Ainda há quem esteja aqui a pensar em descobrir quem matou aquele, ou estaremos de acordo em que a mão que o foi degolar era a mão de todos nós, mais exatamente, a mão de cada um de nós. Ninguém respondeu. A mulher do médico disse, Dêmos-lhes ainda um prazo, esperemos até amanhã, se os soldados não trouxerem comida, então avançamos. Levantaram-se, dividiram-se, uns para o lado direito, outros para o lado esquerdo, imprudente- mente não tinham pensado que algum cego da camarata dos malvados poderia ter estado à escuta, felizmente o diabo nem sempre está atrás da porta, este ditado veio muito a propósito. Fora de todo o propósito veio o alti- falante, nos últimos tempos uns dias falava, outros não, mas sempre à mesma hora, como prometera, de certeza havia no transmissor um sistema de relógio que no ins- tante preciso fazia entrar em movimento a fita gravada, a razão por que algumas vezes havia falhado não a viremos a conhecer, são assuntos do mundo exterior, em todo o caso bastante sérios, porquanto o resultado foi baralhar- -se o calendário, a chamada conta dos dias, que alguns cegos, maníacos por natureza, ou amantes da ordem, que é uma forma moderada de mania, tinham tentado levar escrupulosamente dando nozinhos num cordel, faziam- -no aqueles que não se fiavam da memória, como quem fosse escrevendo um diário. Agora era a hora que vinha fora de tempo, devia ter-se avariado o mecanismo, um relé torcido, uma soldadura solta, oxalá a gravação não vá voltar infinitamente ao princípio, era só o que nos es- tava a faltar, sobre cegos, loucos. Pelos corredores, pelas

camaratas, como um derradeiro e inútil aviso, ressoava
a voz autoritária, O Governo lamenta ter sido forçado a
exercer energicamente o que considera ser seu direito e seu dever, proteger por todos os meios as populações na crise que estamos a atravessar, quando parece
verificar-se algo de semelhante a um surto epidémico de
cegueira, provisoriamente designado por mal-branco, e
desejaria poder contar com o civismo e a colaboração de
todos os cidadãos para estancar a propagação do contágio, supondo que de contágio se trata, supondo que não
estamos apenas perante uma série de coincidências por
enquanto inexplicáveis. A decisão de reunir num mesmo local as pessoas afetadas, e, em local próximo, mas
separado, as que com elas tiveram algum tipo de contacto, não foi tomada sem séria ponderação. O Governo
está perfeitamente consciente das suas responsabilidades e espera que aqueles a quem esta mensagem se dirige assumam, como cumpridores cidadãos que devem de
ser, as responsabilidades que lhes competem, pensando
também que o isolamento em que agora se encontram
representará, acima de quaisquer outras considerações,
um ato de solidariedade para com o resto da comunidade nacional. Dito isto, pedimos a atenção de todos para
as instruções que se seguem, primeiro, as luzes manter-
-se-ão sempre acesas, será inútil qualquer tentativa
de manipular os interruptores, não funcionam, segundo,
abandonar o edifício sem autorização significará morte
imediata, repito, morte imediata, terceiro, em cada camarata existe um telefone que só poderá ser utilizado para
requisitar ao exterior a reposição de produtos de higiene
e limpeza, quarto, os internados lavarão manualmente
as suas roupas, quinto, recomenda-se a eleição de responsáveis de camarata, trata-se de uma recomendação,

não de uma ordem, os internados organizar-se-ão como melhor entenderem, desde que cumpram as regras anteriores e as que seguidamente continuamos a enunciar, sexto, três vezes ao dia serão depositadas caixas de comida na porta da entrada, à direita e à esquerda, destinadas, respetivamente, aos pacientes e aos suspeitos de contágio, sétimo, todos os restos deverão ser queimados, considerando-se restos, para este efeito, além da comida sobrante, as caixas, os pratos e os talheres, que estão fabricados de materiais combustíveis, oitavo, a queima deverá ser efetuada nos pátios interiores do edifício ou na cerca, nono, os internados são responsáveis por quaisquer consequências negativas dessas queimas, décimo, em caso de incêndio, seja ele fortuito ou intencional, os bombeiros não intervirão, décimo primeiro, igualmente não deverão os internados contar com qualquer tipo de intervenção do exterior na hipótese de virem a verificar-se doenças entre eles, assim como a ocorrência de desordens ou agressões, décimo segundo, em caso de morte, seja qual for a sua causa, os internados enterrarão sem formalidades o cadáver na cerca, décimo terceiro, a comunicação entre a ala dos pacientes e a ala dos suspeitos de contágio far-se-á pelo corpo central do edifício, o mesmo por onde entraram, décimo quarto, os suspeitos de contágio que vierem a cegar transitarão imediatamente para a ala dos que já estão cegos, décimo quinto, esta comunicação será repetida todos os dias, a esta mesma hora, para conhecimento dos novos ingressados. O Governo, neste momento as luzes apagaram-se e o altifalante calou-se. Indiferente, um cego deu um nó no cordel que tinha nas mãos, depois tentou contá-los, os nós, os dias, mas desistiu, havia nós sobrepostos, cegos, por assim dizer. A mulher do médico disse ao marido,

Apagaram-se as luzes, Alguma lâmpada que se fundiu, não admira, depois de permanecerem acesas há tantos dias, Apagaram-se todas, o problema foi lá fora, Agora também tu ficaste cega, Esperarei que nasça o sol. Saiu da camarata, atravessou o átrio, olhou para fora. Esta parte da cidade encontrava-se às escuras, o projetor do exército estava apagado, deviam tê-lo ligado à rede geral, e agora, pelos vistos, acabara-se a energia.

No dia seguinte, uns mais cedo, outros mais tarde, porque o sol não nasce ao mesmo tempo para todos os cegos, muitas vezes depende da finura do ouvido de cada um, começaram a juntar-se nos degraus exteriores do edifício homens e mulheres vindos das diversas camaratas, com exceção, já se sabe, da dos malvados, que a esta hora já deverão estar a tomar o pequeno-almoço. Esperavam o ruído do portão ao ser aberto, o guincho agudo dos gonzos por untar, os sons que anunciavam a chegada da comida, depois as vozes do sargento de serviço, Não saiam daí, que ninguém se aproxime, o arrastar dos pés dos soldados, o rumor surdo das caixas ao serem largadas no chão, a retirada em acelerado, novamente o ranger do portão, enfim a autorização, Já podem vir. Esperaram até que a manhã se fez meio-dia e o meio-dia tarde. Ninguém, nem sequer a mulher do médico, quis perguntar pela comida. Enquanto não fizessem a pergunta não ouviriam o temido não, e enquanto ele não fosse dito continuariam a ter a esperança de ouvirem palavras como estas, Está a chegar, está a chegar, tenham paciência, aguentem a fome mais um bocadinho. Alguns, por muito que o quisessem, não puderam aguentar, como se de repente tivessem adormecido desmaiaram ali mesmo, valeu-lhes a mulher do médico, parecia impossível como esta mulher conseguia dar fé de tudo quanto se passava, devia ser dotada de um sexto sentido, uma espécie de visão sem olhos, graças a isso é que os pobres infelizes não se ficaram ali a cozer ao sol, levaram-nos logo de charola para dentro, e com tempo, água e palmadinhas na cara todos acabaram por sair do delíquio. Mas era inútil contar com estes para a guerra, não poderiam nem com uma gata pelo rabo, modo de dizer muito antigo que se esqueceu de explicar por que extraordinária razão é mais fácil levar pelo rabo uma gata que um gato. Finalmente disse o velho da venda preta, A comida não veio, a comida não virá, vamos pela comida. Levantaram-se sabe Deus como e foram reunir-se na camarata mais afastada da fortaleza dos malvados, para imprudência já bastou a do outro dia. Dali mandaram escutas à outra ala, logicamente cegos que viviam lá, conheciam melhor os sítios, Ao primeiro movimento suspeito, venham avisar. A mulher do médico foi com eles e trouxe uma informação pouco animadora, Barricaram a entrada com quatro camas sobrepostas, Como soubeste que eram quatro, perguntou alguém, Não foi difícil, apalpei-as, Não deram por ti, Não creio, Que fazemos, Vamos lá, tornou a dizer o velho da venda preta, vamos ao que estava decidido, ou é isso, ou ficamos condenados a uma morte lenta, Alguns morrerão mais depressa se formos, disse o primeiro cego, Quem vai morrer, está já morto e não o sabe, Que temos de morrer, sabemo-lo desde que nascemos, Por isso, de uma certa maneira, é como se já tivéssemos nascido mortos, Deixem-se de conversas inúteis, disse a rapariga dos óculos escuros, eu sozinha não posso lá ir, mas se agora começamos a dar o dito por não dito, então deito-me na cama e deixo-me morrer, Só morrerá quem tenha os dias contados, ninguém mais, disse o médico, e, alçando a voz, perguntou, Quem está decidido a ir, ponha a mão no ar, é o que acontece a quem não pensa duas vezes antes de abrir a boca para falar, que adiantava pedir que se levantassem as mãos, se ali não havia ninguém para as contar, assim o criam em geral, e depois dizer, Somos treze, caso em que de certeza uma nova discussão principiaria para apurar o que, à luz da lógica, seria mais correto, se pedir que se apresentasse outro voluntário que quebrasse o enguiço por excesso, ou se evitá-lo por defeito, tirando à sorte aquele que deveria sair. Alguns tinham levantado a mão com pouca convicção, num movimento que traía a hesitação e a dúvida, quer pela consciência do perigo a que se iam expor, quer porque se tivessem apercebido do absurdo da ordem. O médico riu, Que disparate, pedir-lhes que ponham a mão no ar, vamos proceder de uma maneira diferente, que se retirem os que não possam ou não queiram ir, os restantes ficam para combinarmos a ação. Houve remexidas, passos, murmúrios, suspiros, pouco a pouco foram saindo os débeis e os timoratos, a ideia do médico tivera tanto de excelente como de generosa, assim será menos fácil saber quem tinha estado e deixara de estar. A mulher do médico contou os que ficaram, eram dezassete, contando com ela e o marido. Da primeira camarata lado direito estavam o velho da venda preta, o ajudante de farmácia, a rapariga dos óculos escuros, e eram todos homens os voluntários das outras camaratas, com exceção daquela mulher que dissera Aonde tu fores, eu irei, essa também está aqui. Alinharam-se ao longo da coxia, o médico contou-os, Dezassete, somos dezassete, Somos poucos, disse o ajudante de farmácia, assim não iremos conseguir, A frente de ataque, se posso usar esta linguagem que mais parece de militar, terá de ser estreita, disse o velho da venda preta, o que nos espera é a largura de uma porta, acho que só complicaríamos se fôssemos mais, Atirariam ao monte, concordou alguém, e todos pareceram ficar contentes por afinal serem poucos.

O armamento era o que já conhecemos, os ferros retirados das camas, que tanto teriam serventia de alavanca como de lança, consoante se tratasse de entrarem em combate os sapadores ou as tropas de assalto. O velho da venda preta, que pelos vistos algumas lições de tática devia ter aprendido na sua juventude, lembrou a conveniência de se manterem sempre juntos e virados na mesma direção, por ser essa a única forma de não se agredirem uns aos outros, e que deviam avançar em silêncio absoluto para que o ataque beneficiasse do efeito da surpresa, Descalcemo-nos, disse, Depois vai ser difícil encontrar cada um os seus sapatos, disse alguém, e outro comentou, Os sapatos que sobrarem é que irão ser os verdadeiros sapatos de defunto, com a diferença de que neste caso, ao menos, sempre haverá quem os aproveite, Que história de sapatos de defunto é essa, É um dito, estar à espera de sapatos de defunto significava estar à espera de coisa nenhuma, Porquê, Porque os sapatos com que os mortos eram enterrados eram feitos de cartão, também é certo que seriam suficientes, as almas não têm pés, que se saiba, Outro ponto ainda, interrompeu o velho da venda preta, seis de nós, os seis que se sentirem com mais ânimo, quando lá chegarmos, empurrarão com toda a força as camas para dentro, de modo a podermos entrar todos, Sendo assim, teremos de largar os ferros, Acho que não será preciso, até podem ajudar, se os usarem em posição vertical. Fez uma pausa, depois disse, com uma nota sombria na voz,

Sobretudo que não nos separemos, se nos separamos somos homens mortos, E mulheres, disse a rapariga dos óculos escuros, não te esqueças das mulheres, Tu também vais, perguntou o velho da venda preta, preferiria que não fosses, E porquê, pode saber-se, És muito nova, Aqui dentro a idade não conta, nem o sexo, portanto não te esqueças das mulheres, Não, não me esqueço, a voz com que o velho da venda preta disse estas palavras parecia pertencer a outro diálogo, as seguintes já estavam no seu lugar, Pelo contrário, quem dera que alguma de vocês pudesse ver o que nós não vemos, levar-nos pelo caminho certo, guiar a ponta dos nossos ferros contra a garganta dos malvados, tão certeiramente como o fez a outra, Seria pedir demasiado, uma vez não são vezes, além disso, quem nos diz que não ficou por lá morta, pelo menos não houve notícias dela, lembrou a mulher do médico, As mulheres ressuscitam umas nas outras, as honradas ressuscitam nas putas, as putas ressuscitam nas honradas, disse a rapariga dos óculos escuros. Depois disto houve um grande silêncio, para as mulheres ficara tudo dito, os homens teriam de procurar as palavras, e de antemão sabiam que não seriam capazes de encontrá-las.

Saíram em fila, os seis mais fortes à frente, como tinha ficado combinado, entre eles estavam o médico e o ajudante de farmácia, depois vinham os outros, armado cada qual com o seu ferro de cama, uma brigada de lanceiros esquálidos e maltrapilhos, quando atravessavam o átrio um deles deixou escapar das mãos o ferro, que atroou no lajedo como uma rajada de metralha dispersa, se os malvados ouviram o barulho e perceberam ao que vamos, estamos perdidos. Sem dar aviso a ninguém, nem mesmo ao marido, a mulher do médico correu à frente, olhou ao longo do corredor, depois, devagarinho, rente à parede, foi-se aproximando da entrada da camarata, aí pôs-se à escuta, as vozes dentro não pareciam alarmadas. Trouxe rapidamente a informação, e o avanço recomeçou. Apesar da lentidão e do silêncio com que a hoste se movia, os ocupantes das duas camaratas que antecediam o bastião dos malvados, sabedores do que estava para acontecer, chegavam-se às portas para melhor poderem ouvir o alarido iminente da batalha, e alguns deles, mais nervosos, excitados pelo cheiro de uma pólvora que ainda estava por queimar, decidiram no último momento acompanhar o grupo, uns poucos voltaram atrás para se armarem, já não eram dezassete, tinham, pelo menos, duplicado, o reforço não agradaria com certeza ao velho da venda preta, mas ele não chegou a saber que comandava dois regimentos em vez de um. Pelas poucas janelas que davam para o pátio interior entrava uma última claridade, cinzenta, moribunda, que declinava rapidamente, já a resvalar para o poço negro e profundo que ia ser esta noite. Tirando a tristeza irremediável causada pela cegueira de que inexplicavelmente continuavam a padecer, os cegos, valha-lhes isso ao menos, estavam a salvo das deprimentes melancolias produzidas por estas e semelhantes alterações atmosféricas, comprovadamente responsáveis de inúmeros atos de desespero no tempo remoto em que as pessoas tinham olhos para ver. Quando alcançaram a porta da camarata maldita, a obscuridade era já tal que a mulher do médico não pôde ver que não eram quatro, mas oito, as camas que formavam a barreira, entretanto duplicada como os atacantes, porém com piores consequências imediatas para eles, como não tardará a certificar-se. A voz do velho da venda preta soou em grito, Agora, foi a ordem, não se lembrou do clássico Ao assalto, ou lembrou-se, mas lá lhe teria parecido ridículo tratar com tanta consideração militar uma barreira de catres infetos, inçados de pulgas e percevejos, com os seus colchões apodrecidos de suor e urina, as mantas como esfregões, já não cinzentas, mas de todas as cores de que pode vestir-se a repugnância, isto sabia-o de antes a mulher do médico, não que o pudesse ver agora, se nem sequer se apercebera do reforço da barricada. Os cegos avançaram como arcanjos rodeados do seu próprio resplendor, embateram no obstáculo com os ferros ao alto, como haviam sido instruídos, mas as camas não se mexeram, é certo que as forças destes fortes em pouco superariam as dos débeis que vinham atrás e mal já podiam segurar as lanças, como alguém que levou uma cruz às costas e agora tem de esperar que o subam a ela. O silêncio desaparecera, gritavam os de fora, começaram os de dentro a gritar, provavelmente ninguém o terá notado até hoje, como são absolutamente terríveis os gritos dos cegos, parecem eles que estão a gritar sem saberem porquê, queremos dizer-lhes que se calem e logo acabamos nós a gritar também, só nos falta sermos cegos, mas o dia lá virá. Estavam nisto, uns a gritar porque atacavam, outros a gritar porque se defendiam, quando os do lado de fora, desesperados por não terem conseguido arredar as camas, largaram os ferros no chão de qualquer maneira, e, todos à uma, ao menos aqueles que conseguiram meter-se no espaço do vão da porta, e os que não couberam faziam força nas costas dos da frente, puseram-se a empurrar, a empurrar, e parecia que iam alcançar a vitória, as camas já se tinham mesmo movido um pouco-chinho, quando de repente, sem prévio aviso ou ameaça, se ouviram três disparos, era o cego da contabilidade a fazer pontaria baixa. Dois dos atacantes tombaram feridos, os outros recuaram precipitadamente de atropelo, tropeçavam nos ferros e caíam, como loucas as paredes do corredor multiplicavam os gritos, também se gritava nas outras camaratas. A obscuridade tornara-se quase completa, não era possível saber quem tinha sido atingido pelas balas, claro que se poderia perguntar cá de longe, Vocês quem são, mas não parecia próprio, aos feridos há que tratá-los com respeito e consideração, chegar-se a eles caridosamente, pôr-lhes a mão na testa, salvo se foi aí que a bala, por um infeliz acaso, os alcançou, depois perguntar-lhes em voz baixa como se sentem, dizer--lhes que não vai ser nada, que já vêm aí os maqueiros, e enfim dar-lhes água, mas só se não estiverem feridos no ventre, como expressamente se recomenda no manual de primeiros socorros. Que fazemos agora, perguntou a mulher do médico, estão lá dois caídos no chão. Ninguém lhe perguntou como sabia ela que eram dois, afinal os disparos tinham sido três, sem contar com o efeito dos ricochetes, se chegou a havê-los. Temos de ir buscá-los, disse o médico, O risco é grande, observou sucumbido o velho da venda preta, que vira como a sua tática de assalto tinha resultado em desastre, se eles percebem que há gente tornam a disparar, fez uma pausa e acrescentou suspirando, Mas temos de lá ir, eu por mim estou pronto, Eu também vou, disse a mulher do médico, o perigo será menor se nos aproximarmos de rastos, o que é preciso é encontrá-los depressa, antes que lá de dentro tenham tempo de reagir, E eu vou também, disse a mulher que havia declarado no outro dia Aonde tu fores, eu irei, de tantos que ali estavam ninguém se lembrou de dizer que era facílimo averiguar quem eram os feridos, atenção, feridos ou mortos, por enquanto ainda não se sabe, bastava que todos fossem dizendo, Eu vou, Eu não vou, os que tivessem ficado calados eram os tais.

Puseram-se pois os quatro voluntários a rastejar, as duas mulheres ao centro, um homem de cada lado, calhou assim, não o fizeram por cortesia masculina ou por um instinto cavalheiresco de proteção das damas, a verdade é que tudo irá depender do ângulo de tiro, se o cego da contabilidade disparar outra vez. Enfim, talvez não venha a suceder nada, o velho da venda preta havia tido uma ideia antes de se irem, acaso melhor do que as primeiras, que estes companheiros aqui se pusessem a falar muito alto, inclusive a gritar, ainda por cima razões não lhes faltam, de maneira a cobrirem o inevitável ruído de ir e voltar, e também o do que pelo meio vier a acontecer, sabe Deus quê. Em poucos minutos chegaram os socorristas ao seu destino, souberam-no quando ainda nem tinham tocado nos corpos, o sangue por cima do qual se iam arrastando era como um mensageiro que lhes tivesse vindo dizer Eu era a vida, atrás de mim já não há nada, Meu Deus, pensou a mulher do médico, quanto sangue, e era verdade, um charco, as mãos e a roupa pegavam-se ao chão como se as tábuas e o lajedo estivessem cobertos de visco. A mulher do médico soergueu-se sobre os cotovelos e continuou a avançar, os outros tinham feito o mesmo. Estendendo os braços alcançaram enfim os corpos. Os companheiros continuavam a fazer lá atrás todo o barulho que podiam, agora eram como carpideiras em transe. As mãos da mulher do médico e do velho da venda preta aferraram-se aos tornozelos de um dos caídos, por sua vez o médico e a outra mulher tinham agarrado um braço e uma perna do segundo, agora tratava-se de puxá-los, de saírem rapidamente da linha de fogo. Não era fácil, para isso precisariam erguer-se um pouco, pôr-se de gatas, era a única forma de conseguir usar eficazmente as poucas forças que ainda lhes restavam.

A bala partiu, mas desta vez não atingiu ninguém. O medo fulminante não os fez fugir, pelo contrário, deu-lhes a porção de energia que fazia falta. Um instante depois já estavam a salvo, tinham-se chegado o mais que podiam à parede do lado da porta da camarata, só um tiro muito enviesado teria possibilidade de alcançá-los, mas era duvidoso que o cego da contabilidade fosse perito em balísticas, mesmo destas elementares. Tentaram levantar os corpos, mas desistiram. Não podiam fazer mais do que arrastá-los, com eles vinha, já meio seco, como trazido por uma rasoira, o sangue derramado, e outro, ainda fresco, que continuava a manar dos ferimentos. Quem são, perguntaram os que estavam à espera, Como é que se pode saber, se não vemos, disse o velho da venda preta, Não podemos continuar aqui, disse alguém, se eles se decidem a fazer uma surtida vamos ter muito mais que dois feridos, disse alguém, Ou mortos, disse o médico, pelo menos não estou a sentir-lhes o pulso. Carregaram com os corpos ao longo do corredor como um exército em retirada, chegados ao átrio fizeram alto, e aí se diria que tinham resolvido acampar, mas a verdade dos factos é outra, o que aconteceu foi esvaírem-se-lhes de todo as forças, aqui me fico, não posso mais. É tempo de reconhecer que há de parecer surpreendente que os cegos malvados, antes tão prepotentes e agressivos, tão facilmente e com tanto gosto brutais, agora não façam mais do que defender-se, levantando barricadas e disparando lá de dentro à mão salva, como se tivessem medo de ir à luta em campo aberto, cara a cara, olhos nos olhos. Como todas as coisas na vida, também esta tem a sua explicação, e vem a ser que depois da trágica morte do primeiro chefe se havia relaxado na camarata o espírito da disciplina e o sentido da obediência, o grande erro do cego

da contabilidade foi ter pensado que bastava apoderar-
-se da pistola para ter com ela o poder no bolso, ora o
resultado foi precisamente ao contrário, cada vez que
faz fogo sai-lhe o tiro pela culatra, por outras palavras,
cada bala disparada é uma fração de autoridade que vai
perdendo, estamos para ver o que acontecerá quando as
munições se lhe acabarem de todo. Assim como o hábito não faz o monge, também o cetro não faz o rei, esta é
uma verdade que convém não esquecer. E se é certo que
o cetro real o anda a empunhar agora o cego da contabilidade, apetece dizer que o rei, apesar de morto, apesar
de enterrado na própria camarata, e mal, apenas em três
palmos de chão, continua a ser lembrado, pelo menos
nota-se-lhe pelo cheiro a fortíssima presença. Entretanto nasceu a lua. Pela porta do átrio que dá para a cerca
exterior entra uma difusa claridade que cresce pouco a
pouco, os corpos que estão no chão, mortos dois deles,
os outros vivos ainda, vão lentamente ganhando volume,
desenho, traços, feições, todo o peso de um horror sem
nome, então a mulher do médico compreendeu que não
tinha qualquer sentido, se o havia tido alguma vez, continuar com o fingimento de ser cega, está visto que aqui já
ninguém se pode salvar, a cegueira também é isto, viver
num mundo onde se tenha acabado a esperança. Podia
portanto dizer quem eram os mortos, este é o ajudante de
farmácia, este é aquele que disse que os cegos atirariam
ao monte, ambos tiveram razão de certo modo, e escu-
sam de perguntar-me como sei quem eles são, a resposta
é simples, Vejo. Alguns dos que ali estavam já o sabiam e
tinham-se calado, outros andavam desde há tempos com
suspeitas e agora viam-nas confirmadas, inesperado foi
o alheamento dos restantes, e contudo, pensando melhor, talvez o não devamos estranhar, noutra altura a re-

velação teria sido causa de um enorme alvoroço, de uma comoção sem freio, que sorte a tua, como foi que conseguiste escapar ao universal desastre, que nome têm as gotas que pões nos olhos, dá-me a direção do teu médico, ajuda-me a sair desta prisão, neste momento já tanto fazia, na morte a cegueira é igual para todos. O que não podiam era continuar ali, sem defesas de nenhuma espécie, até os ferros das camas lá tinham ficado, os punhos não serviriam de nada. Orientados pela mulher do médico, arrastaram os cadáveres para o patamar exterior e ali os deixaram ficar à lua, sob a alvura leitosa do astro, brancos por fora, negros enfim por dentro. Voltemos para as camaratas, disse o velho da venda preta, veremos mais tarde o que se poderá organizar. Disse, e foram palavras loucas de que ninguém fez caso. Não se dividiram por grupos de origem, foram-se encontrando e reconhecendo pelo caminho, uns para a ala esquerda, outros para a ala direita, vieram juntas até aqui a mulher do médico e aquela que tinha dito Aonde tu fores, eu irei, não era esta a ideia que levava agora na cabeça, bem pelo contrário, mas não quis falar dela, as juras nem sempre se cumprem, umas vezes foi por fraqueza, outras vezes por causa duma força superior com que não tínhamos contado.

Passou uma hora, subiu a lua, a fome e o temor afastam o sono, ninguém dorme nas camaratas. Mas esses não são os únicos motivos. Ou seja por causa da excitação da recente batalha, ainda que tão desastrosamente perdida, ou por algo indefinível que percorra o ar, os cegos estão inquietos. Ninguém se atreve a sair para os corredores, mas o interior de cada camarata é como uma colmeia só povoada de zângãos, bichos zumbidores, como se sabe, pouco dados à ordem e ao método, não há registo de alguma vez terem feito pela vida ou de se preocuparem, um mínimo que fosse, com o futuro, ainda que no caso dos cegos, infeliz gente, seria injusto acusá-los de aproveitadores ou de chupistas, aproveitadores de que migalha, chupistas de que refresco, há que ter cuidado com as comparações, não vão elas sair levianas. Porém, não há regra que não tenha a sua exceção, e esta não faltou aqui, na pessoa de uma mulher que, mal entrou na camarata, a segunda do lado direito, se pôs a remexer nos seus trapos até encontrar um pequeno objeto que apertou na palma da mão, como se o quisesse esconder da vista dos outros, os velhos hábitos custam a esquecer, mesmo quando chega um momento em que já os julgávamos de todo perdidos. Aqui, onde deveria ter sido um por todos e todos por um, pudemos ver como cruelmente tiraram os fortes o pão da boca aos débeis, e agora esta mulher, tendo-se lembrado de que trouxera um isqueiro na malinha de mão, se em tanto desconcerto o não perdera, foi ansiosamente por ele e ciosamente o está a esconder, como se fosse condição da sua própria sobrevivência, não pensa que talvez um destes seus companheiros de infortúnio tenha por aí um último cigarro, que não pode fumar por lhe faltar o pequeno lume necessário. Nem já iria a tempo de pedi-lo. A mulher saiu sem dizer palavra, nem adeus, nem até logo, segue pelo corredor deserto, passa rente à porta da primeira camarata, ninguém de dentro deu por ela ter passado, atravessa o átrio, a lua descendo traçou e pintou um tanque de leite nas lajes do chão, agora a mulher está na outra ala, outra vez um corredor, o seu destino é ao fundo, em linha reta, não tem nada que enganar. Além disso, percebe umas vozes a chamá-la, maneira só figurada de dizer, o que lhe chega aos ouvidos é a algazarra dos malvados da última camarata, estão a festejar o vencimento da batalha comendo do bom e bebendo do fino, passe o exagero intencional, não esqueçamos que tudo na vida é relativo, comem e bebem simplesmente do que há, e viva o velho, bem gostariam os outros de meter-lhe o dente, mas não podem, entre eles e o prato há uma barricada de oito camas e uma pistola carregada. A mulher está de joelhos à entrada da camarata, mesmo junto às camas, puxa devagar os cobertores para fora, depois levanta-se, faz o mesmo na que está por cima, ainda na terceira, à quarta não lhe alcança o braço, não importa, os rastilhos estão preparados, agora é só chegar-lhes o fogo. Ainda se recorda de como deverá regular o isqueiro para produzir uma chama comprida, já aí a tem, um pequeno punhal de lume, vibrante como a ponta duma tesoura. Começa pela cama de cima, a labareda lambe trabalhosamente a sujidade dos tecidos, enfim pega, agora a cama do meio, agora a cama de baixo, a mulher sentiu o cheiro dos seus próprios cabelos chamuscados, deve ter cuidado, ela é a que deita fogo à pira, não a que nela deve morrer, ouve os gritos dos malvados lá dentro, foi nesse momento que pensou, E se eles têm água, se vão conseguir apagar, desesperada meteu-se debaixo da primeira cama, passeou o isqueiro ao comprido do colchão, aqui, além, então de repente as chamas multiplicaram-se, transformaram-se numa única cortina ardente, um jorro de água ainda passou através delas, foi cair sobre a mulher, porém inutilmente, já era o seu próprio corpo o que estava a alimentar a fogueira. Como vai aquilo lá por dentro, ninguém pode arriscar-se a entrar, mas a imaginação para alguma coisa nos há de servir, o fogo anda a saltar velozmente de cama em cama, quer deitar-se em todas ao mesmo tempo, e consegue-o, os malvados gastaram sem critério nem proveito a pouca água que ainda tinham, tentam agora alcançar as janelas, mal equilibrados sobem às cabeceiras das camas a que o fogo ainda não chegou, mas de repente o fogo já lá está, eles resvalam, caem, e o fogo já lá está, com a ardência do calor as vidraças começam a estalar, a estilhaçar-se, o ar fresco entra silvando e atiça o incêndio, ah, sim, não estão esquecidos, os gritos de raiva e medo, os uivos de dor e agonia, aí fica feita a menção, note-se, em todo o caso, que irão sendo cada vez menos, a mulher do isquei-ro, por exemplo, está calada há muito tempo.

A estas alturas já os outros cegos estão a fugir espavo-ridos para os corredores cheios de fumo, Há fogo, há fogo, gritam, e aqui se pode observar ao vivo como têm sido mal pensados e organizados estes ajuntamentos humanos de asilo, hospital e manicómio, repare-se em como cada um dos catres, só por si, com a sua armação de ferros bicu-dos, pode tornar-se em uma mortal armadilha, vejam-se as consequências terríveis de haver uma só porta em ca-maratas que levam quarenta pessoas, fora as que dormem no chão, se o fogo chega lá primeiro e lhes tapa a saída, não escapa ninguém. Felizmente, como a história huma-na tem mostrado, não é raro que uma coisa má traga con-sigo uma coisa boa, fala-se menos das coisas más trazidas pelas coisas boas, assim andam as contradições do nosso mundo, merecem umas mais consideração do que outras, neste caso a boa coisa foi precisamente terem as camara-tas uma única porta, graças a isto é que o fogo que queimou os malvados se demorou por lá tanto tempo, se a confusão não se tornar maior, talvez não tenhamos que lamentar a perda doutras vidas. Evidentemente, muitos destes cegos estão a ser pisados, empurrados, esmurrados, é o efeito do pânico, um efeito natural, pode-se dizer, a natureza animal é mesmo assim, também a vegetal se comporta-ria de igual maneira se não tivesse todas aquelas raízes a prendê-la ao chão, e que bonito seria poder ver as árvores do bosque a fugir ao incêndio. O refúgio da parte interior da cerca foi bem aproveitado por cegos que tiveram a ideia de abrir as janelas existentes nos corredores e que davam para ela. Saltaram, tropeçaram, caíram, choram e gritam, mas por ora estão a salvo, tenhamos esperança de que o fogo, quando fizer desmoronar-se o telhado e atirar por ares e ventos um vulcão de labaredas e tições a arder, não se lembre de propagar-se às copas das árvores. Na outra ala o medo anda pelo mesmo, a um cego basta cheirar-lhe a fumo e logo imagina que o lume está mesmo ao lado dele, o que não será sendo verdade, em pouco tempo o corredor ficou entupido de gente, se não houver quem ponha alguma ordem nisto, vamos ter tragédia. Num momento alguém se recorda de que a mulher do médico ainda tem uns olhos que veem, onde está ela, pergunta-se, ela que nos diga o que se passa, por onde deveremos ir, onde está, estou aqui, só agora é que consegui sair da camarata, a culpa foi do rapazinho estrábico que ninguém conseguia saber onde se tinha metido, agora já está aqui, agarro-o com força pela mão, teriam de arrancar-me o braço para que eu o largasse, com a outra mão seguro a mão do meu marido, e depois vem a rapariga dos óculos escuros, e depois o velho da venda preta, onde está um está outro, e depois o primeiro cego, e depois a mulher dele, todos juntos, apertados como uma pinha, que, espero bem, nem este calor há de abrir. Entretanto uns quantos cegos daqui tinham seguido o exemplo dos da outra ala, saltaram para a cerca interior, não podem ver que a maior parte do edifício do outro lado é já uma fogueira, mas sentem na cara e nas mãos o bafo ardente que vem de lá, por enquanto o telhado ainda se aguenta, as folhas das árvores vão-se encarquilhando devagar. Então alguém gritou, Que é que estamos aqui a fazer, por que é que não saímos, a resposta, vinda do meio deste mar de cabeças, só precisou de quatro palavras, Estão lá os soldados, mas o velho da venda preta disse, Antes morrer de um tiro que queimados, parecia a voz da experiência, por isso talvez não tenha sido propriamente ele a falar, talvez pela boca dele tenha falado a mulher do isqueiro, que não teve a sorte de ser apanhada por uma última bala disparada pelo cego da contabilidade. Disse então a mulher do médico, Deixem-me passar, vou falar aos soldados, eles não podem deixar-nos morrer assim, os soldados também têm sentimentos. Graças à esperança de que os soldados tivessem de facto sentimentos, pôde abrir-se no aperto um estreito canal, por onde a mulher do médico avançou com dificuldade levando atrás de si os seus. O fumo tapava-lhe a visão, em pouco tempo estaria tão cega como os outros. No átrio mal se podia romper. As portas que davam para a cerca tinham sido rebentadas, os cegos que ali se haviam refugiado aperceberam-se rapidamente de que o sítio não era seguro, queriam sair, empurravam, mas os do outro lado resistiam, faziam finca-pé conforme podiam, por enquanto neles ainda era mais forte o medo de aparecerem à vista dos soldados, mas quando as forças cedessem, quando o fogo se aproximasse, o velho da venda preta tinha razão, mais valeria morrer de um tiro. Não foi preciso esperar tanto, a mulher do médico conseguira enfim sair para o patamar, praticamente vinha meio despida, por ter ambas as mãos ocupadas não se pudera defender dos que queriam juntar-se ao pequeno grupo que avançava, apanhar, por assim dizer, o comboio em andamento, os soldados iam ficar de olho arregalado quando ela lhes aparecesse pela frente com os seios meio descobertos. Já não era o luar que iluminava o espaço amplo e vazio que ia até ao portão, mas o clarão violento do incêndio. A mulher

do médico gritou, Por favor, pela vossa felicidade, deixem-
-nos sair, não disparem. Ninguém respondeu de lá. O holofote continuava apagado, nenhum vulto se movia. Ainda
a medo, a mulher do médico desceu dois degraus, Que se
passa, perguntou o marido, mas ela não respondeu, não
podia acreditar. Desceu os restantes degraus, caminhou
em direção ao portão, puxando sempre atrás de si o rapazinho estrábico, o marido e companhia, já não havia dúvidas,
os soldados tinham-se ido embora, ou levaram-nos, cegos
também eles, cegos todos por fim.

Então, para simplificar, aconteceu tudo ao mesmo tempo, a mulher do médico anunciou em altas vozes que estavam livres, o telhado da ala esquerda veio-se abaixo com
medonho estrondo, esparrinhando labaredas por todos os
lados, os cegos precipitaram-se para a cerca gritando, alguns não conseguiram, ficaram lá dentro, esmagados contra as paredes, outros foram pisados até se transformarem
numa massa informe e sanguinolenta, o fogo que de repente alastrou fará de tudo isto cinzas. O portão está aberto
de par em par, os loucos saem.

Diz-se a um cego, Estás livre, abre-se-lhe a porta que o separava do mundo, Vai, estás livre, tornamos a dizer--lhe, e ele não vai, ficou ali parado no meio da rua, ele e os outros, estão assustados, não sabem para onde ir, é que não há comparação entre viver num labirinto racional, como é, por definição, um manicómio, e aventurar-se, sem mão de guia nem trela de cão, no labirinto dementado da cidade, onde a memória para nada servirá, pois apenas será capaz de mostrar a imagem dos lugares e não os caminhos para lá chegar. Postados diante do edifício que já arde de uma ponta à outra, os cegos sentem na cara as ondas vivas do calor do incêndio, recebem-nas como algo que de certo modo os resguarda, tal como as paredes tinham sido antes, ao mesmo tempo, prisão e segurança. Mantêm-se juntos, apertados uns contra os outros, como um rebanho, nenhum deles quer ser a ovelha perdida porque de antemão sabem que nenhum pastor os irá procurar. O fogo vai decrescendo aos poucos, a lua já ilumina outra vez, os cegos começam a desassossegar--se, não podem continuar ali, Eternamente, disse um deles. Alguém perguntou se era dia ou era noite, a razão da incongruente curiosidade soube-se logo, Quem sabe se não nos virão trazer a comida, pode ter havido uma confusão, um atraso, outras vezes aconteceu, Mas os soldados não estão cá, Isso não quer dizer nada, podem ter-se ido embora por deixarem de ser precisos, Não percebo, Por exemplo, porque deixou de haver contágio, Ou porque se descobriu o remédio para a nossa doença, Era bom, era, Que fazemos, Eu fico aqui até ser dia, E como saberás tu que é dia, Pelo sol, pelo calor do sol, Se o céu não estiver encoberto, Tantas horas hão de passar que alguma vez há de ser dia. Exaustos, muitos dos cegos tinham-se sentado no chão, outros, ainda mais debilitados, deixaram-se simplesmente cair, uns quantos haviam desmaiado, é provável que o fresco da noite os faça voltar a si, mas podemos ter por certo que na hora de levantar-se o acampamento não se levantarão alguns destes míseros, aguentaram até aqui, são como aquele corredor de maratona que se foi abaixo três metros antes da meta, no fim das contas o que está claro é que todas as vidas se acabam antes de tempo. Sentaram-se também, ou deitaram-se, os cegos que ainda esperam que os soldados, ou outros por eles, a cruz vermelha é uma hipótese, lhe tragam a comida e os outros confortos necessários à vida, o desengano, para estes, chegará um pouco mais tarde, é a única diferença. E se alguém aqui acreditou que foi descoberta a cura da nossa cegueira, nem por isso parece mais contente.

Por outras razões pensou a mulher do médico, e disse-o aos seus, que seria melhor esperar que a noite acabasse, O mais urgente, agora, é encontrar comida, e às escuras não iria ser fácil, Tens alguma ideia de onde estamos, perguntou o marido, Mais ou menos, Longe de casa, Bastante. Os outros quiseram saber também a que distância estariam as suas casas, disseram as moradas, e a mulher do médico foi aproximadamente explicando, o rapazinho estrábico é que não conseguiu lembrar-se, não admira, há já tempo que deixou de pedir a mãe. Se forem de casa em casa, da que está mais perto à que está mais distante, a primeira será a da rapariga dos óculos escuros, a segunda a do velho da venda preta, depois a da mulher do médico, e finalmente a do primeiro cego. Irão sem dúvida seguir este itinerário porque a rapariga dos óculos escuros já pediu que a levem, quando for possível, a sua casa, Não sei como estarão os meus pais, disse, esta sincera preocupação mostra como são afinal infundados os preconceitos dos que negam a possibilidade da existência de sentimentos fortes, incluindo o sentimento filial, nos casos, infelizmente abundantes, de comportamentos irregulares, mormente no plano da moralidade pública. A noite refrescou, ao incêndio já não lhe resta grande coisa para queimar, o calor que ainda se desprende do braseiro não chega para aquecer os cegos transidos que se encontram mais longe da entrada, como é o caso da mulher do médico e do seu grupo. Estão sentados juntinhos, as três mulheres e o rapaz no meio, os três homens em redor, quem os visse diria que já nasceram assim, é verdade que parecem um corpo só, com uma só respiração e uma única fome. Um após outro, foram adormecendo, um sono leve de que tiveram de acordar algumas vezes porque havia cegos que, saindo do seu próprio torpor, se levantavam e vinham tropeçar sonambulamente neste acidente humano, um deles houve que se deixou ficar, tanto fazia dormir ali como noutro sítio. Quando o dia nasceu, só umas ténues colunas de fumo subiam dos escombros, mas nem essas duraram muito, porque daí a pouco começou a chover, uma chuvinha miúda, uma simples poalha, é certo, mas desta vez persistente, ao princípio nem conseguia chegar ao chão esbraseado, transformava-se logo em vapor, porém, com a continuação, já se sabe, água mole em brasa viva tanto dá até que apaga, a rima que a ponha outro. Alguns destes cegos não o são apenas dos olhos, também o são do entendimento, nem de outro modo se explicaria o raciocínio tortuoso que os levou a concluir que a desejada comida, estando a chover, não viria. Não houve maneira de convencê-los de que a premissa estava errada e que, portanto, errada tinha de estar também a conclusão, não serviu de nada dizer-lhes que ainda não eram horas do pequeno-almoço, desesperados atiraram-se para o chão a chorar, Não vem, está a chover, não vem, repetiam, tivesse ainda aquela lastimável ruína umas condições de habitabilidade mínimas, que voltaria a ser o manicómio que foi antes.

O cego que de noite se deixara ficar depois de ter tropeçado não pôde levantar-se. Enroscado sobre si mesmo, como se tivesse querido proteger o derradeiro calor do ventre, não se moveu apesar da chuva que começara a cair mais grossa. Está morto, disse a mulher do médico, e nós é melhor irmo-nos daqui enquanto ainda temos alguma força. Levantaram-se a custo, cambaleando, com vertigens, agarrando-se uns aos outros, depois dispuseram-se em fila, à frente a dos olhos que veem, logo os que tendo olhos não veem, a rapariga dos óculos escuros, o velho da venda preta, o rapazinho estrábico, a mulher do primeiro cego, o marido dela, o médico vai no fim. O caminho que tomaram leva ao centro da cidade, mas não é essa a intenção da mulher do médico, o que ela quer é encontrar rapidamente um sítio onde possa deixar abrigados os que vêm atrás de si e ir sozinha à procura de comida. As ruas estão desertas, por ser ainda cedo, ou por causa da chuva, que cai cada vez mais forte. Há lixo por toda a parte, algumas lojas têm as portas abertas, mas a maioria delas estão fechadas, não parece que haja gente dentro, nem luz. A mulher do médico pensou que seria uma boa ideia deixar os companheiros numa destas lojas, tomando muita atenção ao nome da rua, ao número da porta, não fosse perdê-los ao voltar. Parou, disse à rapariga dos óculos escuros, Esperem-me aqui, não se mexam, foi espreitar a porta envidraçada de uma farmácia, pareceu-lhe ver lá dentro uns vultos deitados, bateu no vidro, uma das sombras mexeu-se, tornou a bater, outros vultos se moveram lentamente, houve uma pessoa que se levantou virando a cara para donde vinha o ruído, Estão todos cegos, pensou a mulher do médico, mas não compreendeu por que se encontravam estes aqui, talvez fossem a família do farmacêutico, mas, se assim era, por que não estavam eles em sua própria casa, com mais conforto que o chão duro, salvo se guardavam o estabelecimento, contra quem, e menos sendo estas mercadorias o que são, que tanto podem salvar como matar. Afastou-se dali, um pouco adiante olhou para o interior doutra loja, viu mais pessoas deitadas, mulheres, homens, crianças, algumas pareciam estar a preparar-se para sair, uma delas veio até à porta, estendeu o braço para fora e disse, Está a chover, Muito, foi a pergunta de dentro, Sim, temos de esperar a ver se abranda, o homem, era um homem, estava a dois passos da mulher do médico, não tinha dado pela presença dela, por isso sobressaltou-se quando ouviu dizer, Bons dias, perdera-se o costume de dar os bons-dias, não só porque dias de cegos, propriamente falando, nunca seriam bons, mas também porque ninguém poderia estar inteiramente certo de que os dias não fossem tardes ou noites, e se agora, numa aparente contradição com o que acaba de ser explicado, estas pessoas estão a acordar mais ou menos ao mesmo tempo que a manhã, é porque algumas cegaram só há poucos dias e ainda não perderam de todo o sentido da sucessão dos dias e das noites, do sono e da vigília. O homem disse, Está a chover, e depois, Quem é você, Não sou daqui, Anda à procura de comida, Sim, há quatro dias que não comemos, E como sabe que são quatro dias, É um cálculo, Está sozinha, Estou com o meu marido e uns companheiros, Quantos são, Ao todo, sete, Se estão a pensar em ficar connosco, tirem daí o sentido, já somos muitos, Só estamos de passagem, Donde vêm, Estivemos internados desde que a cegueira começou, Ah, sim, a quarentena, não serviu de nada, Por que diz isso, Deixaram-nos sair, Houve um incêndio e nesse momento percebemos que os soldados que nos vigiavam tinham desaparecido, E saíram, Sim, Os vossos soldados devem ter sido dos últimos a cegar, toda a gente está cega, Toda a gente, a cidade toda, o país, Se alguém ainda vê, não o diz, cala-se, Por que é que não vive na sua casa, Porque não sei onde ela está, Não sabe, E você, sabe onde está a sua, Eu, a mulher do médico ia responder que precisamente se dirigia para lá com o marido e os companheiros, era só o tempo de comerem alguma coisa para recuperar forças, mas no mesmo instante viu com toda a clareza a situação, agora, alguém que estando cego tivesse saído de casa, só por milagre a conseguiria reencontrar, não era o mesmo que dantes, quando os cegos daquele tempo podiam sempre contar com a ajuda de um passante, fosse para atravessar uma rua, fosse para retomar o caminho certo no caso de se terem desviado inadvertidamente da rota habitual, Só sei que está longe daqui, disse, Mas não é capaz de lá chegar, Não, Ora aí tem, o mesmo me sucede a mim, o mesmo sucede a todos, vocês os que estiveram na quarentena têm muito que aprender, não sabem como é fácil ficar sem casa, Não compreendo, Os que andam em grupo, como nós, como quase toda a gente, quando temos de procurar comida somos obrigados a ir juntos, é a única maneira de não nos perdermos uns dos outros, e como vamos todos, como ninguém ficou a guardar a casa, o mais certo, supondo que tínhamos conseguido dar com ela, é estar já ocupada por outro grupo que também não tinha podido encontrar a sua casa, somos uma espécie de nora às voltas, ao princípio houve algumas lutas, mas não tardamos a perceber que nós, os cegos, por assim dizer, não temos praticamente nada a que possamos chamar nosso, a não ser o que levarmos no corpo, A solução estaria em viver dentro duma loja de comidas, ao menos enquanto elas durassem não seria preciso sair, Quem o fizesse, o mínimo que lhe poderia acontecer era nunca mais ter um minuto de sossego, digo o mínimo porque ouvi falar do caso de uns que o tentaram, fecharam-se, trancaram as portas, mas o que não puderam foi fazer desaparecer o cheiro da comida, juntaram-se fora os que queriam comer, e como os de dentro não abriram, pegou-se fogo à loja, foi remédio santo, eu não vi, contaram-me, de toda a maneira foi remédio santo, que eu saiba ninguém mais se atreveu, E não se vive nas casas, nos andares, Sim, vive-se, mas tanto faz, pela minha casa já deve ter passado uma quantidade de gente, não sei se algum dia conseguirei dar com ela, além disso, nesta situação, é muito mais prático dormir nas lojas térreas, nos armazéns, escusamos de andar a subir e a descer escadas, Já não chove, disse a mulher do médico, Já não chove, repetiu o homem para dentro. A estas palavras levantaram-se os que ainda estavam deitados, recolheram os pertences, mochilas, pequenas malas, sacos de pano e de plástico, como se partissem em expedição, e era verdade, iam caçar comida, um a um foram saindo da loja, a mulher do médico reparou que estavam bem abrigados, é certo que as cores das roupas não jogavam umas com as outras, que as calças ou eram tão curtas que deixavam as canelas à mostra, ou tão compridas que tinham de levar dobras em baixo, mas o frio não entraria com estes, alguns dos homens usavam gabardina ou sobretudo, duas das mulheres levavam casacos compridos de peles, guarda-chuvas é que não se viam, provavelmente pelo incómodo que dão, sempre as varetas a ameaçar os olhos. O grupo, umas quinze pessoas, afastou-se. Ao longo da rua outros grupos apareciam, pessoas isoladas também, encostados às paredes havia homens a aliviar a urgência matinal da bexiga, as mulheres preferiam o resguardo dos automóveis abandonados. Amolecidos pela chuva, os excrementos, aqui e além, alastravam na calçada.

A mulher do médico voltou para junto dos seus, recolhidos por instinto debaixo do toldo duma pastelaria donde saía um cheiro de natas azedas e outras podridões, Vamos, disse, encontrei um abrigo, e conduziu-os à loja donde os outros tinham saído. O recheio do estabelecimento estava intacto, a mercadoria não era das de comer ou de vestir, havia frigoríficos, máquinas de lavar, tanto as de roupa como as de louça, fogões comuns e de micro-ondas, batedoras, espremedores, aspiradores, varinhas mágicas, as mil e uma invenções eletrodomésticas destinadas a tornar mais fácil a vida. A atmosfera estava carregada de maus cheiros, tornando absurda a brancura invariável dos objetos. Descansem aqui, disse a mulher do médico, eu vou à procura de comida, não sei onde a encontrarei, perto, longe, não sei, esperem com paciência, há grupos lá fora, se alguém quiser entrar digam que o sítio está ocupado, será o bastante para que se vão embora, é o costume, Vou contigo, disse o marido, Não, é melhor que vá sozinha, temos de saber como se está a viver agora, pelo que ouvi dizer toda a gente deve ter cegado, Então, disse o velho da venda preta, é como se continuássemos no manicómio, Não há comparação, podemos mover-nos à vontade, e a comida há de resolver-se, não iremos morrer de fome, também tenho de arranjar roupas, estamos reduzidos a farrapos, a mais necessitada era ela, pouco menos do que nua da cintura para cima. Beijou o marido, sentiu nesse momento como uma dor no coração, Por favor, aconteça o que acontecer, mesmo que alguém queira entrar não deixem este sítio, e se forem postos fora, apesar de que não creio que tal aconteça, mas é só para prevenir todas as hipóteses, deixem-se ficar perto da porta, juntos, até que eu chegue. Olhou-os com os olhos rasos de lágrimas, ali estavam, dependiam dela como as crianças pequenas dependem da mãe, Se eu lhes falto, pensou, não lhe ocorreu que lá fora todos estavam cegos, e viviam, teria ela própria de cegar também para compreender que uma pessoa se habitua a tudo, sobretudo se já deixou de ser pessoa, e mesmo se não chegou a tanto, ali está aquele rapazinho estrábico, por exemplo, que já nem pela mãe pergunta. Saiu para a rua, olhou e fixou o número da porta, o nome da loja, agora tinha de ver como se chamava a rua, naquela esquina, não sabia até onde a iria levar a busca da comida, e que comida, podia ser já três portas à frente ou trezentas, não podia perder-se, não haveria ninguém a quem perguntar o caminho, os que antes viam estavam cegos, e ela, que podia ver, não saberia onde estava. O sol tinha rompido, brilhava nas poças de água formadas entre o lixo, via-se melhor a erva que crescia entre as pedras da calçada. Havia mais gente fora. Como se orientarão eles, perguntou-se a mulher do médico. Não se orientavam, caminhavam rente aos prédios com os braços estendidos para a frente, continuamente esbarravam uns nos outros como as formigas que vão no carreiro, mas quando tal sucedia não se ouviam protestos, nem precisavam falar, uma das famílias despegava-se da parede, avançava ao comprido da que vinha em direção contrária, e assim seguiam e continuavam até ao próximo encontro. De vez em quando paravam, farejavam à entrada das lojas, a sentir se vinha cheiro de comida, qualquer que fosse, depois prosseguiam o seu caminho, viravam uma esquina, desapareciam da vista, daí a pouco surgia dali outro grupo, não traziam ar de haver encontrado o que buscavam. A mulher do médico podia mover-se mais rapidamente, não perdia tempo a entrar nas lojas para saber se eram de comestíveis, mas depressa se lhe tornou claro que não iria ser fácil abastecer-se em quantidade, as poucas mercearias que encontrou pareciam ter sido devoradas por dentro, eram como cascas vazias.

Já se tinha afastado muito de onde havia deixado o marido e os companheiros, cruzando e recruzando ruas, avenidas, praças, quando se encontrou diante de um supermercado. Lá dentro o aspeto não era diferente, prateleiras vazias, escaparates derrubados, pelo meio vagueavam os cegos, a maior parte deles de gatas, varrendo com as mãos o chão imundo, esperando encontrar ainda algo que se pudesse aproveitar, uma lata de conserva que tivesse resistido às pancadas com que tentaram abri-la, um pacote qualquer, do que fosse, uma batata, mesmo pisada, um naco de pão, mesmo feito pedra. A mulher do médico pensou, Apesar de tudo, algo haverá, isto é enorme. Um cego levantou-se do chão a queixar-se, um caco de garrafa tinha-se-lhe espetado num joelho, o sangue corria-lhe já pela perna. Os cegos do grupo rodearam-no, Que foi, que foi, e ele disse, Um vidro, no joelho, Qual, O esquerdo, uma das cegas agachou-se, Cuidado, não seja que haja por aqui mais vidros, tenteou, apalpou para distinguir uma perna da outra, Cá está, disse, ainda o tens espetado, um dos cegos pôs-se a rir, Pois se está espetado aproveita, e os outros riram também, sem diferença de mulheres e homens. Fazendo pinça com o polegador e o indicador, é um gesto natural que não precisa aprendizagem, a cega extraiu o vidro, depois atou o joelho com um trapo que rebuscou no saco que trazia ao ombro, enfim contribuiu com o seu próprio gracejo para o bom humor geral, Nada a fazer, passou-lhe depressa o espeto, todos riram, e o ferido retorquiu, Quando estiveres com precisão, podemos experimentar a ver o que mais espeta, de certeza que não há neste grupo esposos e esposas, uma vez que ninguém se mostrou escandalizado, será tudo gente de costumes abertos e uniões livres, salvo se estes justamente são esposa e esposo, daí a confiança, mas em verdade não o parecem, em público não falariam nestes termos. A mulher do médico olhou em redor, o que ainda houvesse de aproveitável estava a ser disputado no meio de socos que quase sempre se perdiam no ar e empurrões que não escolhiam entre amigos e adversários, sucedendo às vezes que o objeto da peleja se lhes escapava das mãos e jazia no chão, à espera de que alguém viesse tropeçar nele, Aqui não me safo, pensou, usando uma palavra que não fazia parte do seu vocabulário corrente, uma vez mais se demonstrando que a força e a natureza das circunstâncias influem muito no léxico, haja vista aquele militar que disse merda quando o intimaram a render-se, por este modo absolvendo do delito de má educação futuros desabafos em situações menos perigosas. Aqui não me safo, tornou a pensar, e já se dispunha a sair quando outro pensamento lhe acudiu como uma providência, Num estabelecimento destes deve haver um armazém, não digo um armazém grande, que esse estará noutro local, longe provavelmente, mas uma reserva de certos produtos de mais consumo. Excitada pela ideia pôs-se à procura de uma porta fechada que a pudesse levar à caverna dos tesouros, mas todas estavam abertas, e lá dentro a mesma devastação, os mesmos cegos rebuscando o mesmo lixo. Finalmente, num corredor obscuro, onde a luz do dia mal penetrava, viu o que lhe pareceu ser um monta-cargas. As portas metálicas estavam fechadas, e ao lado havia uma outra porta, lisa, das que deslizam em calhas, A cave, pensou, os cegos que chegaram até aqui deram com o caminho tapado, deviam ter percebido que se tratava de um elevador, mas ninguém se lembrou de que o normal era que houvesse também uma escada, para quando faltasse a energia elétrica, por exemplo, como era o caso agora. Empurrou a porta corrediça e recebeu quase simultaneamente duas poderosas impressões, primeira, a da escuridão profunda por onde teria de descer para chegar à cave, e logo, o cheiro inconfundível das coisas que são para comer, mesmo quando estiverem fechadas em recipientes a que chamamos herméticos, é que a fome sempre teve um olfato finíssimo, daqueles que atravessam todas as barreiras, como os cães. Voltou rapidamente atrás para apanhar do lixo os sacos de plástico de que precisaria para transportar a comida, ao mesmo tempo que a si mesma ia perguntando, Sem luz, como vou eu saber o que devo levar, encolheu os ombros, a preocupação era estúpida, a dúvida, agora, tendo em conta o estado de debilidade em que se encontrava, deveria ser se iria ter forças para carregar com os sacos cheios, repetir o caminho todo por onde viera, neste momento entrou-lhe no espírito um medo horrível, o de não conseguir regressar aonde o marido estava à sua espera, sabia o nome da rua, disso não se tinha esquecido, mas haviam sido tantas as voltas que dera, o desespero paralisou-a, depois, lentamente, como se o cérebro imóvel se tivesse posto enfim em movimento, viu-se a si mesma inclinada sobre um mapa da cidade, buscando com a ponta do dedo o itinerário mais curto, como se tivesse duas vezes olhos, uns que a olhavam vendo o mapa, outros que viam o mapa e o caminho. O corredor continuava deserto, era uma sorte, por causa do nervosismo, da descoberta que fizera, tinha-se esquecido de fechar a porta. Fechou-a agora cuidadosamente atrás de si, para achar-se mergulhada numa escuridão total, tão cega como os cegos que estavam lá fora, a diferença era só na cor, se efetivamente são cores o branco e o negro. Roçando-se pela parede, começou a descer a escada, se este lugar não fosse o segredo que é, e alguém viesse a subir do fundo, teriam de proceder como tinha visto na rua, despegar-se um deles da segurança do encosto, avançar roçando-se pela imprecisa substância do outro, talvez por um instante temer absurdamente que a parede não continuasse do lado de lá, Estou a perder o juízo, pensou, e tinha razões para isso, a descer como ia por um buraco tenebroso, sem luz nem esperança de a ver, até onde, estes armazéns subterrâneos em geral não são altos, primeiro lanço da escada, Agora sei o que é ser-se cego, segundo lanço da escada, Vou gritar, vou gritar, terceiro lanço da escada, as trevas são como uma pasta grossa que se lhe colou à cara, os olhos transformaram--se em bolas de breu, Que é que está diante de mim, e logo a seguir outro pensamento, ainda mais assustador, E como encontrarei depois a escada, um desequilíbrio súbito obrigou-a a baixar-se para não cair desamparada, quase a perder a consciência balbuciou, Está limpo, referia-se ao chão, parecia-lhe admirável, um chão limpo. Pouco a pouco começou a voltar a si, sentia umas dores surdas no estômago, não que fossem elas novidade, mas neste momento era como se não existisse no seu corpo nenhum outro órgão vivo, lá estariam, mas não queriam dar sinal de si, o coração, sim, o coração ressoava como um tambor imenso, sempre a trabalhar às cegas na escuridão, desde a primeira de todas as trevas, o ventre onde o formaram, até à última, essa onde parará. Tinha ainda na mão os sacos de plástico, não os largara, agora só terá de enchê-los, tranquilamente, um armazém não é lugar para fantasmas e dragões, aqui não há mais que escuridão, e a escuridão não morde nem ofende, quanto à escada hei de encontrá-la, nem que tenha de dar a volta inteira a este buraco. Decidida, ia levantar-se, mas lembrou-se de que estava tão cega como os cegos, melhor seria fazer como eles, avançar de gatas até encontrar algo pela frente, prateleiras carregadas de comida, seja o que for, desde que se possa comer tal qual está, sem cozeduras nem preparações de cozinha, que o tempo não vai para fantasias.

O medo voltou, sub-reptício, mal ela avançou alguns metros, talvez estivesse enganada, talvez ali mesmo à sua frente, invisível, um dragão a esperasse de boca aberta. Ou um fantasma de mão estendida, para a levar ao mundo terrível dos mortos que nunca acabam de morrer porque sempre vem alguém ressuscitá-los. Depois, prosaicamente, com uma infinita, resignada tristeza, pensou que o sítio onde estava não era um depósito de comidas, mas uma garagem, pareceu-lhe mesmo sentir o cheiro da gasolina, a este ponto pode iludir-se o espírito quando se rende aos monstros que ele próprio criou. Então, a sua mão tocou em algo, não os dedos viscosos do fantasma, não a língua ardente e a goela do dragão, o que ela sentiu foi o contacto de um metal frio, uma superfície vertical lisa, adivinhou, sem saber que era esse o nome, que se tratava do montante de uma armação de prateleiras. Calculou que devia haver outras armações iguais a esta, paralelas, como era o costume, tratava-se agora de saber onde estavam os produtos alimentícios, não aqui, que este cheiro não engana, é de detergentes. Sem pensar mais nas dificuldades que iria ter para encontrar a escada, começou a percorrer as prateleiras, apalpando, cheirando, agitando. Havia embalagens de cartão, garrafas de vidro e de plástico, frascos pequenos, médios e grandes, latas que seriam de conservas, recipientes vários, tubos, bolsas, bisnagas. Ao acaso encheu um dos sacos, Será tudo de comer, perguntava-se, inquieta. Passou a outras prateleiras, e na segunda delas o inesperado aconteceu, a mão cega, que não podia ver aonde ia, tocou e fez cair umas pequenas caixas. O ruído que fizeram, ao chocarem contra o solo, quase fez parar o coração da mulher do médico, São fósforos, pensou. Trémula de excitação, baixou-se, passeou as mãos sobre o chão, encontrou, este é um cheiro que não se confunde com nenhum outro, e o ruído dos pauzinhos quando agitamos a caixa, o deslizar da tampa, a aspereza da lixa exterior, que é onde o fósforo está, o raspar da cabeça do palito, enfim a deflagração da pequena chama, o espaço ao redor, uma difusa esfera luminosa como um astro através da névoa, meu Deus, a luz existe e eu tenho olhos para a ver, louvada seja a luz. A partir de agora a colheita seria fácil. Começou pelas caixas de fósforos, e foi um saco quase cheio, Não é preciso levá-las todas, dizia-lhe a voz do bom senso, mas ela não deu atenção ao bom senso, depois as trémulas chamas dos fósforos foram mostrando as prateleiras, para cá, para lá, em pouco tempo os sacos ficaram cheios, o primeiro teve de ser despejado porque não continha nada que prestasse, os outros levavam já riqueza suficiente para comprar a cidade, nem há que estranhar a diferença dos valores, basta que nos lembremos de que houve um dia um rei que quis trocar o seu reino por um cavalo, que não daria ele se estivesse a morrer de fome e lhe acenassem com estes sacos de plástico. A escada está ali, o caminho é a direito. Antes, porém, a mulher do médico senta-se no chão, abre uma embalagem de chouriço, uma outra de fatias de pão negro, uma garrafa de água, e, sem remorso, come. Se não comesse agora não teria forças para levar a carga aonde faz falta, ela é a provedora. Quando acabou, enfiou os sacos nos braços, três de cada lado, e com as mãos levantadas à frente foi acendendo fósforos até alcançar a escada, depois penosamente a subiu, a comida ainda não passou do estômago, precisa de tempo para chegar aos músculos e aos nervos, neste caso, o que melhor se tem aguentado ainda é a cabeça. A porta corrediça deslizou sem ruído, E se está alguém no corredor, tinha pensado a mulher do médico, que faço. Não havia ninguém, mas ela tornou a perguntar-se, Que faço. Poderia, quando chegasse à saída, voltar-se para dentro e gritar, Há comida ao fundo do corredor, uma escada que leva ao armazém da cave, aproveitem, deixei a porta aberta. Poderia fazê-lo, mas não o fez. Ajudando-se com o ombro, fechou a porta, dizia a si mesma que o melhor era calar, imagine--se o que aconteceria, os cegos a correrem para lá como loucos, seria como no manicómio quando se declarou o incêndio, rolariam pelas escadas abaixo, pisados e esmagados pelos que viessem atrás, que cairiam também, não é a mesma coisa pôr o pé num degrau firme ou num corpo resvaladiço. E quando a comida se acabar poderei voltar por mais, pensou. Passou os sacos para as mãos, respirou fundo e avançou pelo corredor. Não a veriam, mas o cheiro do que comera, O chouriço, que estúpida fui, seria como um rasto vivo. Cerrou os dentes, apertou com toda a força as asas dos sacos, Tenho de correr, disse. Lembrou-se do cego ferido no joelho por um caco, Se me sucede o mesmo a mim, se não reparo e ponho o pé num vidro, talvez nos tenhamos esquecido de que esta mulher está sem sapatos, não teve ainda tempo de ir às sapatarias, como fazem os cegos da cidade, que apesar de infelizes invisuais, podem escolher o calçado pelo tato. Tinha de correr, e correu. Ao princípio tentara esgueirar-se entre os grupos de cegos, procurando não lhes tocar, mas isso obrigava-a a ir devagar, a parar algumas vezes para escolher o caminho, o bastante para ir desprendendo de si uma aura de cheiro, porque não só as auras perfumadas e etéreas são auras, daí a nada estava um cego a gritar, Quem é que está aqui a comer chouriço, palavras não eram ditas a mulher do médico atirou os cuidados para trás das costas e lançou-se numa correria desarvorada, atropelando, empurrando, derrubando, num salve-se quem puder merecedor de severa crítica, pois não é assim que se tratam pessoas cegas, para infelicidade já lhes basta.

Estava a chover torrencialmente quando alcançou a rua, Melhor assim, pensou, ofegando, com as pernas a tremer, vai sentir-se menos o cheiro. Alguém tinha deitado a mão ao último farrapo que mal a tapava da cintura para cima, agora ia de peitos descobertos, por eles, lustralmente, palavra fina, lhe escorria a água do céu, não era a liberdade guiando o povo, os sacos, felizmente cheios, pesam demasiado para os levar levantados como uma bandeira. Tem isto seu inconveniente, já que as excitantes fragrâncias vão viajando à altura do nariz dos cães, como podiam eles faltar, agora sem donos que os cuidem e alimentem, é quase uma matilha que segue a mulher do médico, oxalá um destes bichos não se lembre de adiantar o dente para experimentar a resistência do plástico. Com uma chuva destas, que pouco lhe falta para dilúvio, seria de esperar que as pessoas estivessem recolhidas, à espera de que o tempo estiasse. Não é assim, porém, por toda a parte há cegos de boca aberta para as alturas, matando a sede, armazenando água em todos os recantos do corpo, e outros cegos, mais previdentes, e sobretudo mais sensatos, sustentam nas mãos baldes, tachos e panelas, e levantam-nos ao céu generoso, é bem certo que Deus dá a nuvem conforme a sede. Não tinha ocorrido à mulher do médico a probabilidade de que das torneiras das casas poderia não estar a sair sequer uma gota do precioso líquido, é o defeito da civilização, habituamo-nos à comodidade da água encanada, posta ao domicílio, e esquecemo-nos de que para que tal suceda tem de haver pessoas que abram e fechem válvulas de distribuição, estações de elevação que necessitam de energia elétrica, computadores para regular os débitos e administrar as reservas, e para tudo faltam os olhos. Também os faltam para ver este quadro, uma mulher carregada com sacos de plástico, andando por uma rua alagada, entre lixo apodrecido e excrementos humanos e de animais, automóveis e camiões largados de qualquer maneira e atravancando a via pública, alguns com as rodas já cercadas de erva, e os cegos, os cegos, de boca aberta, abrindo também os olhos para o céu branco, parece impossível como pode chover de um céu ássim. A mulher do médico vai lendo os letreiros das ruas, lembra-se de uns, de outros não, e chega um momento em que compreende que se desorientou e perdeu. Não há dúvida, está perdida. Deu uma volta, deu outra, já não reconhece nem as ruas nem os nomes delas, então, desesperada, deixou-se cair no chão sujíssimo, empapado de lama negra, e, vazia de forças, de todas as forças, desatou a chorar. Os cães rodearam-na, farejam os sacos, mas sem convicção, como se já lhes tivesse passado a hora de comer, um deles lambe-lhe a cara, talvez desde pequeno tenha sido habituado a enxugar prantos. A mulher toca-lhe na cabeça, passa-lhe a mão pelo lombo encharcado, e o resto das lágrimas chora-as abraçada a ele. Quando enfim levantou os olhos, mil vezes louvado seja o deus das encruzilhadas, viu que tinha diante de si um grande mapa, desses que os departamentos municipais de turismo espalham no centro das cidades, sobretudo para uso e tranquilidade dos visitantes, que tanto querem poder dizer aonde foram como precisam saber onde estão. Agora, estando toda a gente cega, parece fácil dar por mal empregado o dinheiro que se gastou, afinal há é que ter paciência, dar tempo ao tempo, já devíamos ter aprendido, e de uma vez para sempre, que o destino tem de fazer muitos rodeios para chegar a qualquer parte, só ele sabe o que lhe terá custado trazer aqui este mapa para dizer a esta mulher onde está. Não estava tão longe quanto cria, apenas se tinha desviado noutra direção, só terás de seguir por esta rua até uma praça, aí contas duas ruas para a esquerda, depois viras na primeira à direita, é essa a que procuras, do número não te esqueceste. Os cães foram ficando para trás, alguma coisa os distraiu pelo caminho, ou estão muito habituados ao bairro e não querem deixá-lo, só o cão que tinha bebido as lágrimas acompanhou quem as chorara, provavelmente este encontro da mulher e do mapa, tão bem preparado pelo destino, incluía também um cão. O certo é que entraram juntos na loja, o cão das lágrimas não estranhou ver pessoas estendidas no chão, tão imóveis que pareciam mortas, estava habituado, às vezes deixavam-no dormir no meio delas, e quando era hora de se levantarem, quase sempre estavam vivas. Acordem, se estão a dormir, trago comida, disse a mulher do médico, mas primeiro tinha fechado a porta, não fosse ouvi-la alguém que passasse na rua. O rapazinho estrábico foi o primeiro a levantar a cabeça, não pôde fazer mais do que isso, a fraqueza não deixava, os outros tardaram um pouco mais, estavam a sonhar que eram pedras, e ninguém ignora quanto é profundo o sono delas, um simples passeio ao campo o demonstra, ali estão dormindo, meio enterradas, à espera não se sabe de que despertar. Tem, porém, a palavra comida poderes mágicos, mormente quando o apetite aperta, até o cão das lágrimas, que não conhece linguagem, se pôs a abanar o rabo, o instintivo movimento fê-lo recordar-se que ainda não tinha feito aquilo a que estão obrigados os cães molhados, sacudirem-se com violência, respingando quanto estiver ao redor, neles é fácil, trazem a pele como se fosse um casaco. Água benta da mais eficaz, descida diretamente do céu, os salpicos ajudaram as pedras a transformarem-se em pessoas, enquanto a mulher do médico participava na operação de metamorfose abrindo um após outro os sacos de plástico. Nem tudo cheirava ao que continha, mas o perfume de uma bucha de pão duro já seria, falando elevadamente, a própria essência da vida. Estão todos enfim despertos, têm as mãos trémulas, as caras ansiosas, é então que o médico, tal como sucedera antes ao cão das lágrimas, se lembra de quem é, Cuidado, não convém comer muito, pode fazer-nos mal, O que nos faz mal é a fome, disse o primeiro cego, Atende ao que diz o senhor doutor, repreendeu a mulher, e o marido calou-se, pensando com uma sombra de rancor, Ele nem de olhos entende, quanto mais, injustas palavras estas, se tivermos em conta que o médico não está menos cego que os outros, a prova é que nem deu por que a mulher vinha nua da cintura para cima, foi ela quem lhe pediu o casaco para se tapar, os outros cegos olharam na sua direção, mas era tarde de mais, tivessem olhado antes.

Enquanto comiam, a mulher narrou as suas aventuras, de tudo quanto lhe acontecera e fizera só não disse que tinha deixado a porta do armazém fechada, não estava muito segura das razões humanitárias que a si própria tinha dado, em compensação contou o episódio do cego que havia espetado o vidro no joelho, todos riram com gosto, todos não, o velho da venda preta não fez mais do que um sorriso cansado, e o rapazinho estrábico só tinha ouvidos para o ruído que fazia mastigando. O cão das lágrimas recebeu a sua parte, que pronto pagou ladrando furiosamente quando alguém de fora veio sacudir a porta com violência. Quem quer que fosse, não insistiu, falava-se de andarem cães raivosos por aí, para raiva já me basta esta de não ver onde ponho os pés. A tranquilidade voltou, e foi então, quando já tinha sossegado em todos a primeira fome, que a mulher do médico contou a conversa que havia tido com o homem que saíra desta mesma loja para ver se estava a chover. Depois concluiu, Se o que ele me disse é verdade, não podemos ter a certeza de encontrar as nossas casas como as deixamos, não sabemos sequer se conseguiremos entrar nelas, falo daqueles que se esqueceram de levar as chaves quando saíram, ou que as perderam, nós, por exemplo, não as temos, ficaram no incêndio, seria impossível encontrá-las agora no meio dos escombros, pronunciou a palavra e foi como se estivesse a ver as chamas a envolverem a tesoura, queimando primeiro o sangue seco que ainda houvesse nela, depois mordendo-lhe o fio, as pontas agudas, embotando-os, e aos poucos tornando-os rombos, brandos, moles, informes, não se acredita que isto pudesse ter perfurado a garganta de alguém, quando o fogo acabar o seu trabalho será impossível, na massa única do metal fundido, distinguir onde está a tesoura e onde estão as chaves, As chaves, disse o médico, tenho-as eu, e, introduzindo dificilmente três dedos num bolsinho das esfarrapadas calças, rente ao cós, extraiu de dentro uma pequena argola com três chaves, Como é que as tens tu, se eu as tinha posto na minha mala de mão, que lá ficou, Tirei-as, tive medo de que pudessem perder-se, achei que estavam mais seguras andando sempre comigo, e era também uma maneira de acreditar que um dia havíamos de voltar para casa, É bom termos as chaves, mas pode ser que nos encontremos com a porta arrombada, Podem nem o ter o tentado, sequer. Por momentos haviam-se esquecido dos outros, mas agora era preciso saber, de todos eles, o que se tinha passado com as suas chaves, a primeira a falar foi a rapariga dos óculos escuros, Os meus pais ficaram em casa quando a ambulância me foi buscar, não sei o que lhes terá sucedido depois, a seguir falou o velho da venda preta, Eu estava em casa quando ceguei, bateram à porta, a dona da casa foi dizer-me que estavam ali uns enfermeiros à minha procura, não era altura para pensar em chaves, só faltava a mulher do primeiro cego, mas esta disse, Não sei, não me lembro, sabia, lembrava-se, não queria era confessar que quando de repente se viu cega, expressão absurda, mas enraizada, que não temos conseguido evitar, saíra de casa aos gritos, chamando pelas vizinhas, as que ainda estavam no prédio guardaram-se bem de acudir-lhe, e ela, que tão firme e capaz se tinha mostrado quando a infelicidade caiu sobre o marido, comportava-se agora desvairadamente, abandonando a casa com a porta escancarada, nem ao menos teve a ideia de pedir que a deixassem voltar atrás, só um minuto, o tempo de fechar a porta e volto já. Ao rapazinho estrábico ninguém lhe perguntou pela chave da casa, se o pobre menino nem conseguiu ainda lembrar-se de onde mora. Então a mulher do médico tocou levemente na mão da rapariga dos óculos escuros, Começamos pela tua casa, que é a que está mais perto, mas antes precisamos encontrar roupas e sapatos, não podemos andar por aí nesta figura, sujos e rotos. Fez um movimento para se levantar, porém reparou que o rapazinho estrábico, já reconfortado, repleto, voltara a adormecer. Disse, descansemos então, durmamos um pouco, logo mais tarde iremos ver o que nos espera. Despiu a saia molhada, depois, para aquecer-se, chegou-se para o marido, o mesmo fizeram o primeiro cego e a mulher, És tu, perguntara ele, ela lembrava-se da casa e sofria, não disse Consola-me, mas foi como se o tivesse pensado, o que não se sabe é que sentimento terá levado a rapariga dos óculos escuros a pôr um braço sobre o ombro do velho da venda preta, mas o certo é que o fez, e assim ficaram, ela dormindo, mas ele não. O cão foi deitar-se à porta, atravessando--se na passagem, é um animal áspero e intratável quando não tem de enxugar lágrimas.

Vestiram-se e calçaram-se, o que ainda não acharam foi maneira de lavar-se, mas já fazem uma grande diferença dos outros cegos, as cores das roupas, não obstante a relativa escassez da oferta, porque, como se costuma dizer, a fruta está muito escolhida, combinam bem umas com as outras, é a vantagem de ter connosco alguém que nos aconselha, Veste tu isto, que vai melhor com essas calças, as riscas não jogam com as pintas, pormenores assim, aos homens, provavelmente, tanto se lhes daria tambor como caixa de rufo, mas quer a rapariga dos óculos escuros, quer a mulher do primeiro cego, fizeram questão de saber que cores e que padrões levavam postos, desta maneira, com a ajuda da imaginação, poderão ver-se a si mesmas. Quanto ao calçado, todos concordaram que a comodidade deveria passar à frente da beleza, nada de tirinhas e tacões altos, nada de calfes e polimentos, com o estado em que as ruas estão seria um disparate, o que vai bem são umas botas de borracha, totalmente impermeáveis, de cano pelo meio da perna, fáceis de enfiar e desenfiar, não há melhor para andar nos lamaçais. Infelizmente não se encontraram botas deste modelo para todos, o rapazinho estrábico, por exemplo, não havia tamanho que lhe servisse, ficavam-lhe os pés a nadar lá dentro, por isso teve de contentar-se com uns sapatos de desporto sem finalidade definida, Que coincidência, diria a mãe dele, lá onde esteja, a alguém que lhe tivesse ido contar o sucedido, é exatamente o que o meu filho teria escolhido se pudesse ver. O velho da venda preta, que tinha os pés mais para o grande do que para o pequeno, resolveu o problema pondo-se uns sapatos de basquetebol, dos especiais, para jogadores de dois metros e extremidades na proporção. É verdade que vai agora um tanto ridículo, parece que leva umas pantufas brancas, mas estes ridículos são dos que duram pouco, em menos de dez minutos os sapatos já estarão sujíssimos, é como tudo na vida, deem tempo ao tempo, e ele se encarrega de resolver.

Deixou de chover, não há cegos de boca aberta. Andam por aí, não sabem o que hão de fazer, vagueiam pelas ruas, mas nunca por muito tempo, andar ou estar parado vem a dar no mesmo para eles, tirando procurar comida não têm outros objetivos, a música acabou, nunca houve tanto silêncio no mundo, os cinemas e os teatros só servem a quem ficou sem casa e já desistiu de a procurar, algumas salas de espetáculos, as maiores, tinham sido usadas para as quarentenas quando o governo, ou o que dele ia sucessivamente ficando, ainda cria que o mal-branco poderia ser atalhado com instrumentos e truques que de tão pouco tinham servido no passado contra a febre amarela e outros pestíferos contágios, porém isso acabou-se, aqui nem foi preciso um incêndio. Quanto aos museus, é uma autêntica dor de alma, de cortar o coração, toda aquela gente, gente, digo bem, todas aquelas pinturas, todas aquelas esculturas sem terem diante de si uma pessoa a quem olhar. Do que estão os cegos da cidade à espera, não se sabe, estariam à espera da cura se ainda acreditassem nela, mas essa esperança perderam-na quando se tornou público que a cegueira não tinha poupado ninguém, que não ficara uma única vista sã para olhar pela lente de um microscópio, que tinham sido abandonados os laboratórios, onde não restava às bactérias outra solução, se queriam sobreviver, que devorarem-se umas às outras. Ao princípio, muitos dos cegos, acompanhados por parentes por enquanto com vista e espírito de família, ainda acorreram aos hospitais, mas lá só encontraram médicos cegos tomando o pulso a doentes que não viam, auscultando-os por trás e pela frente, que era tudo quanto podiam fazer, para isso ainda tinham os ouvidos. Depois, apertados pela fome, os doentes, os que ainda podiam andar, começaram a fugir dos hospitais, vinham morrer na rua, ao abandono, as famílias, se ainda as tinham, por onde andariam, e depois, para que os enterrassem, não bastava que alguém fosse tropeçar neles por acaso, tinham de começar a cheirar mal, e, mesmo assim, só se tivessem morrido em sítio de passagem. Não admira que os cães sejam tantos, alguns já se parecem com hienas, as malhas do pelo são como as da podridão, correm por aí com os quartos traseiros encolhidos, como se tivessem medo de que os mortos e devorados recobrassem vida para lhes fazerem pagar a vergonha de morderem em quem não se podia defender. Como está o mundo, tinha perguntado o velho da venda preta, e a mulher do médico respondeu, Não há diferença entre o fora e o dentro, entre o cá e o lá, entre os poucos e os muitos, entre o que vivemos e o que teremos de viver, E as pessoas, como vão, perguntou a rapariga dos óculos escuros, Vão como fantasmas, ser fantasma deve ser isto, ter a certeza de que a vida existe, porque quatro sentidos o dizem, e não a poder ver, Há muitos carros por aí, perguntou o primeiro cego, que não pode esquecer que lhe roubaram o seu, É um cemitério. Nem o médico nem a mulher do primeiro cego fizeram perguntas, para quê, se as respostas seriam a condizer com estas. Ao rapazinho estrábico basta-lhe a satisfação de levar calçados os sapatos com que sempre sonhou, nem chega para o entristecer o facto de não poder vê-los. Por esta razão, provavelmente é que não vai como um fantasma. E tão pouco mereceria que lhe chamassem hiena o cão das lágrimas que segue a mulher do médico, não anda ao cheiro de carne morta, acompanha uns olhos que ele bem sabe estarem vivos.

A casa da rapariga dos óculos escuros não está longe, mas a estes esfomeados de uma semana só agora é que as forças começam a voltar-lhes, por isso caminham tão devagar, para descansar não têm outro remédio que sentarem-se no chão, não valeu a pena ter tido tantos cuidados com a escolha das cores e do desenho, se em tão pouco tempo as roupas já estão a ficar imundas. A rua onde mora a rapariga dos óculos escuros, além de curta, é estreita, o que explica que não se encontrem aqui automóveis, passar podia-se, em direção única, mas não ficava espaço para estacionar, estava proibido. Que também não houvesse pessoas, não era de estranhar, em ruas assim não são raros os momentos do dia em que não se vê vivalma, Que número tem o teu prédio, perguntou a mulher do médico, É o sete, moro no segundo esquerdo. Uma das janelas estava aberta, noutro tempo seria sinal quase certo de haver pessoas em casa, agora tudo era duvidoso. Disse a mulher do médico, Não vamos todos, subimos só nós duas, vocês esperem em baixo. Percebia-se que a porta da rua tinha sido forçada, via-se distintamente que o encaixe do trinco estava torcido, uma comprida lasca de madeira separara-se quase por completo do batente. A mulher do médico não falou disto. Deixou seguir à frente a rapariga, ela conhecia o caminho, tanto lhe fazia a penumbra em que a escada estava imersa. Com o nervosismo da pressa, a rapariga dos óculos escuros tropeçou duas vezes, mas achou que o melhor era rir-se de si mesma, Imagina tu, uma escada que eu dantes era capaz de subir e descer de olhos fechados, as frases feitas são assim, não têm sensibilidade para as mil subtilezas do sentido, esta, por exemplo, ignora a diferença entre fechar os olhos e ser cego. No patamar do segundo andar, a porta buscada estava fechada. A rapariga dos óculos escuros deslizou a mão pelo alizar até que encontrou o botão da campainha, Não há luz, lembrou-lhe a mulher do médico, e estas três palavras, que não faziam mais do que repetir o que toda a gente sabia, ouviu-as a rapariga como o anúncio de uma má notícia. Bateu à porta, uma vez, duas vezes, três vezes, a terceira com violência, aos murros, chamava, Mãezinha, paizinho, e ninguém vinha abrir, os diminutivos carinhosos não abalavam a realidade, ninguém lhe veio dizer, Minha querida filha, até que enfim chegaste, já pensávamos que nunca mais te veríamos, entra, entra, e esta senhora é tua amiga, que entre, que entre também, a casa está um bocadinho desarrumada, não repare, a porta continuava fechada, Não está ninguém, disse a rapariga dos óculos escuros, e desatou-se a chorar encostada à porta, a cabeça sobre os antebraços cruzados, como se com todo o corpo estivesse a implorar uma desesperada piedade, não tivéssemos nós aprendido o suficiente do complicado que é o espírito humano, e estranharíamos que queira tanto a seus pais, ao ponto destas demonstrações de dor, uma rapariga de costumes tão livres, embora não esteja longe quem já afirmou que não existe nem existiu nunca qualquer contradição entre isto e aquilo. A mulher do médico quis consolá-la, mas tinha pouco para dizer, sabe-se que permanecerem as pessoas por muito tempo nas suas casas se tornou praticamente impossível, Podemos perguntar aos vizinhos, sugeriu, se há alguns, Sim, vamos perguntar, disse a rapariga dos óculos escuros, mas não havia nenhuma esperança na sua voz. Começaram por bater à porta da casa do outro lado do patamar, donde também ninguém respondeu. No andar de cima as duas portas estavam abertas. As casas tinham sido saqueadas, os armários da roupa estavam vazios, nos lugares de guardar comida não ficara nem sombra dela. Havia sinais de ter passado por ali gente há pouco tempo, certamente um grupo errante, como mais ou menos o eram agora todos, sempre indo de casa em casa, de ausência em ausência.

Desceram ao primeiro andar, a mulher do médico bateu com os nós dos dedos na porta mais próxima, houve um silêncio expectante, depois uma voz rouca perguntou, desconfiada, Quem está aí, a rapariga dos óculos escuros adiantou-se, Sou eu, a vizinha do segundo andar, estou à procura dos meus pais, sabe onde eles estão, que foi que lhes aconteceu, perguntou. Ouviram-se passos arrastados, a porta abriu-se e apareceu uma velha magríssima, só a pele sobre os ossos, esquálida, de enormes cabelos brancos desgrenhados. Uma mistura nauseante de cheiros bafientos e de uma indefinível podridão fez recuar as duas mulheres. A velha arregalava os olhos, tinha-os quase brancos, Não sei nada dos teus pais, vieram buscá-los no dia a seguir a terem-te levado a ti, nessa altura eu ainda via, Há mais alguém no prédio, De vez em quando ouço subir e descer a escada, mas é gente de fora, desses que só dormem, E os meus pais, Já te disse que não sei nada deles, E o seu marido, e o seu filho, e a sua nora, Também os levaram, E a si não, porquê, Porque me tinha escondido, Onde, Imagina, na tua casa, Como é que conseguiu entrar, Pelas traseiras, pela escada de salvação, parti um vidro e abri a porta por dentro, a chave estava na fechadura, E como é que tem podido, desde então, viver sozinha na sua casa, perguntou a mulher do médico, Quem é que há mais aqui, sobressaltou-se a velha virando a cabeça, É uma amiga minha, anda no meu grupo, disse a rapariga dos óculos escuros, E não é só a questão de estar sozinha, a comida, como foi que se arranjou para conseguir comida durante todo este tempo, insistiu a mulher do médico, É que eu não sou parva, cá me vou governando, Se não quiser, não diga, era só uma curiosidade, Digo, digo, o primeiro que fiz foi ir a todas as casas do prédio recolher a comida que houvesse, a que era de estragar comi-a logo, a outra guardei-a, Ainda tem alguma, perguntou a rapariga dos óculos escuros, Não, essa já se acabou, respondeu a velha com uma súbita expressão de desconfiança nos olhos cegos, modo de dizer que nestas situações sempre ocorre empregar, mas que em verdade nada tem de rigoroso, porque os olhos, os olhos propriamente ditos, não têm qualquer expressão, nem mesmo quando foram arrancados, são dois berlindes que estão para ali inertes, as pálpebras, as pestanas, e as sobrancelhas também, é que têm de encarregar-se das diversas eloquências e retóricas visuais, porém a fama têm-na os olhos, Então de que está a viver agora, perguntou a mulher do médico, A morte anda aí pelas ruas, mas nos quintais a vida não acabou, disse a velha misteriosamente, Que quer dizer, Os quintais têm couves, têm coelhos, têm galinhas, também há flores, mas essas não se podem comer, E como faz, É conforme, umas vezes apanho umas couves, outras vezes mato um coelho ou uma galinha, Crus, Ao princípio acendia uma fogueira, depois habituei-me à carne crua, e os talos das couves são doces, fiquem descansadas que de fome não morrerá a filha da minha mãe. Recuou dois passos, quase se sumiu na escuridão da casa, só os olhos brancos brilhavam, e disse de lá, Se quiseres ir à tua casa, entra, dou-te passagem. A rapariga dos óculos escuros ia dizer que não, muito obrigada, não vale a pena, para quê, se os meus pais não estão lá, mas subitamente sentiu o desejo de ver o seu quarto, ver o meu quarto, que estupidez, se estou cega, ao menos passar as mãos pelas paredes, pela colcha da cama, pela almofada onde descansava a minha louca cabeça, pelos móveis, talvez na cómoda ainda esteja a jarra de flores de que se lembrava, se a velha não a atirou ao chão, de raiva de não se poderem comer. Disse, Então, se me dá licença, aproveito o oferecimento, é muita bondade da sua parte, Entra, entra, mas já sabes que comida não vais lá encontrar, e a que eu tenho é pouca para mim, além disso a ti não te serve, não deves gostar de carne crua, Não se preocupe, nós temos comida, Ah, têm comida, nesse caso, em paga do favor, deixem-me ficar alguma, Deixaremos, fique descansada, disse a mulher do médico. Tinham passado já o corredor, o fedor tornara-se insuportável. Na cozinha, mal iluminada pela escassa luz de fora, havia peles de coelho pelo chão, penas de galinha, ossos, e, sobre a mesa, num prato sujo de sangue ressequido, pedaços de carne irreconhecíveis, como se tivessem sido mastigados muitas vezes, E os coelhos, e as galinhas, o que é que comem, perguntou a mulher do médico, Couves, ervas, restos, disse a velha, Restos, de quê, De tudo, até de carne, Não nos diga que as galinhas e os coelhos comem carne, Os coelhos ainda não, mas as galinhas ficam doidas de satisfação, os animais são como as pessoas, acabam por habituar-se a tudo. A velha movia-se com segurança, sem tropeçar, afastou uma cadeira do caminho como se a estivesse a ver, depois apontou a porta que dava para a escada de salvação, Por ali, tenham cuidado, não escorreguem, o corrimão não está muito firme, E a porta, perguntou a rapariga dos óculos escuros, A porta é só empurrar, a chave tenho- -a eu, está por aí, É minha, ia dizer a rapariga, mas no mesmo instante pensou que esta chave não lhe serviria para nada se os pais, ou alguém por eles, tivessem levado consigo as outras, as da frente, não podia estar a pedir a esta vizinha que a deixasse passar de todas as vezes que quisesse entrar e sair. Sentiu um leve aperto no coração, seria porque ia entrar em sua casa, seria por saber que os pais não estariam lá, seria porquê.

A cozinha estava limpa e arrumada, o pó sobre os móveis não era excessivo, outra vantagem do tempo chuvoso, além de ter feito crescer as couves e as ervas, de facto, os quintais, vistos de cima, tinham parecido à mulher do médico selvas em miniatura, Andarão à solta os coelhos, perguntou-se, de certeza que não, continuariam a viver nas coelheiras, à espera da mão cega que lhes traria as folhas de couve e que depois os há de filar pelas orelhas e tirar de lá a espernear, enquanto a outra mão prepara o golpe cego que lhes desnocará as vértebras junto ao crânio. A memória da rapariga dos óculos escuros tinha- -a levado pelo interior da casa, como a velha do andar de baixo também não tropeçou nem duvidou, a cama dos pais estava por fazer, deviam tê-los vindo buscar de madrugada, sentou-se ali a chorar, a mulher do médico veio sentar-se ao lado dela, disse-lhe, Não chores, que outras palavras se podem dizer, as lágrimas que sentido têm quando o mundo perdeu todo o sentido. No quarto da rapariga, sobre a cómoda, havia uma jarra de vidro com flores já secas, a água evaporara-se, foi para lá que as mãos cegas se dirigiram, os dedos roçaram as pétalas mortas, como a vida é frágil, se a abandonam. A mulher do médico abriu a janela, olhou para a rua, lá estavam todos, sentados no chão, pacientemente esperando, o cão das lágrimas foi o único que levantou a cabeça, deu-lhe aviso o subtil ouvido. O céu, outra vez coberto, começava a escurecer, a noite vinha chegando. Pensou que hoje não precisariam de andar à procura de um abrigo para dormirem, ficariam aqui, A velha não vai gostar que lhe passemos todos pela casa, murmurou. Neste momento, a rapariga dos óculos escuros tocava-lhe no ombro, dizia, As chaves estavam postas na fechadura, não as levaram. A dificuldade, se o era, estava portanto resolvida, não teriam de suportar o mau humor da velha do primeiro andar, Vou descer a chamá-los, a noite não tarda, que bom, ao menos hoje podemos dormir numa casa, debaixo do teto duma casa, disse a mulher do médico, Vocês ficam na cama dos meus pais, Veremos depois isso, Aqui quem manda sou eu, estou na minha casa, Tens razão, será como queres, a mulher do médico abraçou a rapariga, depois desceu a buscar a companhia. Pela escada acima, falando animados, de vez em quando tropeçando nos degraus apesar de o guia ter dito, São dez em cada lanço, parecia que vinham de visita. O cão das lágrimas seguia-os tranquilamente, como se fosse coisa de toda a vida. No patamar, a rapariga dos óculos escuros olhava para baixo, é o costume quando sobe alguém, seja para saber de quem se trata, se não é pessoa conhecida, seja para festejar com palavras de acolhimento, se são amigos, neste caso nem era preciso ter olhos para saber quem chegava, Entrem, entrem, ponham-se à vontade. A velha do primeiro andar tinha aparecido a espreitar à porta, julgou que o tropel fosse de um desses bandos que aparecem para dormir, nisto não errava, perguntou, Quem vem lá, e a rapariga dos óculos escuros respondeu de cima, É o meu grupo, a velha ficou confusa, como é que ela tinha podido chegar ao patamar, compreendeu logo a seguir e irritou-se consigo mesma por não se ter lembrado de procurar e recolher as chaves das portas da frente, era como se estivesse a perder os direitos de propriedade de um prédio de que, desde há meses, era única habitante. Não encontrou melhor maneira de compensar a súbita frustração que dizer, abrindo a porta, Olhem que têm de me dar a comida, não se façam esquecidos. E como nem a mulher do médico nem a rapariga dos óculos escuros, uma ocupada em guiar os que chegavam, outra em recebê-los, lhe responderam, gritou destemperada, Ouviram, muito mal fez, porque o cão das lágrimas, que nesse momento exato passava diante dela, saltou a ladrar-lhe furioso, a escada atroava toda com o alarido, foi mão de santo, a velha deu um berro de susto e meteu-se atropeladamente em casa, atirando com a porta, Quem é esta bruxa, perguntou o velho da venda preta, são coisas que se dizem quando não sabemos ter olhos para nós próprios, vivesse ele como ela tem vivido, e queríamos ver quanto lhe durariam os modos civilizados.

Não havia comida senão a que traziam nos sacos, a água tinham de poupá-la até à última gota, e a respeito de iluminação foi muita sorte terem encontrado duas velas no armário da cozinha, ali guardadas para acudir a ocasionais faltas de energia e que a mulher do médico acendeu em seu próprio benefício, os outros não precisavam, já tinham uma luz dentro das cabeças, tão forte que os cegara. Não dispunham os companheiros de mais do que este pouco, e contudo veio a ser uma festa de família, daquelas, raras, onde o que é de cada um, é de todos. Antes de se sentarem à mesa, a rapariga dos óculos escuros e a mulher do médico desceram ao andar de baixo, foram cumprir a promessa, se não seria mais exato dizer que foram satisfazer a exigência, de pagar com comida a passagem por aquela alfândega. A velha recebeu-as queixosa, resmungona, o maldito do cão que só por um milagre a não tinha devorado, Muita comida devem vocês ter para poderem sustentar uma fera assim, insinuou, como se esperasse, por meio deste recriminatório reparo, suscitar nas duas emissárias o que chamamos remorsos de consciência, realmente, diriam uma à outra, não seria humano deixar morrer à fome uma pobre velha enquanto um bruto animal se alimenta à tripa forra. Não voltaram atrás as duas mulheres para irem buscar mais comida, a que lhe levaram já era uma generosa porção, se tivermos em conta as difíceis circunstâncias da vida atual, e assim inesperadamente o entendeu a velha do andar de baixo, no fim das contas menos malvada do que parecia, que foi dentro buscar-lhes a chave das traseiras da casa, dizendo depois para a rapariga dos óculos escuros, Toma, é a tua chave, e, como se isto fosse pouco, ainda murmurou, ao fechar a porta, Muito obrigada. Maravilhadas subiram as duas mulheres, afinal a bruxa tinha sentimentos, Não era má pessoa, ter ficado sozinha é que deve ter-lhe dado cabo do juízo, comentou a rapariga dos óculos escuros sem parecer pensar no que dizia. A mulher do médico não respondeu, decidiu guardar a conversa para mais tarde, e foi quando todos os outros já estavam deitados, e alguns dormindo, sentadas as duas na cozinha como mãe e filha a ganharem forças para o resto dos arranjos da casa, que a mulher do médico perguntou, E tu, que vais fazer agora, Nada, fico aqui, à espera de que os meus pais voltem, Sozinha e cega, À cegueira já me habituei, E à solidão, Terei de habituar-me, a vizinha de baixo também vive só, Queres converter-te naquilo que ela é, alimentar-te de couves e de carne crua, enquanto durarem, nestes prédios por aqui parece não viver mais ninguém, serão duas a odiar-se com medo de que a comida se acabe, cada talo que apanharem estarão a roubá-lo à boca da outra, tu não viste essa pobre mulher, da casa só sentiste o cheiro, digo-te que nem lá onde vivemos era tão repugnante, Mais tarde ou mais cedo todos vamos ser como ela, e depois acabamos, não haverá mais vida, Por enquanto ainda vivemos, Escuta, tu sabes muito mais do que eu, ao pé de ti não passo duma ignorante, mas o que penso é que já estamos mortos, estamos cegos porque estamos mortos, ou então, se preferes que diga isto doutra maneira, estamos mortos porque estamos cegos, dá no mesmo, Eu continuo a ver, Felizmente para ti, felizmente para o teu marido, para mim, para os outros, mas não sabes se continuarás a ver, no caso de vires a cegar tornar-te-ás igual a nós, acabaremos todos como a vizinha de baixo, Hoje é hoje, amanhã será amanhã, é hoje que tenho a responsabilidade, não amanhã, se estiver cega, Responsabilidade de quê, A responsabilidade de ter olhos quando os outros os perderam, Não podes guiar nem dar de comer a todos os cegos do mundo, Deveria, Mas não podes, Ajudarei no que estiver ao meu alcance, Bem sei que o farás, se não fosses tu talvez já não estivesse viva, E agora não quero que morras, Devo ficar, é a minha obrigação, esta é a minha casa, quero que os meus pais me encontrem se voltarem, Se voltarem, tu mesma o disseste, e falta saber se então eles ainda serão os teus pais, Não compreendo, Disseste que a vizinha de baixo tinha sido boa pessoa, Coitada, Coitados dos teus pais, coitada de ti, quando se encontrarem, cegos de olhos e cegos de sentimentos, porque os sentimentos com que temos vivido e que nos fizeram viver como éramos, foi de termos olhos que nasceram, sem olhos os sentimentos vão tornar-se diferentes, não sabemos como, não sabemos quais, tu dizes que estamos mortos porque estamos cegos, aí está, Amas o teu marido, Sim, como a mim mesma, mas se eu cegar, se depois de cegar deixar de ser quem tinha sido, quem serei então para poder continuar a amá-lo, e com que amor, Dantes, quando víamos, também havia cegos, Poucos em comparação, os sentimentos em uso eram os de quem via, portanto os cegos sentiam com os sentimentos alheios, não como cegos que eram, agora, sim, o que está a nascer são os autênticos sentimentos dos cegos, e ainda vamos no princípio, por enquanto ainda vivemos da memória do que sentíamos, não precisas ter olhos para saberes como a vida já é hoje, se a mim me dissessem que um dia mataria tomá-lo-ia como ofensa, e contudo matei, Que queres então que eu faça, Vem comigo, vem para nossa casa, E eles, O que vale para ti, vale para eles, mas é sobretudo a ti que eu quero, Porquê, Eu própria me pergunto porquê, talvez porque te tenhas tornado como minha irmã, talvez porque o meu marido se deitou contigo, Perdoa-me, Não é crime para necessitar perdão, Sugar-te-emos o sangue, seremos como parasitas, Já não faltavam quando víamos, e quanto ao sangue, para alguma coisa há de ele servir, além de sustentar o corpo que o transporta, e agora vamos dormir, que amanhã é outra vida.

Outra vida, ou a mesma. O rapazito estrábico, quando acordou, quis ir à retrete, estava com diarreia, alguma coisa que lhe caiu mal na fraqueza, mas logo se viu que não era possível lá entrar, pelos vistos a velha do andar de baixo tinha andado a servir-se de todas as retretes do prédio até não as poder usar mais, só por um extraordinário acaso nenhum dos sete, ontem, antes de irem deitar-se, precisou de dar satisfação a urgências do baixo-ventre, senão já o saberiam. Agora todos as sentiam, e acima de todos o pobre do rapaz que já não podia segurar-se mais, de facto, por muito que nos custe reconhecê-lo, estas realidades sujas da vida também têm de ser consideradas em qualquer relato, com a tripa em sossego qualquer um tem ideias, discutir, por exemplo, se existe uma relação direta entre os olhos e os sentimentos, ou se o sentido de responsabilidade é a consequência natural de uma boa visão, mas quando a aflição aperta, quando o corpo se nos desmanda de dor e angústia, então é que se vê o animalzinho que somos. O quintal, exclamou a mulher do médico, e tinha razão, se não fosse tão cedo já lá iríamos encontrar a vizinha do andar de baixo, é tempo de deixarmos de chamar-lhe velha, como pejorativamente temos feito, já lá estaria, dizíamos, agachada, rodeada de galinhas, porquê, quem fez a pergunta com certeza não sabe o que são galinhas. Agarrado à barriga, amparado pela mulher do médico, o rapazito estrábico desceu as escadas em ânsias, muito conseguiu ele aguentar até aqui, coitado, não se lhe peça mais, nos últimos degraus já o esfíncter tinha desistido de resistir à pressão interna, imaginem-se as consequências. Entretanto, os outros cinco vinham descendo conforme podiam a escada de salvação, nome a propósito, se algum pudor ainda lhes ficara do tempo que tinham vivido em quarentena, era hora de perdê-lo. Espalhados pelo quintal, gemendo de esforço, sofrendo de um resto de inútil vergonha, fizeram o que tinha de ser feito, também a mulher do médico, mas essa chorava olhando-os, chorava por todos eles, que nem parece que isso podem já, o seu próprio marido, o primeiro cego e a mulher, a rapariga dos óculos escuros, o velho da venda preta, este garoto, via-os acocorados sobre as ervas, entre os caules nodosos das couves, com as galinhas à espreita, o cão das lágrimas também descera, era mais um. Limparam-se como puderam, pouco e mal, a uns punhados de ervas, a uns cacos de tijolo, aonde o braço conseguiu alcançar, em algum caso foi pior a emenda. Tornaram a subir a escada de salvação, calados, a vizinha do primeiro andar não lhes apareceu a perguntar quem eram, donde vinham, para onde iam, estaria ainda a dormir da boa digestão da ceia, e, quando entraram em casa, primeiro não souberam de que falar, depois a rapariga dos óculos escuros disse que não podiam ficar naquele estado, é verdade que não havia água para se lavarem, pena que não estivesse a chover torrencialmente, como ontem tinha chovido, sairiam outra vez ao quintal, mas agora nus e sem vergonha, receberiam na cabeça e nos ombros a água generosa do céu, senti-la-iam escorrer pelo dorso e pelo peito, pelas pernas, poderiam recolhê-la nas mãos enfim limpas e por essa taça dá-la a beber a um sedento, quem fosse não importava, acaso os lábios tocariam levemente a pele antes de encontrarem a água, e, sendo a sede muita, sofregamente iriam recolher no côncavo as últimas gotas, acordando assim, quem sabe, uma outra secura. À rapariga dos óculos escuros, como outras vezes se tem observado, o que a perde é a imaginação, do que havia ela de lembrar-se numa situação como esta, trágica, grotesca, desesperada. Apesar de tudo, não lhe falta um certo sentido prático, a prova foi ter ido abrir o armário do seu quarto, depois o dos pais, trouxe de lá uns quantos lençóis e toalhas, Limpemo--nos a isto, disse, é melhor do que nada, e não há dúvida de que foi uma boa ideia, quando se sentaram para comer sentiam-se outros.

Foi à mesa que a mulher do médico expôs o seu pensamento, Chegou a altura de decidirmos o que devemos fazer, estou convencida de que toda a gente está cega, pelo menos comportavam-se como tal as pessoas que vi até agora, não há água, não há eletricidade, não há abastecimentos de nenhuma espécie, encontramo--nos no caos, o caos autêntico deve de ser isto, Haverá um governo, disse o primeiro cego, Não creio, mas, no caso de o haver, será um governo de cegos a quererem governar cegos, isto é, o nada a pretender organizar o nada, Então não há futuro, disse o velho da venda preta, Não sei se haverá futuro, do que agora se trata é de saber como poderemos viver neste presente, Sem futuro, o presente não serve para nada, é como se não existisse, Pode ser que a humanidade venha a conseguir viver sem olhos, mas então deixará de ser humanidade, o resultado está à vista, qual de nós se considerará ainda tão humano como antes cria ser, eu, por exemplo, matei um homem, Mataste um homem, espantou-se o primeiro cego, Sim, o que mandava do outro lado, espetei-lhe uma tesoura na garganta, Mataste para vingar-nos, para vingar as mulheres tinha de ser uma mulher, disse a rapariga dos óculos escuros, e a vingança, sendo justa, é coisa humana, se a vítima não tiver um direito sobre o carrasco, então não haverá justiça, Nem humanidade, acrescentou a mulher do primeiro cego, Voltemos à questão, disse a mulher do médico, se continuarmos juntos talvez consigamos sobreviver, se nos separarmos seremos engolidos pela massa e destroçados, Disseste que há grupos organizados de cegos, observou o médico, isso significa que estão a ser inventadas maneiras novas de viver, não é forçoso que acabemos destroçados, como prevês, Não sei até que ponto estarão realmente organizados, só os vejo andarem por aí à procura de comida e de sítio para dormir, nada mais, Regressamos à horda primitiva, disse o velho da venda preta, com a diferença de que não somos uns quantos milhares de homens e mulheres numa natureza imensa e intacta, mas milhares de milhões num mundo descarnado e exaurido, E cego, acrescentou a mulher do médico, quando começar a tornar-se difícil encontrar água e comida, o mais certo é que estes grupos se desagreguem, cada pessoa pensará que sozinha poderá sobreviver melhor, não terá de repartir com outros, o que puder apanhar é seu, de ninguém mais, Os grupos que por aí existem devem ter chefes, alguém que mande e organize, lembrou o primeiro cego, Talvez, mas neste caso tão cegos estão os que mandem como os que forem mandados, Tu não estás cega, disse a rapariga dos óculos escuros, por isso tens sido a que manda e organiza, Não mando, organizo o que posso, sou, unicamente, os olhos que vocês deixaram de ter, Uma espécie de chefe natural, um rei com olhos numa terra de cegos, disse o

velho da venda preta, Se assim é, então deixem-se guiar
pelos meus olhos enquanto eles durarem, por isso o que
proponho é que, em lugar de nos dispersarmos, ela nesta casa, vocês na vossa, tu na tua, continuemos a viver
juntos, Podemos ficar aqui, disse a rapariga dos óculos
escuros, A nossa casa é maior, Supondo que não esteja
ocupada, recordou a mulher do primeiro cego, Quando lá chegarmos o saberemos, se assim for voltaremos
para aqui, ou iríamos ver a vossa, ou a tua, acrescentou
dirigindo-se ao velho da venda preta, e ele respondeu,
Não tenho casa minha, vivia sozinho num quarto, Não
tens família, perguntou a rapariga dos óculos escuros, Nenhuma, Nem mulher, nem filhos, nem irmãos,
Ninguém, Se os meus pais não aparecerem, ficarei tão
sozinha como tu, Eu fico contigo, disse o rapazinho estrábico, mas não acrescentou Se a minha mãe não aparecer, não pôs essa condição, estranho comportamento,
ou não será tão estranho assim, a gente nova conforma-
-se rapidamente, têm a vida toda por diante. Que decidem, perguntou a mulher do médico, Vou com vocês,
disse a rapariga dos óculos escuros, só te peço que ao
menos uma vez por semana me acompanhes até aqui,
para o caso de os meus pais terem voltado, Deixas as
chaves com a vizinha de baixo, Não tenho outro remédio, ela não pode levar mais do que já levou, Destruirá,
Depois de eu ter estado aqui, talvez não, Nós também
vamos com vocês, disse o primeiro cego, só gostaría-
mos, o mais cedo que seja possível, de passar pela nossa casa, para saber o que aconteceu, Passaremos, claro
está, Pela minha não vale a pena, já vos disse o que ela
era, Mas virás connosco, Sim, com uma condição, à primeira vista há de parecer escandaloso que alguém ante-
ponha condições a um favor que lhe querem fazer, mas

certos velhos são assim, sobra-lhes em orgulho o que lhes vai faltando em tempo, Que condição é essa, perguntou o médico, Quando estiver a converter-me numa carga insuportável, peço que mo digam, e se, por amizade ou compaixão, decidirem calar-se, espero eu ter ainda suficiente juízo na cabeça para fazer o que devo, E isso que será, pode saber-se, perguntou a rapariga dos óculos escuros, Retirar-me, afastar-me, desaparecer, como os elefantes faziam dantes, ouvi dizer que nos últimos tempos não era assim, nenhum conseguia chegar a velho, Tu não és precisamente um elefante, Também já não sou precisamente um homem, Sobretudo se começares a dar respostas de criança, retorquiu a rapariga dos óculos escuros, e esta conversa ficou por aqui.

Os sacos de plástico vão muito mais leves do que tinham vindo, nem admira, a vizinha do primeiro andar também comeu deles, duas vezes comeu, primeiro ontem à noite, e hoje lhe deixaram mais alguns alimentos quando lhe pediram que ficasse com as chaves e as guardasse até que aparecessem os legítimos donos delas, questão de adoçar-lhe a boca, que do carácter dela já temos suficiente notícia, e isto sem falar do que o cão das lágrimas também tem vindo a comer, só um coração de pedra teria sido capaz de fingir indiferença diante daqueles olhos suplicantes, e a propósito, onde se meteu o cão, não está na casa, pela porta não saiu, só pode estar no quintal, foi a mulher do médico certificar-se, e assim era de facto, o cão das lágrimas estava a devorar uma galinha, tão rápido tinha sido o ataque que nem um sinal de alarme teve tempo de dar, mas se a velha do primeiro andar tivesse olhos e andasse com as galinhas contadas, não se sabe, de raiva, que destino seria o das chaves. Entre a consciência de haver cometido um delito e a perceção de que a criatura humana a quem protegia se ia embora, o cão das lágrimas só duvidou um instante, imediatamente se pôs a escarvar no chão mole, e antes que a velha do primeiro andar assomasse ao patamar da escada de salvação a farejar a fonte dos ruídos que lhe estavam entrando em casa, ficava enterrada a carcaça da galinha, disfarçado o crime, reservado para outra ocasião o remorso. O cão das lágrimas esgueirou-se pela escada acima, roçou como um sopro as saias da velha, que nem se apercebeu do perigo que acabara de passar por ela, e foi pôr-se ao lado da mulher do médico, donde anunciou aos ares a proeza cometida. A velha do primeiro andar, ouvindo ladrar com tamanha ferocidade, temeu, mas sabemos quão demasiado tarde, pela segurança da sua despensa, e gritou esticando o pescoço para cima, Esse cão tem de estar preso, não vá matar-me aí alguma galinha, Fique descansada, respondeu a mulher do médico, o cão não tem fome, já comeu, e nós vamo-nos embora agora mesmo, Agora, repetiu a velha, e houve na sua voz um quebramento como de pena, era como se estivesse a querer ser entendida de um modo muito diferente, por exemplo Vão-me deixar aqui sozinha, porém não pronunciou uma palavra mais, só aquele Agora que nem pedia resposta, os duros de coração também têm os seus desgostos, o desta mulher foi tal que depois não quis abrir a porta para despedir-se dos desagradecidos a quem tinha dado passagem franca pela sua casa. Ouviu-os descer a escada, falavam uns com os outros, diziam, Cuidado, não tropeces, Põe a mão no meu ombro, Segura-te ao corrimão, são palavras de sempre, mas agora mais comuns neste mundo de cegos, o que lhe pareceu estranho foi ouvir uma das mulheres dizer, Aqui está tão escuro que não consigo ver, que a cegueira desta mulher não fosse branca já era, só por si, surpreendente, mas que ela não pudesse ver por estar escuro, que poderia isto significar. Quis pensar, fez força, mas a cabeça esvaída não ajudou, daí a pouco estava a dizer consigo mesma, Ouvi mal, foi o que foi. Na rua, a mulher do médico lembrou-se do que tinha dito, devia dar mais atenção ao seu falar, mover-se como quem tem olhos, podia, Mas as palavras têm de ser de cego, pensou.

Reunidos no passeio, dispôs os companheiros em duas filas de três, na primeira colocou o marido e a rapariga dos óculos escuros, com o rapazinho estrábico ao meio, na segunda fila o velho da venda preta e o primeiro cego, um de cada lado da outra mulher. Queria tê-los a todos perto de si, não na frágil fila indiana do costume, que essa a todo o momento podia romper-se, bastava que se cruzassem no caminho com um grupo mais numeroso ou mais brutal, e seria como no mar um paquete a cortar em duas uma falua que se lhe tivesse metido à frente, conhecem-se as consequências de tais acidentes, naufrágio, destroços, gente afogada, inúteis gritos de socorro na vastidão, o paquete já lá vai adiante, nem se apercebeu do abalroamento, assim aconteceria com estes, um cego aqui, outro além, perdidos nas desordenadas correntes dos outros cegos, como as ondas do mar que não se detêm e não sabem aonde vão, e a mulher do médico sem saber, também ela, a quem deverá acudir primeiro, deitando a mão ao marido, talvez ao rapazinho estrábico, mas perdendo a rapariga dos óculos escuros, os outros dois, o velho da venda preta, muito longe, a caminho do cemitério dos elefantes. O que está a fazer agora é a passar à volta de todos e de si própria uma corda de tiras de pano entrançadas, feita enquanto os outros dormiam, Não se agarrem a ela, disse, agarrem-na, sim, com toda a força que tiverem, não a larguem em caso algum, seja o que for que aconteça. Não deviam caminhar demasiado juntos para não tropeçarem uns nos outros, mas teriam de sentir a proximidade dos seus vizinhos, o contacto se fosse possível, só um deles não precisava preocupar-se com estas novas questões de tática de progressão no terreno, esse era o rapazinho estrábico, que ia no meio, protegido por todos os lados. Nenhum dos nossos cegos se lembrou de perguntar como é que vão navegando os outros grupos, se também andam assim atados, por este ou outros processos, mas a resposta seria fácil, pelo que se tem podido observar, os grupos, em geral, salvo o caso de algum mais coeso por razões que lhe são próprias e que não conhecemos, vão perdendo e ganhando aderentes ao longo do dia, há sempre um cego que se tresmalha e se perde, outro que foi apanhado pela força da gravidade e vai de arrasto, pode ser que o aceitem, pode ser que o expulsem, depende do que traga consigo. A velha do primeiro andar abriu devagar a janela, não quer que se saiba que tem esta fraqueza sentimental, mas da rua não sobe nenhum ruído, já se foram, deixaram este sítio por onde quase ninguém passa, a velha deveria de estar contente, desta maneira não terá de dividir com os outros as suas galinhas e os seus coelhos, deveria de estar e não está, dos olhos cegos saem-lhe duas lágrimas, pela primeira vez perguntou se tinha alguma razão para continuar a viver. Não achou resposta, as respostas não vêm sempre que são precisas, e mesmo sucede muitas vezes que ter de ficar simplesmente à espera delas é a única resposta possível.

Pelo caminho que levavam passariam a dois quarteirões da casa onde o velho da venda preta tinha o seu

quarto de homem só, mas já tinham decidido que segui-
riam adiante, comida não há lá, de roupas não necessita,
os livros não pode lê-los. As ruas estão cheias de cegos
que andam à cata de comida. Entram e saem das lojas, de
mãos vazias entram, de mãos vazias saem quase sempre,
depois discutem entre eles a necessidade ou a vantagem
de deixarem este bairro e irem ao rabisco noutras partes da cidade, o grande problema é que, tal como estão as
coisas, sem água corrente, sem energia elétrica, com as
garrafas de gás vazias, e mais o perigo de fazer fogueiras
dentro das casas, não se pode cozinhar, isto supondo que
saberíamos aonde ir buscar o sal, o azeite, os temperos,
na hipótese de querer preparar uns pratos com alguns
vestígios dos sabores à antiga, que se houvesse hortali-
ças só com uma fervura nos daríamos por satisfeitos, o
mesmo quanto à carne, além dos coelhos e galinhas de
sempre, serviriam os cães e os gatos que se deixassem
apanhar, mas, como a experiência é realmente a mestra
da vida, até estes animais, antes domésticos, aprenderam a desconfiar dos afagos, agora caçam em grupo e em
grupo se defendem de ser caçados, e como graças a Deus
continuam a ter olhos, sabem melhor como esquivar-
-se, e atacar, se é preciso. Todas estas circunstâncias e
razões têm levado a concluir que os melhores alimentos para os humanos são os de conserva, não só porque
em muitos casos já vêm cozinhados, prontos para serem
consumidos, mas também pela facilidade do transporte e comodidade da utilização. É certo que em todas as
latas, frascos e embalagens várias que contêm este tipo
de alimentos se menciona a data a partir da qual o seu
consumo se torna inconveniente, e até, em certos casos,
perigoso, mas a sabedoria popular não tardou em pôr
em circulação um dito de alguma maneira irrespondí-

vel, simétrico de outro que já deixou de se usar, olhos que não veem, coração que não sente, dizia-se, agora os olhos que não veem gozam de um estômago insensível, por isso se comem tantas porcarias por aí. À frente do seu grupo, a mulher do médico dá mentalmente balanço à comida que ainda têm, chegará, se tanto, para uma refeição, sem contar com o cão, mas ele que se governe pelos seus próprios meios, aqueles que tão bem lhe serviram para filar a galinha pelo pescoço e cortar-lhe a voz e a vida. Tem em casa, se bem se recorda, e se ninguém lá entrou, uma quantidade razoável de conservas, o adequado para um casal, mas aqui são sete pessoas a comer, a reserva pouco irá durar, mesmo que lhe seja aplicado um severo racionamento básico. Amanhã, por estes dias, terá de voltar ao armazém subterrâneo do supermercado, terá de resolver se irá sozinha ou pedirá ao marido que a acompanhe, ou ao primeiro cego, que é mais novo e mais ágil, a escolha é entre a possibilidade de recolha de uma maior quantidade de comida e a rapidez da ação, incluindo, não esquecer, as condições da retirada. O lixo nas ruas, que parece ter-se duplicado desde ontem, os excrementos humanos, meio liquefeitos pela chuva violenta os de antes, pastosos ou diarreicos os que estão a ser eliminados agora mesmo por estes homens e estas mulheres enquanto vamos passando, saturam de fedor a atmosfera, como uma névoa densa através da qual só com grande esforço é possível avançar. Numa praça rodeada de árvores, com uma estátua ao centro, uma matilha de cães devora um homem. Devia ter morrido há pouco tempo, os membros não estão rígidos, nota-se quando os cães os sacodem para arrancar ao osso a carne filada pelos dentes. Um corvo saltita à procura de uma aberta para chegar-se também à pitança. A mulher do médico desviou os olhos, mas era tarde de mais, o vómito subiu-lhe irresistível das entranhas, duas vezes, três vezes, como se o seu próprio corpo, ainda vivo, estivesse a ser sacudido por outros cães, a matilha da desesperação absoluta, aqui cheguei, quero morrer aqui. O marido perguntou, Que tens, os outros, unidos pela corda, acercaram-se mais, de súbito assustados, Que aconteceu, Caiu-te mal a comida, Alguma coisa que estava estragada, Eu não sinto nada, Nem eu. Ainda bem para eles, só podiam ouvir a agitação dos bichos, um repentino e insólito crocito de corvo, na confusão um dos cães mordera-o numa asa, de passagem, sem má intenção, então a mulher do médico disse, Não pude evitar, desculpem-me, é que estão aqui uns cães a comer outro cão, Estão a comer o nosso cão, perguntou o rapazinho estrábico, Não, o nosso, como tu dizes, está vivo, anda de volta deles, mas não se aproxima, Depois da galinha que comeu, não deverá ter muita fome, disse o primeiro cego, Já estás melhor, perguntou o médico, Já, vamo-nos embora, E o nosso cão, tornou o rapazinho estrábico a perguntar, O cão não é nosso, só tem andado connosco, provavelmente vai ficar com estes agora, teria andado com eles antes, tornou a encontrar os amigos, Quero fazer caca, Aqui, Estou muito aflito, dói-me a barriga, queixou-se o rapaz. Aliviou-se ali mesmo, como lhe foi possível, a mulher do médico ainda vomitou uma vez, mas as suas razões eram outras. Atravessaram depois a larga praça e, quando chegaram à sombra das árvores, a mulher do médico olhou para trás. Tinham aparecido mais cães, havia já disputa sobre o que restava do corpo. O cão das lágrimas vinha aí, com o focinho rente ao chão como se estivesse a seguir um rasto, questão de costume, porque desta vez o simples olhar bastava para encontrar aquela a quem procura.

A caminhada continuou, a casa do velho da venda preta já ficou para trás, agora seguem por uma extensa avenida, com altos e luxuosos edifícios de um lado e do outro. Os automóveis, aqui, são de preço, amplos e cómodos, por isso se veem tanto cegos a dormir dentro deles, e a julgar pela aparência, uma enorme limusina foi mesmo transformada em residência permanente, provavelmente por ser mais fácil regressar a um carro do que a uma casa, os ocupantes deste devem de fazer como se fazia lá na quarentena para encontrar a cama, ir apalpando e contando os automóveis a partir da esquina, vinte e sete, lado direito, já estou em casa. O edifício à porta do qual a limusina se encontra é um banco. O carro trouxe o presidente do conselho de administração à reunião plenária semanal, a primeira que se realizava desde que se tinha declarado a epidemia de mal-branco, e não houve tempo depois para levá-lo à garagem subterrânea, onde esperaria o fim dos debates. O condutor cegou quando o presidente ia a entrar no edifício, pela porta principal, como gostava, ainda deu um grito, estamos a falar do condutor, mas ele, estamos a falar do presidente, já não o ouviu. Aliás, a reunião não seria tão plenária quanto a sua designação presumia, nos últimos dias tinham cegado alguns dos membros do conselho. O presidente não chegou a abrir a sessão, cuja ordem de trabalhos previa precisamente a discussão e tomada de medidas para o caso de virem a cegar todos os membros do conselho de administração efetivos e suplentes, e nem sequer pôde entrar na sala de reuniões porque quando o ascensor o levava ao décimo quinto andar, exatamente entre o nono e o décimo, faltou a corrente elétrica, para nunca mais. E como uma desgraça nunca vem só, no mesmo instante cegaram os eletricistas que se ocupavam da manutenção da rede interna de energia e consequentemente também do gerador, modelo antigo, não automático, que andava há tempos para ser substituído, o resultado, como antes se disse, foi ter ficado o ascensor parado entre o nono e o décimo andares. O presidente viu cegar o ascensorista que o acompanhava, ele próprio perdeu a vista uma hora depois, e como a energia não voltou e os casos de cegueira dentro do banco se multiplicaram nesse dia, o mais certo é que os dois ainda lá estejam, mortos, escusado será dizê-lo, fechados num túmulo de aço, e por isso felizmente a salvo de cães devoradores.

Não havendo testemunhas, e se as houve não consta que tenham sido chamadas a estes autos para nos relatarem o que se passou, é compreensível que alguém pergunte como foi possível saber que estas coisas sucederam assim e não doutra maneira, a resposta a dar é a de que todos os relatos são como os da criação do universo, ninguém lá esteve, ninguém assistiu, mas toda a gente sabe o que aconteceu. A mulher do médico tinha perguntado, Que se terá passado com os bancos, não era que lhe importasse muito, apesar de ter confiado as suas economias a um deles, fez a pergunta por simples curiosidade, apenas porque o pensou, nada mais, nem esperava que lhe respondessem, por exemplo, assim, No princípio, Deus criou os céus e a terra, a terra era informe e vazia, as trevas cobriam o abismo, e o Espírito de Deus movia-se sobre a superfície das águas, em vez disto o que sucedeu foi o velho da venda preta dizer enquanto seguiam avenida abaixo, Pelo que pude saber quando ainda tinha um olho para ver, no princípio foi o diabo, as pessoas, com o medo de ficarem cegas e desmunidas, correram aos bancos para retirarem os seus dinheiros, achavam que deviam acautelar o futuro, e isto há que compreendê-lo, se alguém sabe que não vai poder trabalhar mais, o único remédio, pelo tempo que elas durarem, é recorrer às economias feitas no tempo da prosperidade e das previsões de largo alcance, supondo que a pessoa tivera de facto a prudência de ir acumulando as poupanças grão a grão, o resultado da fulminante corrida foi terem falido em vinte e quatro horas alguns dos principais bancos, o governo interveio a pedir que se acalmassem os ânimos e a apelar para a consciência cívica dos cidadãos, terminando a proclamação com a declaração solene de que assumiria todas as responsabilidades e deveres decorrentes da situação de calamidade pública que se vivia, mas o parche não conseguiu aliviar a crise, não só porque as pessoas continuavam a cegar, mas também porque as que ainda viam só pensavam em salvar o seu rico dinheiro, por fim, era inevitável, os bancos, falidos ou não, fecharam as portas e pediram proteção policial, não lhes serviu de nada, entre a multidão que se juntava aos gritos diante dos bancos havia também polícias à paisana que reclamavam o que tanto lhes tinha custado a ganhar, alguns, para poderem manifestar-se à vontade, haviam até avisado o comando de que estavam cegos, deram portanto baixa, e os outros, os ainda fardados e ativos, de armas apontadas às massas insatisfeitas, de repente deixavam de ver o ponto de mira, estes, se tinham dinheiro no banco, perdiam todas as esperanças e ainda por cima eram acusados de terem pactuado com o poder estabelecido, mas o pior veio depois, quando os bancos se viram assaltados por hordas furiosas de cegos e não cegos, porém desesperados todos, aqui já não se tratava de apresentar pacificamente no balcão um cheque à cobrança, dizer ao empregado, Quero retirar o meu saldo, mas de deitar a mão ao que se pudesse, ao dinheiro do dia, o que tivesse sido deixado nas gavetas, em algum cofre descuidadamente aberto, num saquinho de trocos à antiga, como os usavam as avós da geração mais velha, não se pode imaginar o que aquilo foi, os grandes e sumptuosos átrios das sedes, as pequenas dependências de bairro, assistiram a cenas em verdade aterradoras, e não há que esquecer o pormenor das caixas automáticas, arrombadas e saqueadas até à última nota, no mostrador de algumas, enigmaticamente, apareceu uma mensagem de agradecimento por ter sido escolhido este banco, as máquinas são de facto estúpidas, se não seria mais exato dizer que estas traíram os seus senhores, enfim, todo o sistema bancário se veio abaixo num sopro, como um castelo de cartas, e não porque a posse do dinheiro tivesse deixado de ser apreciada, a prova está em que quem o tem não o quer largar da mão, alegam esses que não se pode prever o que será o dia de amanhã, também a pensar nisso estarão certamente os cegos que se instalaram nos subterrâneos dos bancos, onde se encontram os cofres-fortes, à espera de um milagre que lhes abra de par em par as pesadas portas de aço-níquel que os separam da riqueza, só saem de lá para procurarem comida e água ou para satisfazerem as outras necessidades do corpo, e logo regressam ao seu posto, têm palavras de passe e sinais de dedos para que nenhum estranho possa introduzir-se no reduto, claro que vivem na escuridão mais absoluta, mas tanto faz, para esta cegueira tudo é branco. O velho da venda preta veio narrando estes tremendos acontecimentos de banca e finança enquanto atravessavam vagarosamente a cidade, com algumas paragens para que o rapazinho estrábico pudesse apaziguar os tumultos insofríveis do intestino, e apesar do tom verídico que soube imprimir à apaixonante descrição, é lícito suspeitar da existência de certos exageros no seu relato, a história dos cegos que vivem nos subterrâneos, por exemplo, como a teria sabido ele se não conhece a palavra de passe nem o truque do polegar, em todo o caso deu para ficarmos com uma ideia.

Declinava o dia quando chegaram enfim à rua onde moram o médico e a mulher. Não se distingue das outras, há imundícies por toda a parte, bandos de cegos que vagam à deriva, e, pela primeira vez, mas foi por mera casualidade que não as encontraram antes, enormes ratazanas, duas, com que não ousam atrever-se os gatos que por aqui andam vadiando, porque são quase do tamanho deles e com certeza muito mais ferozes. O cão das lágrimas olhou uns e outros com a indiferença de quem vive noutra esfera de emoções, isto se diria se não fosse ele o cão que continua a ser, mas um animal dos humanos. À vista dos sítios conhecidos, a mulher do médico não fez a melancólica reflexão do costume, a que consiste em dizer, Como o tempo passa, ainda no outro dia fomos felizes aqui, a ela o que a chocou foi a deceção, inconscientemente acreditara que, por ser a sua, encontraria a rua limpa, varrida, asseada, que os seus vizinhos estariam cegos dos olhos, mas não do entendimento, Que estupidez a minha, disse em voz alta, Porquê, que se passa, perguntou o marido, Nada, fantasias, Como o tempo passa, a casa como estará, disse ele, Já falta pouco para o sabermos. As forças eram escassas, por isso subiram a escada muito devagar, parando em cada patamar, É no quinto, dissera a mulher do médico. Iam como podiam, cada um por si, o cão das lágrimas ora adiante ora atrás, como se tivesse nascido para cão de rebanho, com ordem de não perder nenhuma ovelha. Havia portas abertas, vozes no interior, o nauseabundo cheiro de sempre saindo em baforadas, por duas vezes apareceram cegos no limiar olhando com olhos vagos, Quem vem aí, perguntaram, a mulher do médico reconheceu um deles, o outro não era do prédio, Vivíamos aqui, limitou-se a responder. Na cara do vizinho perpassou uma expressão também de reconhecimento, mas não perguntou, É a esposa do senhor doutor, talvez diga lá dentro quando se recolher, Os do quinto andar voltaram. Ao vencer o último lanço da escada, antes mesmo de pousar o pé no patamar, já a mulher do médico anunciava, Está fechada. Havia indícios de tentativas de arrombamento, mas a porta resistira. O médico meteu a mão num bolso interior do seu casaco novo e tirou as chaves. Ficou com elas no ar, à espera, mas a mulher guiou-lhe suavemente a mão em direção à fechadura.

Tirante o pó doméstico, que se aproveita das ausências das famílias para docemente se pôr a embaciar a superfície dos móveis, diga-se a propósito que são essas as únicas ocasiões que ele tem para descansar, sem agitações de espanador ou de aspirador, sem correrias de crianças que desencadeiam turbilhões atmosféricos à passagem, a casa estava limpa, e desarrumação era só a esperada quando se teve de sair precipitadamente. Ainda assim, enquanto naquele dia esperavam as chamadas do ministério e do hospital, a mulher do médico, com um espírito de previdência semelhante ao que leva as pessoas sensatas a resolverem em vida os seus assuntos, para que não venha a dar-se, depois da morte, a aborrecida necessidade de recorrer a arrumações violentas, lavou a louça, fez a cama, ordenou a casa de banho, não ficou o que se chama uma perfeição, mas na verdade teria sido crueldade exigir-lhe mais, com aquelas mãos a tremer e os olhos afogados de lágrimas. Foi portanto a uma espécie de paraíso que chegaram os sete peregrinos, e tão forte foi esta impressão, a que, sem demasiada ofensa do rigor do termo, poderíamos chamar transcendental, que se detiveram à entrada, como tolhidos pelo inesperado cheiro da casa, e era simplesmente o cheiro duma casa fechada, noutro tempo teríamos corrido a abrir todas as janelas, Para arejar, diríamos, hoje o bom seria tê-las calafetadas para que a podridão de fora não pudesse entrar. A mulher do primeiro cego disse, Vamos sujar-te tudo, e tinha razão, se entrassem com aqueles sapatos cobertos de lama e de merda, em um instante se tornaria o paraíso inferno, segundo lugar este, consoante afirmam autoridades, em que o cheiro pútrido, fétido, nauseabundo, pestilento, é o que mais custa a suportar às almas condenadas, não as tenazes ardentes, os caldeirões de pez a ferver e outros artefactos de forja e cozinha. Desde épocas imemoriais que o costume das donas de casa tinha sido dizer, Entrem, entrem, ora essa, não tem importância, o que se suja limpa-se, mas esta, tanto quanto os seus convidados, sabe donde vem, sabe que no mundo em que vive o que está sujo sujar-se-á ainda mais, por isso lhes pede e agradece que se descalcem no patamar, é certo que os pés também não estão limpos, mas não há comparação, as toalhas e os lençóis da rapariga dos óculos escuros para algo serviram, levaram a maior. Entraram pois descalços, a mulher do médico procurou e encontrou um saco grande de plástico onde meteu todos os sapatos, com vista a uma lavagem, não sabia quando nem como, depois levou-o para a varanda, o ar de fora não piorará por isso. O céu começava a escurecer, havia nuvens carregadas, Quem dera que chovesse, pensou. Com uma ideia clara do que era preciso fazer, voltou aos companheiros. Estavam na sala, quietos, de pé, apesar de tão cansados não se tinham atrevido a procurar um assento, só o médico percorria vagamente os móveis com as mãos, deixava-lhes sinais na superfície, era a primeira limpeza que começava, alguma desta poeira já lá vai agarrada às pontas dos dedos. A mulher do médico disse, Dispam-se todos, não podemos ficar como estamos, as nossas roupas estão quase tão sujas como os sapatos, Despir-nos, perguntou o primeiro cego, aqui, uns diante dos outros, não acho bem, Se quiserem, posso pôr cada um de vocês numa parte da casa, respondeu ironicamente a mulher do médico, assim não haverá vergonhas, Eu dispo-me aqui mesmo, disse a mulher do primeiro cego, só tu é que me podes ver, e ainda que assim não fosse, não me esqueço de que já me viste pior do que nua, o meu marido é que tem a memória fraca, Não sei que interesse possa haver em lembrar assuntos desagradáveis que já lá vão, resmungou o primeiro cego, Se fosses mulher e tivesses estado onde nós estivemos, pensarias doutra maneira, disse a rapariga dos óculos escuros começando a despir o rapazinho estrábico. O médico e o velho da venda preta já estavam nus da cintura para cima, agora desapertavam as calças, o velho da venda preta disse ao médico, que estava ao seu lado, Deixa-me apoiar em ti para desenfiar as pernas. Eram tão ridículos, os pobres, aos pulinhos, que quase davam vontade de chorar. O médico desequilibrou-se, arrastou consigo na queda o velho da venda preta, felizmente ambos tomaram o caso a rir, e agora dava ternura vê-los ali, com os corpos manchados de todas as sujidades possíveis, os sexos como empastados, pelos brancos, pelos negros, nisto veio acabar a respeitabilidade de uma idade avançada e de uma profissão tão meritória. A mulher do médico foi ajudá-los a levantarem-se, daqui a pouco já tudo estará escuro, ninguém terá motivo para se sentir envergonhado, Haverá velas em casa, perguntou-se, a resposta foi lembrar-se de que tinha em casa duas relíquias da iluminação, uma antiga candeia de azeite, com três bicos, e um velho candeeiro de petróleo, dos de chaminé de vidro, por hoje a candeia servirá, azeite tenho, a torcida improvisa-se, amanhã irei à procura de petróleo por essas lojas de drogaria, será muito mais fácil encontrá-lo do que uma lata de conserva, Sobretudo se não a procurar nas drogarias, pensou, surpreendendo-se consigo mesma por, nesta situação, ser ainda capaz de gracejar. A rapariga dos óculos estava a despir-se lentamente, de um modo que dava a ideia de que sempre lhe havia de restar, por mais que se destapasse, uma última peça de roupa encobridora, não se percebe a que vêm agora estes recatos, porém, se a mulher do médico estivesse mais perto veria como à rapariga se lhe está ruborizando o rosto, apesar de o ter tão sujo, entenda as mulheres quem puder, a uma chegaram-lhe de repente os pudores depois de ter andado a deitar-se por aí com homens que mal conhecia, a outra sabemos que seria muito capaz de dizer-lhe ao ouvido, com toda a tranquilidade do mundo, Não tenhas vergonha, ele não te pode ver, referir-se-ia ao seu próprio marido, claro está, que não nos esquecemos de como a descarada o foi tentar à cama, isto, no fundo, mulheres, quem não as conhecer que as compre. Talvez, no entanto, a razão seja outra, há aqui mais dois homens nus, e um deles recebeu-a na sua cama.

A mulher do médico recolheu as roupas deixadas no chão, calças, camisas, um casaco, camisolas, blusões, alguma roupa interior, pegajosa de imundície, a esta nem uma barrela de um mês lhe restituiria a limpeza, fez de tudo um braçado, Fiquem aqui, disse, eu já volto. Levou a roupa para a varanda, como tinha feito com os sapatos, ali por sua vez se despiu, olhando a cidade negra sob o céu pesado. Nem uma pálida luz nas janelas, nem um reflexo desmaiado nas fachadas, o que ali estava não era uma cidade, era uma extensa massa de alcatrão que ao arrefecer se moldara a si mesma em formas de prédios, telhados, chaminés, morto tudo, apagado tudo. O cão das lágrimas apareceu na varanda, desassossegado, mas agora não havia choros para enxugar, o desespero era todo dentro, os olhos estavam secos. A mulher do médico sentiu frio, lembrou-se dos outros, ali no meio da sala, nus, à espera não saberiam de quê. Entrou. Tinham-se tornado em simples contornos sem sexo, manchas imprecisas, sombras a perderem-se na sombra, Mas para eles, não, pensou, eles diluem-se na luz que os rodeia, é a luz que não os deixa ver. Vou acender uma luz, disse, neste momento estou quase tão cega como vocês, Já há eletricidade, perguntou o rapazinho estrábico, Não, vou acender uma candeia de azeite, Que é uma candeia, tornou a perguntar o rapaz, Depois te mostro. Buscou num dos sacos de plástico uma caixa de fósforos, foi à cozinha, sabia onde tinha guardado o azeite, não precisava de muito, rasgou de um pano de secar a louça uma tira para fazer de torcida, depois voltou à sala, onde a candeia estava, ia ser útil pela primeira vez desde que a fabricaram, ao princípio não parecia ir ser este o seu destino, mas nenhum de nós, candeias, cães ou humanos, sabe, ao princípio, tudo para que tinha vindo ao mundo. Uma após outra, sobre os bicos da candeia, atearam-se, trémulas, três pequenas amêndoas luminosas que de vez em quando se estiravam até parecer que a parte superior das chamas iria perder-se no ar, depois recolhiam-se a si mesmas, como que se tornavam densas, sólidas, umas pequenas pedras de luz. A mulher do médico disse, Agora já vejo, vou buscar-vos roupa limpa, Mas nós estamos sujos, lembrou a rapariga dos óculos escuros. Tanto ela como a mulher do primeiro cego tapavam com as mãos o peito e o púbis, Não é por mim, pensou a mulher do médico, é porque a luz da candeia está a olhar para elas. Depois disse, Melhor será ter roupa limpa no corpo sujo do que levar roupa suja no corpo limpo. Pegou na candeia e foi rebuscar nas gavetas das cómodas, nos roupeiros, daí a poucos minutos voltou, trazia pijamas, batas, saias, blusas, vestidos, calças, camisolas, o necessário para cobrir com decência sete pessoas, é verdade que não eram todas da mesma estatura, mas na magreza pareciam gémeas. A mulher do médico ajudou-os a vestirem-se, o rapazinho estrábico ficou com uns calções do médico, desses de levar à praia e ao campo e que nos tornam a todos crianças. Agora já podemos sentar-nos, suspirou a mulher do primeiro cego, guia-nos por favor, não sabemos onde pôr-nos.

A sala é igual a todas as salas, tem uma pequena mesa ao centro, ao redor há sofás que chegam para todos, neste, aqui, sentam-se o médico e a mulher, mais o velho da venda preta, naquele a rapariga dos óculos escuros e o rapazinho estrábico, no outro a mulher do primeiro cego e o primeiro cego. Estão exaustos. O rapazinho adormeceu logo, com a cabeça no colo da rapariga dos óculos escuros, não se lembrou mais da candeia. Passou-se assim uma hora, aquilo era como uma felicidade, sob a luz suavíssima os próprios rostos encardidos pareciam lavados, brilhavam os olhos dos que não dormiam, o primeiro cego procurou a mão da mulher e apertou-a, por este gesto se observa quanto o descanso do corpo pode contribuir para a harmonia dos espíritos. Disse então a mulher do médico, Daqui a pouco comeremos alguma coisa, mas antes conviria que nos puséssemos de acordo sobre a maneira como iremos aqui viver, sosseguem, não vou repetir o discurso do altifalante, para dormir há espaços suficientes, temos dois quartos que ficam para os casais, nesta sala podem dormir os outros, cada um em seu sofá, amanhã terei de sair à procura de comida, está-se a acabar a que temos, seria útil que um de vocês fosse comigo, para me ajudar a trazer, mas também para começarem a aprender os caminhos para casa, a reconhecer as esquinas, um destes dias posso eu adoecer, ou cegar, estou sempre à espera de que aconteça, nesse caso terei de aprender de vocês, outro assunto, para as necessidades estará um balde na varanda, bem sei que não é agradável ir lá fora, com a chuva que tem caído e o frio que faz, em todo o caso é melhor assim do que termos a casa a cheirar mal, não nos esqueçamos do que foi a nossa vida durante o tempo que estivemos internados, descemos todos os degraus da indignidade, todos, até atingirmos a abjeção, embora de maneira diferente pode suceder aqui o mesmo, lá ainda tínhamos a desculpa da abjeção dos de fora, agora não, agora somos todos iguais perante o mal e o bem, por favor, não me perguntem o que é o bem e o que é o mal, sabíamo-lo de cada vez que tivemos de agir no tempo em que a cegueira era uma exceção, o certo e o errado são apenas modos diferentes de entender a nossa relação com os outros, não a que temos com nós próprios, nessa não há que fiar, perdoem-me a preleção moralística, é que vocês não sabem, não o podem saber, o que é ter olhos num mundo de cegos, não sou rainha, não, sou simplesmente a que nasceu para ver o horror, vocês sentem-no, eu sinto-o e vejo-o, e agora ponto final na dissertação, vamos comer. Ninguém fez perguntas, o médico só disse, Se eu voltar a ter olhos, olharei verdadeiramente os olhos dos outros, como se estivesse a ver-lhes a alma, A alma, perguntou o velho da venda preta, Ou o espírito, o nome pouco importa, foi então que, surpreendentemente, se tivermos em conta que se trata de pessoa que não passou por estudos adiantados, a rapariga dos óculos escuros disse, Dentro de nós há uma coisa que não tem nome, essa coisa é o que somos.

A mulher do médico tinha já posto na mesa alguma da pouca comida que restava, depois ajudou-os a sentarem-se, disse, Mastiguem devagar, ajuda a enganar o estômago. O cão das lágrimas não veio pedir comida, estava habituado a jejuar, além disso deve ter pensado que não tinha o direito, depois do banquete da manhã, de tirar um pouco que fosse à boca da mulher que tinha chorado, os outros parecem não ter para ele muita importância. No meio da mesa, a candeia de três bicos esperava que a mulher do médico desse a explicação que havia prometido, aconteceu no fim de comerem, Dá-me cá as tuas mãos, disse ela ao rapazinho estrábico, depois guiou-lhas devagar, ao mesmo tempo que ia dizendo, Isto é a base, redonda, como vês, e isto a coluna que sustenta a parte superior, o depósito do azeite, aqui, cuidado não te queimes, estão os bicos, um, dois, três, deles saem as torcidas, umas tirinhas de pano que chupam o azeite de dentro, chega-se-lhes um fósforo e elas ficam a arder até o azeite se acabar, são umas luzes fraquinhas, mas dá para vermos, Eu não vejo, Um dia hás de ver, nesse dia dou-te a candeia de presente. De que cor é, Nunca viste nenhum objeto de latão, Não sei, não me lembro, que é o latão, O latão é amarelo, Ah. O rapazinho estrábico refletiu um pouco, Agora vai perguntar pela mãe, pensou a mulher do médico, mas enganou-se, o rapaz só disse que queria água,

tinha muita sede, Terás de esperar até amanhã, não temos água em casa, nesse mesmo instante lembrou-se de
que sim havia água, uns cinco litros ou mais de precio-
sa água, o conteúdo intacto do depósito do autoclismo,
não podia ser pior do que a que tinham bebido durante
a quarentena. Cega na escuridão, foi à casa de banho, às
apalpadelas levantou a tampa do autoclismo, não podia
ver se realmente haveria água, havia, disseram-lho os
dedos, buscou um copo, mergulhou-o, com todo o cuidado o encheu, a civilização tinha regressado às primi-
tivas fontes de chafurdo. Quando entrou na sala, todos
continuavam sentados nos seus lugares. A candeia iluminava os rostos que para ela se voltavam, era como se
estivesse a dizer-lhes, Estou aqui, vejam-me, aproveitem, olhem que esta luz não vai durar sempre. A mulher
do médico aproximou o copo dos lábios do rapazinho
estrábico, disse, Aqui tens a água, bebe devagar, devagar, saboreia, um copo de água é uma maravilha, não
falava para ele, não falava para ninguém, simplesmente comunicava ao mundo a maravilha que é um copo de
água. Onde a encontraste, é água da chuva, perguntou
o marido, Não, é do autoclismo, E não tínhamos ainda
um garrafão de água quando nos fomos daqui, perguntou ele de novo, a mulher exclamou, Sim, como foi que
não me lembrei, um garrafão que estava em meio e outro que nem encetado estava, oh que alegria, não bebas,
não bebas mais, isto dizia-o ao rapaz, vamos todos beber
água pura, ponho os nossos melhores copos na mesa e
vamos beber água pura. Agarrou desta vez na candeia e
foi à cozinha, voltou com o garrafão, a luz entrava por
ele, fazia cintilar a joia que tinha dentro. Colocou-o
sobre a mesa, foi buscar os copos, os melhores que tinham, de cristal finíssimo, depois, lentamente, como

se estivesse a oficiar um rito, encheu-os. No fim, disse, Bebamos. As mãos cegas procuraram e encontraram os copos, levantaram-nos tremendo. Bebamos, repetiu a mulher do médico. No centro da mesa, a candeia era como um sol rodeado de astros brilhantes. Quando os copos foram pousados, a rapariga dos óculos escuros e o velho da venda preta estavam a chorar.

Foi uma noite inquieta. Vagos no princípio, imprecisos, os sonhos iam de dormente em dormente, colhiam daqui, colhiam dali, levavam consigo novas memórias, novos segredos, novos desejos, por isso é que os adormecidos suspiravam e murmuravam, Este sonho não é meu, diziam, mas o sonho respondia, Ainda não conheces os teus sonhos, foi desta maneira que a rapariga dos óculos escuros ficou a saber quem era o velho da venda preta que dormia ali a dois passos, desta maneira julgou ele saber quem ela era, apenas julgou, porque não chega serem recíprocos os sonhos para que sejam iguais. Começou a chover quando a madrugada clareava. O vento atirou contra as janelas uma bátega que soou como o estalido de mil chicotes. A mulher do médico acordou, abriu os olhos e murmurou, Como chove, depois tornou a fechá-los, no quarto continuava a ser noite cerrada, podia dormir. Não chegou a estar assim um minuto, despertou abruptamente com a ideia de que tinha algo para fazer, mas sem compreender ainda o que fosse, a chuva estava a dizer-lhe Levanta-te, que quereria a chuva. Devagar, para não acordar o marido, saiu do quarto, atravessou a sala de estar, parou um instante a olhar os que dormiam nos sofás, depois seguiu pelo corredor até à cozinha, sobre esta parte do prédio é que a chuva caía com mais força, empurrada pelo vento. Com a manga da bata que trazia posta limpou a vidraça embaciada da porta e olhou para fora. O céu era, todo ele, uma única nuvem, a chuva desabava em torrentes. No chão da varanda, amontoadas, estavam as roupas sujas que haviam despido, estava o saco de plástico com os sapatos que era preciso lavar. Lavar. O último véu do sono abriu-se subitamente, era isso o que tinha de fazer. Abriu a porta, deu um passo, ato contínuo a chuva encharcou-a da cabeça aos pés, como se estivesse debaixo duma cascata. Tenho de aproveitar esta água, pensou. Tornou a entrar na cozinha e, evitando o mais que podia os ruídos, começou a juntar alguidares, tachos, panelas, tudo o que pudesse recolher um pouco desta chuva que descia do céu em cordas, em cortinas que o vento fazia oscilar, que o vento ia empurrando por cima dos telhados da cidade como uma imensa e rumorosa vassoura. Transportou-os para fora, dispô-los ao longo da varanda, junto à grade, agora teria água para lavar as roupas imundas, os sapatos nojentos, Que não pare, que esta chuva não pare, murmurava enquanto buscava na cozinha os sabões, os detergentes, os esfregões, tudo o que pudesse servir para limpar um pouco, ao menos um pouco, esta sujidade insuportável da alma. Do corpo, disse, como para corrigir o metafísico pensamento, depois acrescentou, É o mesmo. Então, como se só essa tivesse de ser a conclusão inevitável, a conciliação harmónica entre o que tinha dito e o que tinha pensado, despiu de golpe a bata molhada, e, nua, recebendo no corpo, umas vezes a carícia, outras vezes a vergastada da chuva, pôs-se a lavar as roupas, ao mesmo tempo que a si própria. O rumorejar de águas que a rodeava impediu-a de perceber logo que deixara de estar sozinha. Na porta da varanda tinham aparecido a rapariga dos óculos escuros e a mulher do primeiro cego, que pressentimentos, que intuições, que vozes interiores as teriam despertado não se sabe, tão-pouco se sabe como conseguiram elas encontrar o caminho para aqui, não vale a pena procurar agora explicações, as conjeturas são livres. Ajudem-me, disse a mulher do médico quando as viu, Como, se não vemos, perguntou a mulher do primeiro cego, Tirem a roupa que têm vestida, quanta menos tivermos de secar depois, melhor, Mas nós não vemos, repetiu a mulher do primeiro cego, Tanto faz, disse a rapariga dos óculos escuros, faremos o que pudermos, E eu acabarei depois, disse a mulher do médico, limparei o que ainda tiver ficado sujo, e agora ao trabalho, vamos, somos a única mulher com dois olhos e seis mãos que há no mundo. Talvez no prédio em frente, por detrás daquelas janelas fechadas, alguns cegos, homens, mulheres, acordados pela violência das bátegas constantes, com a testa apoiada nas frias vidraças, recobrindo com o bafo da respiração o embaciamento da noite, recordem o tempo em que, assim, tal como estão agora, viam cair a chuva do céu. Não podem imaginar que estão além três mulheres nuas, nuas como vieram ao mundo, parecem loucas, devem de estar loucas, pessoas em seu perfeito juízo não se vão pôr a lavar numa varanda exposta aos reparos da vizinhança, menos ainda naquela figura, que importa que todos estejamos cegos, são coisas que não se devem fazer, meu Deus, como vai escorrendo a chuva por elas abaixo, como desce entre os seios, como se demora e perde na escuridão do púbis, como enfim alaga e rodeia as coxas, talvez tenhamos pensado mal delas injustamente, talvez não sejamos é capazes de ver o que de mais belo e glorioso aconteceu alguma vez na história da cidade, cai do chão da varanda uma toalha de espuma, quem me dera ir com ela, caindo interminavelmente, limpo, purificado, nu. Só Deus nos vê, disse a mulher do

324

primeiro cego, que, apesar dos desenganos e das con-
trariedades, mantém firme a crença de que Deus não é
cego, ao que a mulher do médico respondeu, Nem mesmo ele, o céu está tapado, só eu posso ver-vos, Estou
feia, perguntou a rapariga dos óculos escuros, Estás magra e suja, feia nunca o serás, E eu, perguntou a mulher
do primeiro cego, Suja e magra como ela, não tão bonita,
mas mais do que eu, Tu és bonita, disse a rapariga dos
óculos escuros, Como podes sabê-lo, se nunca me viste,
Sonhei duas vezes contigo, Quando, A segunda foi esta
noite, Estavas a sonhar com a casa porque te sentias segura e tranquila, é natural, depois de tudo por que passamos, no teu sonho eu era a casa, e como, para ver-me,
precisavas de pôr-me uma cara, inventaste-a, Eu também
te vejo bonita, e nunca sonhei contigo, disse a mulher do
primeiro cego, O que só vem demonstrar que a cegueira é
a providência dos feios, Tu não és feia, Não, de facto não
o sou, mas a idade, Quantos anos tens, perguntou a rapariga dos óculos escuros, Vou-me chegando aos cinquenta,
Como a minha mãe, E ela, Ela, quê, Continua a ser bonita,
Já foi mais, É o que acontece a todos nós, sempre fomos
mais alguma vez, Tu nunca foste tanto, disse a mulher do
primeiro cego. As palavras são assim, disfarçam muito,
vão-se juntando umas com as outras, parece que não sabem aonde querem ir, e de repente, por causa de duas ou
três, ou quatro que de repente saem, simples em si mesmas, um pronome pessoal, um advérbio, um verbo, um
adjetivo, e aí temos a comoção a subir irresistível à superfície da pele e dos olhos, a estalar a compostura dos
sentimentos, às vezes são os nervos que não podem
aguentar mais, suportaram muito, suportaram tudo, era
como se levassem uma armadura, diz-se A mulher do
médico tem nervos de aço, e afinal a mulher do médico

está desfeita em lágrimas por obra de um pronome pessoal, de um advérbio, de um verbo, de um adjetivo, meras categorias gramaticais, meros designativos, como o são igualmente as duas mulheres mais, as outras, pronomes indefinidos, também eles chorosos, que se abraçam à da oração completa, três graças nuas sob a chuva que cai. São momentos que não podem durar eternamente, há mais de uma hora que estas mulheres aqui estão, é tempo de sentirem frio, Tenho frio, disse já a rapariga dos óculos escuros. Pela roupa não é possível fazer mais, os sapatos estão limpos da maior, agora é a altura de se lavarem estas mulheres, ensaboam o cabelo e as costas umas às outras, e riem como só riam as meninas que brincavam à cabra-cega no jardim, no tempo em que ainda não eram cegas. O dia amanheceu de todo, o primeiro sol ainda espreitou por cima do ombro do mundo antes de se esconder outra vez por trás das nuvens. Continua a chover, mas com menos força. As lavadeiras entraram na cozinha, secaram-se e esfregaram-se com os toalhões que a mulher do médico foi buscar ao armário da casa de banho, a pele delas cheira a detergente que tresanda, mas assim é a vida, quem não tem cão caça com gato, o sabonete desfez-se num abrir e fechar de olhos, ainda assim nesta casa parece haver de tudo, ou será porque sabem dar bom uso ao que têm, enfim cobriram-se, o paraíso era lá fora, na varanda, a bata da mulher do médico está feita uma sopa, mas ela pôs um vestido de ramagens e flores, deixado de parte há anos, que a tornou na mais bonita das três.

Quando entraram na sala de estar, a mulher do médico viu que o velho da venda preta estava sentado no sofá onde havia dormido. Tinha a cabeça entre as mãos, os dedos enfiados no matagal de cabelos brancos que ainda lhe povoam as fontes e a nuca, e estava imóvel, tenso, como se quisesse reter os pensamentos ou, pelo contrário, impedi-los de continuarem a pensar. Ouviu-as entrar, sabia de onde vinham, o que tinham estado a fazer, como haviam estado nuas, e se sabia tanto não era porque de repente lhe tivesse voltado a visão e ido, pé ante pé, como os outros velhos, espreitar não uma susana no banho, mas três, cego estivera, cego continuava, apenas assomara à porta da cozinha e de lá ouvira o que elas diziam na varanda, os risos, o ruído da chuva e das chapadas de água, respirara o cheiro do sabão, depois voltara para o seu sofá, a pensar que ainda existia vida no mundo, a perguntar se ainda haveria alguma parte dela para si. A mulher do médico disse, As mulheres já estão lavadas, agora é a vez dos homens, e o velho da venda preta perguntou, Ainda chove, Sim, chove, e há água nos alguidares que estão na varanda, Então prefiro lavar-me na casa de banho, dentro da tina, pronunciava a palavra como se estivesse a apresentar a sua certidão de idade, como se explicasse Sou do tempo em que não se dizia banheira, mas tina, e acrescentou, Se não te importas, claro, não quero sujar-te a casa, prometo que não entornarei água para o chão, enfim, farei todo o possível, Nesse caso vou levar-te os alguidares para a casa de banho, Eu ajudo, Posso levá-los sozinha, Tenho de servir para alguma coisa, não estou inválido, Vem, então. Na varanda, a mulher do médico puxou para dentro um alguidar quase cheio de água, Agarra daí, disse ao velho da venda preta guiando-lhe as mãos, Agora, levantaram o alguidar em peso, Ainda bem que vieste ajudar-me, afinal, eu sozinha não poderia, Conheces o ditado, Qual ditado, O trabalho do velho é pouco, mas quem o despreza é louco, Esse ditado não é assim, Bem sei, onde eu disse velho, é menino, onde eu disse despreza, é desdenha, mas os ditados, se quiserem ir dizendo o mesmo por ser preciso continuar a dizê-lo, têm de adaptar-se aos tempos, És um filósofo, Que ideia, só sou um velho. Despejaram o alguidar para a banheira, depois a mulher do médico abriu uma gaveta, lembrava-se de que tinha ainda um sabonete por usar. Pô-lo na mão do velho da venda preta, Vais ficar a cheirar bem, melhor do que nós, gasta à vontade, não te preocupes, faltará comida, mas sabonetes, por esses supermercados, não devem faltar, Obrigado, Tem cuidado, não escorregues, se quiseres chamo o meu marido para que te venha ajudar, Não, prefiro lavar-me sozinho, Como queiras, e tens aqui, repara, dá-me a tua mão, uma máquina de barbear, um pincel, se quiseres rapar essas barbas, Obrigado. A mulher do médico saiu. O velho da venda preta despiu o pijama que lhe tinha calhado em sorte na distribuição das roupas, depois, com muito cuidado, entrou na banheira. A água estava fria e era pouca, não chegava a ter um palmo de profundidade, que diferença entre recebê-la a jorros do céu, rindo, como as três mulheres, e este chapinhar triste. Ajoelhou-se no fundo da banheira, inspirou fundo, com as mãos em concha atirou contra o peito a primeira chapada de água, que quase lhe cortou a respiração. Molhou-se todo rapidamente para não ter tempo de arrepiar-se, depois, por ordem, com método, começou a ensaboar-se, a esfregar-se energicamente partindo dos ombros, braços, peito e abdómen, o púbis, o sexo, o entrepernas, Estou pior que um animal, pensou, depois as coxas magras, até à casca de sujidade que lhe calçava os pés. Deixou ficar a espuma para que a ação de limpeza fosse mais prolongada, disse, Tenho de lavar a cabeça, e levou as mãos atrás para desatar a venda, Também precisas de um banho, desprendeu-a e deixou-a cair na água, agora sentia o corpo quente, molhou e ensaboou o cabelo, era um homem de espuma, branco no meio de uma imensa cegueira branca onde ninguém o poderia encontrar, se o pensou enganava-se, nesse momento sentiu que umas mãos lhe tocavam as costas, que iam recolher-lhe a espuma dos braços, do peito também, e depois lha espalhavam pelo dorso, devagar, como se, não podendo ver o que faziam, mais atenção tivessem de dar ao trabalho. Quis perguntar, Quem és, mas a língua travou-se-lhe, não foi capaz, agora o corpo arrepiava-se, não de frio, as mãos continuavam a lavá-lo suavemente, a mulher não disse Sou a do médico, sou a do primeiro cego, sou a rapariga dos óculos escuros, as mãos acabaram a sua obra, retiraram-se, ouviu-se no silêncio o leve ruído da porta da casa de banho a fechar-se, o velho da venda preta ficou só, ajoelhado na banheira como se estivesse a implorar uma misericórdia qualquer, a tremer, a tremer, Quem teria sido, perguntava-se, a razão dizia-lhe que só poderia ter sido a mulher do médico, ela é a que vê, ela é a que nos tem protegido, cuidado e alimentado, não seria de estranhar que tivesse também esta discreta atenção, era o que a razão lhe dizia, mas ele não acreditava na razão. Continuava a tremer, não sabia se da comoção ou do frio. Procurou a venda no fundo da banheira, esfregou-a com força, espremeu-a, pô-la à volta da cabeça, com ela sentia-se menos nu. Quando entrou na sala de estar, enxuto, cheiroso, a mulher do médico disse, Já temos um homem limpo e barbeado, e depois, no tom de quem acaba de lembrar-se de algo que deveria ter sido feito e não o foi, Ficaste com as costas por lavar, que pena. O velho da venda preta não respondeu, só pensou que tivera razão em não acreditar na razão.

O pouco que havia para comer deram-no ao rapazinho estrábico, os outros teriam de esperar pelo reabastecimento. Havia na despensa umas compotas, uns frutos secos, açúcar, algum resto de bolachas, umas quantas tostadas secas, mas a estas reservas, e outras que se lhes fossem juntando, só recorreriam em caso de necessidade extrema, que a comida do dia a dia, dia a dia teria de ser ganha, se por pouca sorte a expedição regressasse de mãos vazias, então sim, duas bolachas a cada um, com uma colherinha de compota, Há de morango e de pêssego, qual preferem, três meias nozes, um copo de água, o luxo enquanto durar. A mulher do primeiro cego disse que também gostaria de ir ao rebusco da comida, três não eram de mais, mesmo sendo cegos dois deles serviriam para carregar, e além disso, se fosse possível, tendo em conta que não se encontravam tão longe assim, gostaria de ir ver como estaria a sua casa, se tinha sido ocupada, se fora gente conhecida, por exemplo, vizinhos do prédio a quem se lhes tivesse aumentado a família por terem vindo da província uns quantos parentes com a ideia de se salvarem da epidemia de cegueira que atacara a aldeia, é sabido que na cidade há sempre outros recursos. Saíram portanto os três, entrouxados no que em casa sobejara de roupas de vestir, que as outras, as que foram lavadas, vão ter de esperar o bom tempo. O céu continuava coberto, mas não ameaçava chuva. Arrastado pela água, sobretudo nas ruas mais inclinadas, o lixo fora-se juntando em pequenos montes, deixando limpos amplos troços de pavimento. Oxalá a chuva continue, o sol, nesta situação, seria o pior que poderia suceder-nos, disse a mulher do médico, podridão e maus cheiros já cá temos de sobra, Sentimo-los mais porque estamos lavados, disse a mulher do primeiro cego, e o marido concordou, embora suspeitasse de que tinha apanhado um resfriamento com o banho de água fria. Havia multidões de cegos nas ruas, aproveitavam a aberta para procurar alimento e satisfazer por aí as necessidades excretórias a que o pouco comer e o pouco beber ainda obrigavam. Os cães farejavam por toda a parte, escarvavam no lixo, algum levava na boca uma ratazana afogada, caso este raríssimo que só poderá ter explicação na abundância extraordinária das últimas chuvas, apanhou-a a inundação em mau sítio, de nada lhe serviu ser tão boa nadadora. O cão das lágrimas não se misturou com os antigos companheiros de matilha e caça, a sua escolha está feita, mas não é animal para ficar à espera de que o alimentem, já vem a mastigar não se sabe quê, estas montanhas de lixo encerram tesouros inimagináveis, tudo está em buscar, revolver e achar. Que revolver e buscar na memória vão ter também, quando a ocasião se apresentar, o primeiro cego e a mulher, agora que já aprenderam os quatro cantos, não da casa onde vivem, que tem muitos mais, mas da rua onde moram, as quatro esquinas que passarão a servir-lhes de pontos cardeais, aos cegos não lhes interessa saber onde está o oriente ou o ocidente, o norte ou o sul, o que eles querem é que as suas tenteantes mãos lhes digam se vão no bom caminho, antigamente, quando ainda eram poucos, costumavam usar bengalas brancas, o som dos contínuos golpes no chão e nas paredes era como uma espécie de cifra que ia identificando e reconhecendo a rota, mas, nos dias de hoje, sendo cegos todos, uma bengala dessas, no meio do retintim geral, seria pouco menos do que inútil, sem falar que, imerso na sua própria brancura, o cego poderia chegar a duvidar se levaria alguma coisa na mão. Os cães têm, como se sabe, além do que chamamos instinto, outros meios de orientação, é certo que, por serem míopes, não se fiam muito da vista, porém, como levam o nariz bem à frente dos olhos, chegam sempre aonde querem, neste caso, pelo sim pelo não, o cão das lágrimas alçou a perna nos quatro ventos principais, a aragem se encarregará de o guiar até casa se algum dia se perder. Enquanto iam andando, a mulher do médico olhava a um lado e a outro as ruas, à cata de comércios de víveres onde pudesse reabastecer a desfalcada despensa. A razia só não era completa porque em mercearias das antigas ainda se podia encontrar algum feijão ou algum grão-de-bico nas tulhas, são leguminosas que levam muito tempo a cozer, ele é a água, ele é o combustível, por isso o crédito que agora têm é tão escasso. Não era a mulher do médico particularmente dada à mania predicativa dos provérbios, em todo o caso, algo dessas ciências antigas lhe devia ter ficado na lembrança, a prova foi ter enchido de feijões e gravanços dois dos sacos de plástico que levavam, Guarda o que não presta, encontrarás o que é preciso, dissera-lhe uma avó, no fim das contas a água em que os pusesse de molho também serviria para cozê-los, e a que restasse da cozedura teria deixado de ser água para tornar-se caldo. Não é só na natureza que algumas vezes nem tudo se perde e algo se aproveita.

Por que carregavam eles os sacos dos feijões e dos grãos, mais o que iam podendo colher, quando ainda tinham tanto que andar antes de chegarem à rua onde moravam o primeiro cego e sua mulher, que aqui vão, é pergunta que só poderia sair da boca de quem na vida nunca soube o que são faltas. Para casa, nem que seja uma pedra, dissera aquela mesma avó da mulher do médico, só não pensou em acrescentar, Mesmo que seja preciso dar a volta ao mundo, essa era a proeza que eles estavam cometendo agora, iam para casa pelo caminho mais longo. Onde estamos, perguntou o primeiro cego, disse-lho a mulher do médico, para isso tinha olhos, e ele, Foi aqui que ceguei, na esquina onde está o semáforo, É mesmo nessa esquina que nos encontramos, Aqui, Exatamente aqui. Não quero nem lembrar-me do que passei, fechado no carro sem poder ver, as pessoas a berrarem cá fora, e eu desesperado, a gritar que estava cego, até que veio aquele e me levou a casa, Pobre homem, disse a mulher do primeiro cego, nunca mais roubará carros, Tanto nos custa a ideia de que temos de morrer, disse a mulher do médico, que sempre procuramos arranjar desculpas para os mortos, é como se antecipadamente estivéssemos a pedir que nos desculpem quando a nossa vez chegar, Tudo isto me continua a parecer um sonho, disse a mulher do primeiro cego, é como se sonhasse que estou cega, Quando eu estava em casa, à tua espera, também o pensei, disse o marido. Tinham deixado a praça onde o caso sucedera, agora subiam por umas ruas estreitas, labirínticas, a mulher do médico conhece mal estes sítios, mas o primeiro cego não se perde, vai orientando, ela anuncia os nomes das ruas e ele diz, Viramos à esquerda, viramos à direita, finalmente disse, É esta a nossa rua, o prédio está do lado esquerdo, mais ou menos ao meio, Que número tem, perguntou a mulher do médico, ele não se lembrava, Ora esta, então não é que não me lembro, varreu-se-me da cabeça, disse, era um péssimo agoiro, se já nem sequer sabemos onde moramos, o sonho a tomar o lugar da memória, aonde iremos parar por este caminho. Vá lá que desta vez o caso não é grave, felizmente que a mulher do primeiro cego teve a ideia de vir na excursão, aí a temos já a dizer o número do prédio, evitou-se ter de recorrer ao que o primeiro cego estava a gabar-se de ser capaz de conseguir, reconhecer a porta pela magia do tato, como se levasse a varinha de condão da bengalinha, um toque, metal, outro toque, madeira, com mais três ou quatro chegaria ao desenho completo, não tenho dúvidas, é esta. Entraram, a mulher do médico à frente, Qual é o andar, perguntou, Terceiro, respondeu o primeiro cego, não andava com a memória tão afracada quanto havia parecido, umas coisas esquecem, é a vida, outras lembram, por exemplo, recordar-se de quando, já cego, por esta porta tinha entrado, Em que andar mora, perguntou-lhe o homem que ainda não tinha roubado o automóvel, Terceiro, respondeu, a diferença é não estarem agora a subir no elevador, vão pisando os degraus invisíveis duma escada que é ao mesmo tempo escura e luminosa, a falta que faz a eletricidade a quem não é cego, ou a luz do sol, ou um coto de vela, agora os olhos da mulher do médico já tiveram tempo de adaptar-se à penumbra, a meio caminho os que sobem esbarraram com duas mulheres que desciam, cegas dos andares superiores, talvez do terceiro, ninguém fez perguntas, de facto os vizinhos já não são o que dantes eram.

A porta estava fechada. Como vamos fazer, perguntou a mulher do médico, Eu falo, disse o primeiro cego. Bateram uma vez, duas, três vezes, Não há ninguém, disse um destes no preciso momento em que a porta se abria, a demora não era de estranhar, um cego que esteja lá no fundo da casa não pode vir correndo atender a quem chamou, Quem é, deseja alguma coisa, perguntou o homem que apareceu, tinha um ar sério, educado, devia ser pessoa tratável. Disse o primeiro cego, Eu morava nesta casa, Ah, foi a resposta do outro, depois perguntou, Está mais alguém consigo, A minha mulher, e também uma amiga nossa, Como posso saber que esta casa era sua, É fácil, disse a mulher do primeiro cego, digo-lhe tudo quanto há aí dentro. O outro ficou calado uns segundos, depois disse, Entrem. A mulher do médico deixou-se ir atrás, ninguém aqui precisava de um guia. O cego disse, Estou sozinho, os meus foram à procura de comida, provavelmente deveria dizer as minhas, mas não creio que seja próprio, fez uma pausa e acrescentou, Embora pense que tinha obrigação de o saber, Que quer dizer, perguntou a mulher do médico, As minhas de que falava são a minha mulher e as minhas duas filhas, E por que deveria saber se é ou não próprio usar o possessivo no feminino, Sou escritor, supõe-se que devemos saber estas coisas. O primeiro cego sentiu-se lisonjeado, imaginem, um escritor instalado na minha casa, então entrou-lhe uma dúvida, se seria de boa educação perguntar ao outro como se chamava, provavelmente até o conhecia de nome, podia ser, até, que o tivesse lido, ainda estava neste balanço entre a curiosidade e a discrição quando a mulher fez a pergunta direta, Como se chama, Os cegos não precisam de nome, eu sou esta voz que tenho, o resto não é importante, Mas escreveu livros, e esses livros levam o seu nome, disse a mulher do médico, Agora ninguém os pode ler, portanto é como se não existissem. O primeiro cego achou que o rumo da conversa se estava a afastar demasiado da questão que mais lhe interessava, E como foi que veio ter à minha casa, perguntou, Como muitos outros que já não vivem onde viviam, encontrei a minha casa ocupada por pessoas que não quiseram saber de razões, pode-se dizer que fomos atirados pela escada abaixo, É longe a sua casa, Não, Fez mais alguma tentativa para recuperá-la, perguntou a mulher do médico, é frequente agora as pessoas irem de uma casa para outra,

335

Tentei ainda duas vezes, E continuavam lá, Sim. E que pensa fazer depois de saber que esta casa é nossa, quis saber o primeiro cego, vai expulsar-nos como os outros lhe fizeram a si, Não tenho idade nem forças para tal, e, ainda que as tivesse, não creio que fosse capaz de recorrer a processos tão expeditivos como esse, um escritor acaba por ter na vida a paciência de que precisou para escrever, Irá, portanto, deixar-nos a casa, Sim, se não encontrarmos outra solução, Não vejo que outra solução possa ser encontrada. A mulher do médico já adivinhara qual ia ser a resposta do escritor, Você e a sua mulher, como a amiga que vos acompanha, vivem numa casa, suponho, Sim, exatamente em casa dela, Está longe, Não se pode dizer que esteja longe, Então, se mo permitem, tenho uma proposta a fazer-lhes, Diga, Que continuemos como estamos, neste momento ambos temos uma casa onde podemos viver, eu continuarei atento ao que se for passando com a minha, se um dia a encontrar desocupada mudo-me imediatamente para lá, o senhor fará o mesmo, virá aqui com regularidade, e quando a encontrar vazia, muda-se, Não tenho a certeza de que a ideia me agrade, Não esperava que lhe agradasse, mas duvido de que possa ser-lhe mais agradável a única alternativa que resta, Qual é ela, Recuperarem neste mesmo instante a casa que vos pertence, Mas, sendo assim, Exato, sendo assim iremos nós viver por aí, Não, isso nem pensar, interveio a mulher do primeiro cego, deixemos as coisas como estão, a seu tempo se verá, Ocorreu-me agora que ainda há uma outra solução, disse o escritor, E essa, perguntou o primeiro cego, Vivermos nós aqui como vossos hóspedes, a casa daria para todos, Não, disse a mulher do primeiro cego, continuaremos como até agora, a morar com esta nossa amiga, não preciso perguntar-te se estás de acordo, acrescentou

para a mulher do médico, Nem eu responder-te, Fico
obrigado a todos, disse o escritor, na verdade tinha estado todo este tempo à espera de que nos viessem reclamar
a casa, Contentar-se com o que se vai tendo é o mais natural quando se está cego, disse a mulher do médico,
Como foi que viveram desde que principiou a epidemia,
Saímos do internamento há três dias, Ah, são dos que foram postos de quarentena, Sim, Foi duro, Seria dizer
pouco, Horrível, O senhor é escritor, tem, como disse há
pouco, obrigação de conhecer as palavras, portanto sabe
que os adjetivos não nos servem de nada, se uma pessoa
mata outra, por exemplo, seria melhor enunciá-lo assim,
simplesmente, e confiar que o horror do ato, só por si,
fosse tão chocante que nos dispensasse de dizer que foi
horrível, Quer dizer que temos palavras a mais, Quero
dizer que temos sentimentos a menos, Ou temo-los, mas
deixamos de usar as palavras que os expressam, E portanto perdemo-los, Gostaria que me falassem de como
viveram na quarentena, Porquê, Sou escritor, Era preciso ter lá estado, Um escritor é como outra pessoa qualquer, não pode saber tudo nem pode viver tudo, tem de
perguntar e imaginar, Um dia talvez lhe conte como foi
aquilo, poderá depois escrever um livro, Estou a escre-
vê-lo, Como, se está cego, Os cegos também podem escrever, Quer dizer que teve tempo de aprender o alfabeto
braille, Não conheço o alfabeto braille, Como pode escrever, então, perguntou o primeiro cego, Vou mostrar-
-lhes. Levantou-se da cadeira, saiu, passado um minuto
regressou, trazia na mão uma folha de papel e uma esferográfica, É a última página completa que tenho escrita,
Não a podemos ver, disse a mulher do primeiro cego, Eu
também não, disse o escritor, Então como é que pode escrever, perguntou a mulher do médico, olhando a folha

de papel, onde, na meia-luz da sala, se distinguiam as linhas muito apertadas, sobrepostas em um e outro pontos, Pelo tato, respondeu sorrindo o escritor, não é difícil, coloca-se a folha de papel sobre uma superfície um pouco branda, como podem ser, por exemplo, outras folhas de papel, depois é só escrever, Mas, se não vê, disse o primeiro cego, A esferográfica é um bom instrumento de trabalho para escritores cegos, não serve para lhe dar a ler o que tenha escrito, mas serve para saber onde escreveu, basta que vá seguindo com o dedo a depressão da última linha escrita, ir assim andando até à aresta da folha, calcular a distância para a nova linha e continuar, é muito fácil, Noto que as linhas às vezes se sobrepõem, disse a mulher do médico, tomando-lhe delicadamente da mão a folha de papel, Como sabe, Eu vejo, Vê, recuperou a vista, como, quando, perguntou o escritor nervosamente, Suponho que sou a única pessoa que nunca a perdeu, E porquê, que explicação tem para isso, Não tenho nenhuma explicação, provavelmente nem a há, Isso significa que viu tudo o que se tem passado, Vi o que vi, não tive outro remédio, Quantas pessoas estiveram nessa quarentena, Cerca de trezentas, Desde quando, Desde o princípio, só saímos há três dias, como lhe disse, Creio que fui eu o primeiro a cegar, disse o primeiro cego, Deve ter sido horrível, Outra vez essa palavra, disse a mulher do médico, Desculpe-me, de repente parece-me ridículo tudo o que tenho andado a escrever desde que nós cegamos, a minha família e eu, Sobre que é, Sobre o que sofremos, sobre a nossa vida, Cada um deve falar do que sabe, e aquilo que não souber, pergunta, Eu pergunto-lhe a si, E eu lhe responderei, não sei quando, um dia. A mulher do médico tocou com a folha de papel na mão do escritor, Não se importa de me mostrar onde trabalha, o que está a escrever, Pelo contrário, venha comigo, Nós também podemos ir, perguntou a mulher do primeiro cego, A casa é vossa, disse o escritor, eu aqui só estou de passagem. No quarto de dormir havia uma pequena mesa, sobre ela um candeeiro apagado. A luz baça que entrava pela janela deixava ver, à esquerda, umas folhas em branco, outras, à mão direita, escritas, ao centro uma que estava em meio. Havia duas esferográficas novas ao lado do candeeiro. Aqui têm, disse o escritor. A mulher do médico perguntou, Posso, sem esperar a resposta pegou nas folhas escritas, umas vinte seriam, passou os olhos pela caligrafia miúda, pelas linhas que subiam e desciam, pelas palavras inscritas na brancura do papel, gravadas na cegueira, Estou de passagem, dissera o escritor, e estes eram os sinais que ia deixando ao passar. A mulher do médico pôs-lhe a mão no ombro, e ele com as suas duas mãos foi lá buscá-la, levou-a devagar aos lábios, Não se perca, não se deixe perder, disse, e eram palavras inesperadas, enigmáticas, não parecia que viessem a propósito.

Quando regressaram a casa, carregando alimentos bastantes para três dias, a mulher do médico, entremeando com as excitadas ajudas do primeiro cego e da mulher, contou o que se tinha passado. E à noite, como tinha de ser, leu para todos umas quantas páginas de um livro que havia ido buscar à biblioteca. O assunto não interessou ao rapazinho estrábico, que em pouco tempo adormeceu com a cabeça no colo da rapariga dos óculos escuros e os pés sobre as pernas do velho da venda preta.

Passados dois dias o médico disse, Gostava de saber o que se terá passado com o consultório, nesta altura não servimos para nada, nem ele, nem eu, mas talvez as pessoas voltem um dia a ter o uso dos olhos, os aparelhos ainda devem lá estar, à espera, Vamos quando quiseres, disse a mulher, agora mesmo, E podíamos aproveitar a saída para passarmos pela minha casa, se não se importarem, disse a rapariga dos óculos escuros, não é que eu pense que os meus pais tenham voltado, é só por um descargo de consciência, Também iremos à tua casa, disse a mulher do médico. Ninguém mais se quis juntar à expedição de reconhecimento dos domicílios, o primeiro cego e a mulher porque já sabiam com o que podiam contar, o velho da venda preta sabia-o igualmente, embora não pelas mesmas razões, e o rapazinho estrábico porque continuava a não se lembrar do nome da rua onde morara. O tempo estava claro, parecia que as chuvas tinham acabado, e o sol, ainda que pálido, já começava a sentir-se na pele, Não sei como poderemos continuar a viver se o calor apertar, disse o médico, todo este lixo a apodrecer por aí, os animais mortos, talvez mesmo pessoas, deve haver pessoas mortas dentro das casas, o mal é não estarmos organizados, devia haver uma organização em cada prédio, em cada rua, em cada bairro, Um governo, disse a mulher, Uma organização, o corpo também é um sistema organizado, está vivo enquanto se mantém organizado, e a morte não é mais do que o efeito de uma desorganização, E como poderá uma sociedade de cegos organizar-se para que viva, Organizando-se, organizar-se já é, de uma certa maneira, começar a ter olhos, Terás razão, talvez, mas a experiência desta cegueira só nos trouxe morte e miséria, os meus olhos, tal como o teu consultório, não serviram para nada, Graças aos teus olhos é que estamos vivos, disse a rapariga dos óculos escuros, Também o estaríamos se eu fosse cega, o mundo está cheio de cegos vivos, Eu acho que vamos morrer todos, é uma questão de tempo, Morrer sempre foi uma questão de tempo, disse o médico, Mas morrer só porque se está cego, não deve haver pior maneira de morrer, Morremos de doenças, de acidentes, de acasos, E agora morreremos também porque estamos cegos, quero dizer, morreremos de cegueira e de cancro, de cegueira e de tuberculose, de cegueira e de sida, de cegueira e de enfarte, as doenças poderão ser diferentes de pessoa para pessoa, mas o que verdadeiramente agora nos está a matar é a cegueira, Não somos imortais, não podemos escapar à morte, mas ao menos devíamos não ser cegos, disse a mulher do médico, Como, se esta cegueira é concreta e real, disse o médico, Não tenho a certeza, disse a mulher, Nem eu, disse a rapariga dos óculos escuros.

Não tiveram de forçar a porta, abriram-na normalmente, a chave encontrava-se no chaveiro pessoal do médico, que tinha ficado na casa quando foram levados para a quarentena. Aqui é a sala de espera, disse a mulher do médico, A sala onde eu estive, disse a rapariga dos

óculos escuros, o sonho continua, mas não sei que sonho
é, se o sonho de sonhar que estive naquele dia a sonhar
que estou aqui cega, ou o sonho de ter estado sempre
cega e vir sonhando ao consultório para me curar de uma
inflamação dos olhos em que não havia nenhum perigo
de cegueira, A quarentena não foi um sonho, disse a mulher do médico, Isso não foi, não, como não o foi termos
sido violadas, Nem eu ter apunhalado um homem, Leva-
-me ao gabinete, eu posso lá chegar sozinho, mas leva-me
tu, disse o médico. A porta estava aberta. A mulher do
médico disse, Está tudo revolvido, papéis pelo chão, as
gavetas do ficheiro foram levadas, Devem ter sido os do
ministério, para não perderem tempo a procurar, Provavelmente, E os aparelhos, À vista, parecem-me estar
em ordem, Valha-nos isso, ao menos, disse o médico.
Avançou sozinho, com os braços estendidos, tocou a caixa das lentes, o oftalmoscópio, a secretária, depois disse,
dirigindo-se à rapariga dos óculos escuros, Compreendo
o que queres dizer quando falas de estares a viver um sonho. Sentou-se à secretária, pousou as mãos no tampo de
vidro coberto de pó, depois disse, com um sorriso triste
e irónico, como se se dirigisse a alguém que estivesse na
sua frente, Pois não, senhor doutor, tenho muita pena,
mas o seu caso não tem remédio, se quer que lhe dê um
último conselho acolha-se ao dito antigo, tinham razão
os que diziam que a paciência é boa para a vista, Não nos
faças sofrer, disse a mulher, Desculpa-me, desculpa-me
tu também, estamos no lugar onde dantes se faziam os
milagres, agora nem sequer tenho as provas dos meus
poderes mágicos, levaram-nas todas, O único milagre
que podemos fazer será o de continuar a viver, disse a
mulher, amparar a fragilidade da vida um dia após outro
dia, como se fosse ela a cega, a que não sabe para onde

ir, e talvez assim seja, talvez ela realmente não o saiba, entregou-se às nossas mãos depois de nos ter tornado inteligentes, e a isto a trouxemos, Falas como se também tu estivesses cega, disse a rapariga dos óculos escuros, De uma certa maneira, é verdade, estou cega da vossa cegueira, talvez pudesse começar a ver melhor se fôssemos mais os que veem, Temo que sejas como a testemunha que anda à procura do tribunal aonde a convocou não sabe quem e onde terá de declarar não sabe quê, disse o médico, O tempo está-se a acabar, a podridão alastra, as doenças encontram as portas abertas, a água esgota-se, a comida tornou-se veneno, seria esta a minha primeira declaração, disse a mulher do médico, E a segunda, perguntou a rapariga dos óculos escuros, Abramos os olhos, Não podemos, estamos cegos, disse o médico, É uma grande verdade a que diz que o pior cego foi aquele que não quis ver, Mas eu quero ver, disse a rapariga dos óculos escuros, Não será por isso que verás, a única diferença era que deixarias de ser a pior cega, e agora vamo-nos, não há mais que ver aqui, disse o médico.

No caminho para a casa da rapariga dos óculos escuros atravessaram uma grande praça onde havia grupos de cegos que escutavam os discursos doutros cegos, à primeira vista nem uns nem outros pareciam cegos, os que falavam viravam inflamadamente a cara para os que ouviam, os que ouviam viravam atentamente a cara para os que falavam. Proclamava-se ali o fim do mundo, a salvação penitencial, a visão do sétimo dia, o advento do anjo, a colisão cósmica, a extinção do sol, o espírito da tribo, a seiva da mandrágora, o unguento do tigre, a virtude do signo, a disciplina do vento, o perfume da lua, a reivindicação da treva, o poder do esconjuro, a marca do calcanhar, a crucificação da rosa, a pureza da linfa, o sangue do gato preto, a dormência da sombra, a revolta das marés, a lógica da antropofagia, a castração sem dor, a tatuagem divina, a cegueira voluntária, o pensamento convexo, o côncavo, o plano, o vertical, o inclinado, o concentrado, o disperso, o fugido, a ablação das cordas vocais, a morte da palavra, Aqui não há ninguém a falar de organização, disse a mulher do médico ao marido, Talvez a organização seja noutra praça, respondeu ele. Continuaram a andar. Um pouco adiante a mulher do médico disse, Há mais mortos no caminho do que é costume, É a nossa resistência que está a chegar ao fim, o tempo acaba-se, a água esgota-se, as doenças crescem, a comida torna-se veneno, tu o disseste antes, lembrou o médico, Quem sabe se entre estes mortos não estarão os meus pais, disse a rapariga dos óculos escuros, e eu aqui passando ao lado deles, e não os vejo, É um velho costume da humanidade, esse de passar ao lado dos mortos e não os ver, disse a mulher do médico.

A rua onde morara a rapariga dos óculos escuros parecia ainda mais abandonada. À porta do prédio estava o corpo de uma mulher. Morta, meio comida pelos animais vadios, felizmente que o cão das lágrimas hoje não quis vir, seria preciso dissuadi-lo de meter o seu próprio dente nesta carcaça. É a vizinha do primeiro andar, disse a mulher do médico, Quem, onde, perguntou o marido, Aqui mesmo, a vizinha do primeiro andar, o cheiro sente-se, Pobre criatura, disse a rapariga dos óculos escuros, por que terá ela vindo para a rua, se nunca saía, Talvez se tenha apercebido de que a morte estava a chegar, talvez não tenha podido suportar a ideia de ficar sozinha em casa, a apodrecer, disse o médico, E agora não vamos poder entrar, não tenho as chaves, Pode ser que os teus pais tenham voltado, que estejam em casa à tua espera,

disse o médico, Não acredito, Tens razão em não acredi-
tares, disse a mulher do médico, as chaves estão aqui. No
côncavo da mão morta, meio aberta, pousada no chão,
apareciam, brilhantes, luminosas, umas chaves. Talvez
sejam as dela, disse a rapariga dos óculos escuros, Não
creio, não tinha nenhum motivo para trazer as suas chaves aonde pensava ir morrer, Mas eu, estando cega, não
as poderia ver, se foi essa a ideia dela, devolver-mas, para
que eu pudesse entrar em casa, Não sabemos que pensamentos foram os seus quando decidiu trazer as chaves
consigo, talvez tenha imaginado que tu virias a recuperar a
vista, talvez tenha desconfiado de que houve algo de pouco
natural, de demasiado fácil, na maneira como nos move-
mos quando cá estivemos, talvez me tenha ouvido dizer
que a escada estava escura, que mal se podia ver, que eu
mal a podia ver, ou então nada disto, delírio, demência, foi
como se, com a razão perdida, lhe tivesse entrado a ideia
fixa de te entregar as chaves, a única coisa que sabemos é
que a vida se lhe acabou ao pôr o pé fora da porta. A mulher
do médico recolheu as chaves, entregou-as à rapariga dos
óculos escuros, depois perguntou, E agora que fazemos,
vamos deixá-la aqui, Não podemos enterrá-la na rua,
não temos com que levantar as pedras, disse o médico,
Há o quintal, Será preciso subi-la até ao segundo andar e
depois descê-la pela escada de salvação, É a única forma,
Teremos forças para tanto, perguntou a rapariga dos óculos escuros, A questão não é se teremos ou não teremos
forças, a questão é se iremos permitir-nos a nós próprios
deixar aqui esta mulher, Isso não, disse o médico, Então as forças hão de arranjar-se. De facto, arranjaram-
-se, mas foi o cabo dos trabalhos transportar o cadáver
degraus acima, e não pelo que pesasse, já pouco de natureza, e agora ainda menos, depois do que dele se tinham

beneficiado os cães e os gatos, mas porque o corpo estava rígido, inteiriçado, custava a dar-lhe a volta nas curvas da estreita escada, para uma ascensão tão curta tiveram de descansar quatro vezes. Nem o ruído, nem as vozes, nem o cheiro de decomposição fizeram aparecer nos patamares outros habitantes do prédio, Era o que eu pensava, os meus pais não estão cá, disse a rapariga dos óculos escuros. Quando enfim chegaram à porta, estavam exaustos, e ainda lhes faltava atravessar a casa para o lado de trás, descer a escada de salvação, mas aí, com a ajuda dos santos, que sendo para baixo acodem todos, já melhor se levou o carrego, as voltas eram boas de dar por ser a escada a céu aberto, só houve que ter cuidado em não deixar escapar das mãos o corpo da pobre criatura, o trambolhão deixá-la-ia sem conserto, sem falar das dores, que depois da morte são piores.

O quintal estava como uma selva jamais explorada, as últimas chuvas tinham feito crescer abundantemente a erva e as plantas bravas trazidas pelo vento, não faltaria comida fresca aos coelhos que andavam por ali aos saltos, as galinhas governam-se mesmo em regime seco. Estavam sentados no chão, ofegantes, o esforço deixara-os arrasados, ali ao lado o cadáver descansava como eles, protegido pela mulher do médico, que ia enxotando as galinhas e os coelhos, eles só curiosos, de nariz a tremer, elas já de bico em baioneta, dispostas a tudo. Disse a mulher do médico, Antes de ter saído para a rua, lembrou-se de abrir a porta da coelheira, não quis que os coelhos morressem de fome, É bem certo que o difícil não é viver com as pessoas, o difícil é compreendê-las, disse o médico. A rapariga dos óculos escuros limpava as mãos sujas a um punhado de ervas que arrancara, a culpa era sua, tinha agarrado o cadáver por onde não deveria, é o que faz andar sem olhos. Disse o médico, Do que precisamos é de uma enxada, ou de uma pá, aqui se pode observar como o autêntico eterno retorno é o das palavras, agora regressaram estas, ditas pelas mesmas razões, primeiro foi o homem que roubou o automóvel, agora vai ser a velha que restituiu as chaves, depois de enterrados não se notarão as diferenças, salvo se as tiver guardado alguma memória. A mulher do médico subira a casa da rapariga dos óculos escuros para ir buscar um lençol limpo, teve de escolher entre os que se encontravam menos sujos, quando desceu era a festa das galinhas, os coelhos só remoíam a erva fresca. Coberto e envolvido o cadáver, a mulher foi à procura da pá ou enxada. Encontrou ambas num casinhoto onde havia outras ferramentas. Eu trato disto, disse, a terra está húmida, cava-se bem, vocês descansem. Escolheu um sítio onde não houvesse raízes, daquelas que é preciso cortar com golpes sucessivos da enxada, e não se julgue que se trata de uma tarefa fácil, as raízes têm manha, sabem aproveitar-se da moleza da terra para se esquivarem à pancada e amortecerem o efeito mortífero da guilhotina. Nem a mulher do médico, nem o marido, nem a rapariga dos óculos escuros, ela por estar entregue ao seu trabalho, eles por não lhes servirem de nada os olhos, deram pelo aparecimento dos cegos nas varandas circundantes, não muitos, não em todas, devia tê-los atraído o ruído da enxada, mesmo estando a terra mole é inevitável, sem esquecer que há sempre uma pequena pedra escondida que responde sonoramente ao golpe. Eram homens e mulheres que pareciam fluidos como espetros, podiam ser fantasmas assistindo por curiosidade a um enterro, apenas para recordarem como tinha sido no seu caso. A mulher do médico viu-

-os, enfim, quando, terminada a cova, aprumou os rins doloridos e levou o antebraço à fronte para enxugar o suor. Então, levada por um impulso irresistível, sem o ter pensado antes, gritou para aqueles cegos e para todos os cegos do mundo, Ressurgirá, note-se que não disse Ressuscitará, o caso não era para tanto, embora o dicionário esteja aí para afirmar, prometer ou insinuar que se trata de perfeitos e exatos sinónimos. Os cegos assustaram-se e meteram-se para dentro das casas, não percebiam por que fora dita uma tal palavra, além disso não deviam estar preparados para uma revelação destas, via-se que não eram frequentadores da praça dos anunciamentos mágicos, a cuja relação, para ficar completa, só tinha faltado acrescentar a cabeça do louva-a-deus e o suicídio do lacrau. O médico perguntou, Por que disseste ressurgirá, para quem falavas, Para uns cegos que apareceram aí nas varandas, assustei-me e devo tê-los assustado, E porquê essa palavra, Não sei, apareceu-me na cabeça e disse-a, Só te falta ires pregar à praça por onde passamos, Sim, um sermão sobre o dente do coelho e o bico da galinha, vem ajudar-me agora, por aqui, isso mesmo, pega-lhe pelos pés, eu levanto-a deste lado, cuidado, não me resvales tu para dentro da cova, isso, assim, baixa-a devagarinho, mais, mais, fiz a cova um pouco funda por causa das galinhas, quando se põem a esgaravatar nunca se sabe aonde podem chegar, já está. Serviu-se da pá para encher a cova, calcou bem a terra, compôs o montículo que sempre sobra da terra que voltou à terra, como se nunca tivesse feito outra coisa na vida. Finalmente, arrancou uma rama da roseira que crescia num canto do quintal e foi plantá-la na base do moimento, do lado da cabeça. Ressurgirá, perguntou a rapariga dos óculos escuros, Ela, não, respondeu a mulher do médico, mais necessidade teriam os que estão vivos de ressurgir de si mesmos, e não o fazem, Já estamos meio mortos, disse o médico, Ainda estamos meio vivos, respondeu a mulher. Foi guardar no casinhoto a pá e a enxada, passou uma vista de olhos pelo quintal para certificar-se de que tudo ficava em ordem, Que ordem, perguntou a si mesma, e a si mesma deu a resposta, A ordem que quer os mortos no seu lugar de mortos e os vivos no seu lugar de vivos, enquanto as galinhas e os coelhos alimentam uns e se alimentam de outros, Gostaria de deixar um sinal qualquer aos meus pais, disse a rapariga dos óculos, só para saberem que estou viva, Não quero tirar-te as ilusões, disse o médico, mas primeiro teriam eles de encontrar a casa, e isso é pouco provável, pensa que nunca conseguiríamos aqui chegar se não tivéssemos quem nos guiasse, Tem razão, e eu nem sequer sei se eles ainda estão vivos, mas, se não lhes deixo um sinal, qualquer coisa, sentir-me-ei como se os tivesse abandonado, Que há de ser, então, perguntou a mulher do médico, Algo que eles possam reconhecer pelo tato, disse a rapariga dos óculos escuros, o mau é que já não levo nada dos outros tempos no corpo. A mulher do médico olhava-a, ela estava sentada no primeiro degrau da escada de salvação, com as mãos abandonadas sobre os joelhos, angustiado o formoso rosto, os cabelos espalhados pelos ombros, Já sei que sinal lhes vais deixar, disse. Subiu rapidamente a escada, tornou a entrar na casa e voltou com uma tesoura e um pedaço de cordel, Que ideia é a tua, perguntou a rapariga dos óculos escuros, inquieta, ao sentir o rangido da tesoura a cortar-lhe o cabelo, Se os teus pais voltarem, encontrarão dependurada no puxador da porta uma madeixa, de quem poderia ela ser senão da filha, perguntou a mulher do médico, Dás-me vontade de chorar, disse a rapariga dos óculos escuros, e tão depressa o disse como o fez, com a cabeça descaída sobre os braços cruzados nos joelhos desafogou as suas mágoas, a saudade, a comoção pela lembrança que tivera a mulher do médico, depois percebeu, sem saber por que caminhos do sentimento lá tinha chegado, que também estava a chorar pela velha do primeiro andar, a comedora de carne crua, a bruxa horrível, a que com a sua mão morta lhe havia restituído as chaves da sua casa. E então a mulher do médico disse, Que tempos estes, já vemos invertida a ordem das coisas, um símbolo que quase sempre foi de morte a tornar-se em sinal de vida, Há mãos capazes desses e de outros maiores prodígios, disse o médico, Necessidade pode muito, meu querido, disse a mulher, e agora chega de filosofias e taumaturgias, dêmo-nos as mãos e vamos à vida. Foi a própria rapariga dos óculos escuros quem pendurou no puxador a madeixa de cabelo, Crês que os meus pais darão por ela, perguntou, O puxador da porta é a mão estendida de uma casa, respondeu a mulher do médico, e com esta frase de efeito, assim se diria, deram a visita por terminada.

Nessa noite houve novamente leitura e audição, não tinham outra maneira de se distraírem, lástima que o médico não fosse, por exemplo, violinista amador, que doces serenatas poderiam então ouvir-se neste quinto andar, os vizinhos invejosos diriam, Aqueles, ou lhes corre bem a vida, ou são uns inconscientes e julgam poder fugir à desgraça rindo-se da desgraça dos mais. Agora não há outra música senão a das palavras, e essas, sobretudo as que estão nos livros, são discretas, ainda que a curiosidade trouxesse a escutar à porta alguém do prédio, não ouviria mais do que um murmúrio solitário, este longo fio de som que poderá infinitamente prolongar-se, porque os livros do mundo, todos juntos, são como dizem que é o universo, infinitos. Quando a leitura terminou, noite dentro, o velho da venda preta disse, A isto estamos reduzidos, a ouvir ler, Eu não me queixo, poderia ficar assim para sempre, disse a rapariga dos óculos escuros, Nem eu me estou a queixar, só digo que apenas servimos para isto, para ouvir ler a história de uma humanidade que antes de nós existiu, aproveitamos o acaso de haver aqui ainda uns olhos lúcidos, os últimos que restam, se um dia eles se apagarem, não quero nem pensar, então o fio que nos une a essa humanidade partir-se-á, será como se estivéssemos a afastar-nos uns dos outros no espaço, para sempre, e tão cegos eles como nós, Enquanto puder, disse a rapariga dos óculos escuros, manterei a esperança, a esperança de vir a encontrar os meus pais, a esperança de que a mãe deste rapaz apareça, Esqueceste-te de falar da esperança de todos, Qual, A de recuperar a vista, Há esperanças que é loucura ter, Pois eu digo-te que se não fossem essas já eu teria desistido da vida, Dá-me um exemplo, Voltar a ver, Esse já conhecemos, dá-me outro, Não dou, Porquê, Não te interessa, E como sabes que não me interessa, que julgas tu conhecer de mim para decidires, por tua conta, o que me interessa e o que não me interessa, Não te zangues, não tive intenção de magoar-te, Os homens são todos iguais, pensam que basta ter nascido de uma barriga de mulher para saber tudo de mulheres, Eu de mulheres sei pouco, de ti nada, e quanto a homem, para mim, ao tempo que isso vai, agora sou um velho, e zarolho, além de cego, Não tens mais nada para dizeres contra ti, Muito mais, nem tu imaginas quanto a lista negra das autorrecriminações vai crescendo à medida que os anos passam, Nova sou eu, e já estou bem servida, Ainda não fizeste nada de verdadeiramente mau, Como podes sabê-lo, se nunca viveste comigo, Sim, nunca vivi contigo, Por que repetiste nesse tom as minhas palavras, Que tom, Esse, Só disse que nunca vivi contigo, O tom, o tom, não finjas que não compreendes, Não insistas, peço-te, Insisto, preciso saber, Voltamos às esperanças, Pois voltemos, O outro exemplo de esperança que me recusei a dar era esse, Esse, qual, A última autorrecriminação da minha lista, Explica-te, por favor, não entendo de charadas, O monstruoso desejo de que não venhamos a recuperar a vista, Porquê, Para continuarmos a viver assim, Queres dizer, todos juntos, ou tu comigo, Não me obrigues a responder, Se fosses só um homem poderias fugir à resposta, como todos fazem, mas tu mesmo disseste que és um velho, e um velho, se ter vivido tanto tem algum sentido, não deveria virar a cara à verdade, responde, Eu contigo, E por que queres tu viver comigo, Esperas que o diga diante de todos eles, Fizemos uns diante dos outros as coisas mais sujas, mais feias, mais repugnantes, com certeza não é pior o que tens para dizer-me, Já que o queres, então seja, porque o homem que eu ainda sou gosta da mulher que tu és, Custou assim tanto a fazer a declaração de amor, Na minha idade, o ridículo mete medo, Não foste ridículo, Esqueçamos isto, peço-te, Não tenciono esquecer nem deixar que esqueças, É um disparate, obrigaste-me a falar, e agora, E agora é a minha vez, Não digas nada de que te possas arrepender, lembra-te da lista negra, Se eu estiver a ser sincera hoje, que importa que tenha de arrepender-me amanhã, Cala-te, Tu queres viver comigo e eu quero viver contigo, Estás doida, Passaremos a viver juntos aqui, como um casal, e juntos continuaremos a viver se tivermos de nos separar dos nossos amigos, dois cegos devem poder ver mais do que um, É uma loucura, tu não gostas de mim, Que é isso de gostar, eu nunca gostei de ninguém, só me deitei com homens, Estás a dar-me razão, Não estou, Falaste de sinceridade, responde-me então se é mesmo verdade gostares de mim, Gosto o suficiente para querer estar contigo, e isto é a primeira vez que o digo a alguém, Também não mo dirias a mim se me tivesses encontrado antes por aí, um homem de idade, meio calvo, de cabelos brancos, com uma pala num olho e uma catarata no outro, A mulher que eu então era não o diria, reconheço, quem o disse foi a mulher que sou hoje, Veremos então o que terá para dizer a mulher que serás amanhã, Pões-me à prova, Que ideia, quem seria eu para pôr-te à prova, a vida é que decide essas coisas, Uma já ela decidiu.

Tiveram esta conversa frente a frente, os olhos cegos de um fitos nos olhos cegos do outro, os rostos encendidos e veementes, e quando, por tê-lo dito um deles e por o quererem os dois, concordaram que a vida tinha decidido que passassem a viver juntos, a rapariga dos óculos escuros estendeu as mãos, simplesmente para as dar, não para saber por onde ia, tocou as mãos do velho da venda preta, que a atraiu suavemente para si, e assim ficaram sentados os dois, juntos, não era a primeira vez, claro está, mas agora tinham sido ditas as palavras de recebimento. Nenhum dos outros fez comentários, nenhum deu parabéns, nenhum exprimiu votos de felicidade eterna, em verdade o tempo não está para festejos e ilusões, e quando as decisões são tão graves como esta parece ter sido, não surpreenderia até que alguém tivesse pensado que é preciso ser-se cego para comportar-se desta maneira, o silêncio ainda é o me-

354

lhor aplauso. O que a mulher do médico fez foi estender no corredor uns quantos coxins dos sofás, suficientes para improvisar comodamente uma cama, depois levou para lá o rapazinho estrábico e disse-lhe, A partir de hoje passas a dormir aqui. Quanto ao que aconteceu na sala, tudo indica que nesta primeira noite terá ficado finalmente esclarecido o caso da mão misteriosa que lavou as costas do velho da venda preta naquela manhã em que correram tantas águas, todas elas lustrais.

No dia seguinte, ainda deitados, a mulher do médico disse ao marido, Temos pouca comida em casa, vai ser preciso dar uma volta, lembrei-me de ir hoje ao armazém subterrâneo do supermercado, aquele onde estive no primeiro dia, se até agora ninguém deu com ele poderemos abastecer-nos para uma ou duas semanas, Vou contigo, e dizemos a um ou dois deles que venham também, Prefiro que sejamos só nós, é mais fácil, e não haverá perigo de nos perdermos, Até quando conseguirás aguentar a carga de seis pessoas que não se podem valer, Aguentarei enquanto puder, mas é verdade que as forças já me estão a faltar, às vezes dou por mim a querer ser cega para tornar-me igual aos outros, para não ter mais obrigações do que eles, Habituamo-nos a depender de ti, se nos faltasses seria o mesmo que se nos tivesse atingido uma segunda cegueira, graças aos olhos que tens conseguimos ser um pouco menos cegos, Irei até onde for capaz, não posso prometer mais, Um dia, quando compreendermos que nada de bom e útil podemos já fazer pelo mundo, deveríamos ter a coragem de sair simplesmente da vida, como ele disse, Ele, quem, O afortunado de ontem, Tenho a certeza de que hoje não o diria, não há nada melhor para fazer mudar de opinião do que uma sólida esperança, Já

lá a tem, oxalá lhe dure, Há na tua voz um tom que parece de contrariedade, Contrariedade, porquê, Como se tivessem levado algo que te pertencesse, Referes-te ao que
aconteceu com a rapariga quando estivemos naquele lugar horrível, Sim, Lembra-te de que foi ela quem veio ter
comigo, A memória engana-te, tu é que foste ter com ela,
Tens a certeza, Não estava cega, Pois eu estaria disposto a
jurar que, Jurarias falso, É estranho como a memória pode
enganar-nos assim, Neste caso é fácil de perceber, mais
nos pertence o que veio oferecer-se a nós do que aquilo
que tivemos de conquistar, Nem ela me procurou depois,
nem eu a procurei mais, Querendo, encontram-se na memória, para isso serve, Tens ciúmes, Não, não tenho ciúmes, nem mesmo os tive naquele dia, o que senti foi pena
dela e de ti, e também de mim porque não vos podia valer,
Como estamos de água, Mal. Depois da menos que frugal
refeição da manhã, amenizada enfim por algumas alusões
discretas e sorridentes aos acontecimentos da noite passada, convenientemente vigiadas as palavras pelo recato
devido à presença de um menor, vão cuidado este, se nos
lembrarmos das escandalosas cenas de que foi testemunha presencial na quarentena, saíram a mulher do médico e o marido para o trabalho, acompanhados desta vez
pelo cão das lágrimas, que não quis ficar em casa.

O aspeto das ruas piorava a cada hora que ia passando. O lixo parecia multiplicar-se durante as horas noturnas, era como se do exterior, de algum país desconhecido
onde ainda houvesse uma vida normal, viessem pela calada despejar aqui os contentores, não fosse estarmos em
terra de cegos veríamos avançar pelo meio desta branca
escuridão as carroças e os camiões fantasmas carregados
de detritos, sobras, destroços, depósitos químicos, cinzas,
óleos queimados, ossos, garrafas, vísceras, pilhas cansa-

das, plásticos, montanhas de papel, só não nos trazem restos de comida, nem sequer umas cascas de frutos com que pudéssemos ir enganando a fome, à espera daqueles dias melhores que sempre estão para chegar. A manhã vai ainda no princípio, mas o calor já se sente. O mau cheiro desprende-se da imensa lixeira como uma nuvem de gás tóxico, Não tarda que apareçam por aí umas quantas epidemias, voltou a dizer o médico, não escapará ninguém, estamos completamente indefesos, De um lado nos chove, do outro nos faz vento, disse a mulher, Nem sequer isso, a chuva ainda serviria para nos matar a sede, e o vento aliviar-nos-ia de uma parte deste fedor. O cão das lágrimas anda a farejar inquieto, demorou-se a pesquisar um certo monte de lixo, provavelmente havia escondido debaixo dele uma supina iguaria que agora não consegue encontrar, se estivesse sozinho não arredaria pé, mas a mulher que chorou já lá vai adiante, é seu dever ir atrás dela, nunca se sabe se não terá que enxugar outras lágrimas. É difícil caminhar. Em algumas ruas, sobretudo as mais inclinadas, o caudal das águas da chuva, transformadas em torrente, atirou automóveis contra automóveis, ou contra os prédios, arrombando portas, esvaziando montras, o chão está coberto de estilhaços de vidro grosso. Entalado entre dois carros, o corpo de um homem apodrece. A mulher do médico desvia os olhos. O cão das lágrimas aproxima-se, mas a morte intimida-o, ainda dá dois passos, de súbito o pelo encrespou-se-lhe, um uivo lacerante saiu-lhe da garganta, o mal deste cão foi ter-se chegado tanto aos humanos, vai acabar por sofrer como eles. Atravessaram uma praça onde havia grupos de cegos que se entretinham a escutar os discursos doutros cegos, à primeira vista não pareciam cegos nem uns nem outros, os que falavam viravam inflamadamente

a cara para os que ouviam, os que ouviam viravam atentamente a cara para os que falavam. Proclamavam-se ali os
princípios fundamentais dos grandes sistemas organizados, a propriedada privada, o livre-câmbio, o mercado, a
bolsa, a taxação fiscal, o juro, a apropriação, a desapro-
priação, a produção, a distribuição, o consumo, o abastecimento e o desabastecimento, a riqueza e a pobreza, a
comunicação, a repressão e a delinquência, as lotarias, os
edifícios prisionais, o código penal, o código civil, o código de estradas, o dicionário, a lista de telefones, as re-
des de prostituição, as fábricas de material de guerra, as
forças armadas, os cemitérios, a polícia, o contrabando,
as drogas, os tráficos ilícitos permitidos, a investigação
farmacêutica, o jogo, o preço das curas e dos funerais, a
justiça, o empréstimo, os partidos políticos, as eleições,
os parlamentos, os governos, o pensamento convexo, o
côncavo, o plano, o vertical, o inclinado, o concentrado,
o disperso, o fugido, a ablação das cordas vocais, a morte
da palavra. Aqui fala-se de organização, disse a mulher do
médico ao marido, Já reparei, respondeu ele, e calou-se.
Continuaram a andar, a mulher do médico foi consultar
uma planta da cidade que havia numa esquina, como uma
antiga cruz de caminhos. Estavam muito perto do supermercado, em algum destes sítios se deixou ela cair, a chorar, naquele dia em que se viu perdida, grotescamente
ajoujada ao peso de sacos de plástico por fortuna cheios,
valeu-lhe um cão para a consolar do desnorte e da angústia, este mesmo que aqui vai rosnando às matilhas que se
chegam demasiado, como se estivesse a avisá-las, A mim
não me enganam vocês, afastem-se para lá. Uma rua à esquerda, outra à direita, e a porta do supermercado aparece. Só a porta, isto é, está a porta, está o edifício todo,
mas o que não se vê são pessoas a entrar e a sair, aquele

formigueiro de gente que a todas as horas encontramos nestes estabelecimentos, que vivem do concurso das grandes multidões. A mulher do médico temeu o pior, e disse-o ao marido, Viemos demasiado tarde, já não deve haver lá dentro nem um quarto de bolacha, Por que dizes isso, Não vejo entrar nem sair ninguém, Pode ser que não tenham ainda descoberto a cave, Essa é a minha esperança. Tinham parado no passeio em frente do supermercado enquanto trocavam estas frases. Ao lado deles, como se estivessem à espera de que se acendesse num semáforo a luz verde, havia três cegos. A mulher do médico não reparou na cara que eles fizeram, de surpresa inquieta, de uma espécie de confuso temor, não viu que a boca de um deles se abriu para falar e logo se fechou, não notou o rápido encolher de ombros, Saberás por ti, supõe-se que é o que terá pensado este cego. Já no meio da rua, atravessando-a, a mulher do médico e o marido não puderam ouvir a observação do segundo cego, Por que terá ela dito que não via, que não via entrar e sair ninguém, e a resposta do terceiro cego, São maneiras de falar, ainda há bocado, quando tropecei, tu me perguntaste se eu não via onde punha os pés, é o mesmo, ainda não perdemos o costume de ver, Meu Deus, quantas vezes isto já foi dito, exclamou o primeiro cego.

A claridade do dia iluminava até ao fundo o amplo espaço do supermercado. Quase todos os escaparates estavam tombados, não havia mais do que lixo, vidros partidos, embalagens vazias, É singular, disse a mulher do médico, mesmo não se encontrando aqui nada de comida, não percebo por que não há pessoas a viver. O médico disse, De facto, não parece normal. O cão das lágrimas ganiu baixinho. Tinha outra vez o pelo eriçado. Disse a mulher do médico, Há aqui um cheiro, Sempre cheira mal, disse

361

o marido, Não é isso, é o outro cheiro, o da putrefação, Algum cadáver que estará por aí, Não vejo nenhum, Então será impressão tua. O cão tornou a gemer. Que tem o cão, perguntou o médico, Está nervoso, Que fazemos, Vamos ver, se houver algum cadáver passamos de largo, a estas alturas os mortos já não nos metem medo, Para mim é mais fácil, não os vejo. Atravessaram o supermercado até à porta que dava acesso ao corredor por onde se chegaria ao armazém da cave. O cão das lágrimas seguiu-os, mas de vez em quando parava, gania a chamá-los, depois o dever obrigava-o a continuar. Quando a mulher do médico abriu a porta, o cheiro tornou-se mais intenso, Cheira mesmo mal, disse o marido, Deixa-te ficar aqui, que eu já volto. Avançou pelo corredor, cada vez mais escuro, e o cão das lágrimas seguiu-a como se o levassem de rastos. Saturado do fedor da putrefação, o ar parecia pastoso. A meio caminho, a mulher do médico vomitou, Que se terá passado aqui, pensava entre dois arrancos, e murmurou depois, uma e outra vez, estas palavras enquanto se ia aproximando da porta metálica que dava para a cave. Confundida pela náusea, não notara antes que havia ao fundo uma claridade difusa, muito leve. Agora sabia o que era aquilo. Pequenas chamas palpitavam nos interstícios das duas portas, a da escada e a do monta-cargas. Um novo vómito retorceu-lhe o estômago, tão violento que a atirou ao chão. O cão das lágrimas uivou longamente, lançou um grito que parecia não acabar mais, um lamento que ressoou no corredor como a última voz dos mortos que se encontravam na cave. O médico ouviu os vómitos, os arrancos, a tosse, correu conforme pôde, tropeçou e caiu, levantou-se e caiu, enfim apertou a mulher nos braços, Que aconteceu, perguntou, trémulo, ela só dizia, Leva-me daqui, leva-me daqui por favor, pela primeira vez desde que a cegueira chegara era ele quem guiava a mulher, guiava-a sem saber para onde, para qualquer parte longe destas portas, das chamas que não podia ver. Quando saíram do corredor, os nervos dela foram-se abaixo de golpe, o choro tornou-se convulsão, não há nenhuma maneira de enxugar lágrimas como estas, só o tempo e o cansaço as poderão reduzir, por isso o cão não se acercou, apenas buscava uma mão para lamber. Que aconteceu, tornou o médico a perguntar, que foi que viste, Estão mortos, conseguiu ela dizer entre soluços, Quem é que está morto, Eles, e não pôde continuar, Acalma-te, falarás quando puderes. Passados alguns minutos, ela disse, Estão mortos, Viste alguma coisa, abriste a porta, perguntou o marido, Não, só vi que havia fogos-fátuos agarrados às frinchas, estavam ali agarrados e dançavam, não se soltavam, Hidrogénio fosforado resultante da decomposição, Imagino que sim, Que terá sucedido, Devem ter dado com a cave, precipitaram-se pela escada abaixo à procura de comida, lembro-me de como era fácil escorregar e cair naqueles degraus, e se caiu um caíram todos, provavelmente nem conseguiram chegar aonde queriam, ou conseguiram-no e com a escada obstruída não puderam voltar, Mas tu disseste que a porta estava fechada, Fecharam-na com certeza os outros cegos, transformaram a cave num enorme sepulcro, e eu sou a culpada do que aconteceu, quando saí daqui a correr com os sacos suspeitaram de que se tratasse de comida e foram à procura, De uma certa maneira, tudo quanto comemos é roubado à boca de outros, e se lhes roubamos de mais acabamos por causar-lhes a morte, no fundo somos todos mais ou menos assassinos, Fraca consolação, O que não quero é que comeces a carregar-te a ti mesma de culpas imaginárias quando já mal vais conseguindo suportar a responsabilidade de sustentar seis bocas concretas e inúteis, Sem a tua boca inútil, como viveria eu, Continuarias a viver para sustentares as outras cinco que lá estão, A pergunta é por quanto tempo. Não será muito mais, quando se acabar tudo teremos de ir por esses campos à procura de comida, arrancaremos todos os frutos das árvores, mataremos todos os animais a que pudermos deitar a mão, se entretanto não começarem a devorar-nos aqui os cães e os gatos. O cão das lágrimas não se manifestou, o assunto não lhe dizia respeito, de alguma coisa lhe servia ter-se transformado nos últimos tempos em cão de lágrimas.

A mulher do médico mal podia arrastar os pés. O abalo tinha-a deixado sem forças. Quando saíram do supermercado, ela, desfalecida, ele, cego, ninguém saberia dizer qual dos dois ia a amparar o outro. Talvez por causa da intensidade da luz deu-lhe uma vertigem, pensou que ia perder a vista, mas não se assustou, era só um desmaio. Não chegou a cair, nem a perder completamente os sentidos. Precisava deitar-se, fechar os olhos, respirar pausadamente, se pudesse estar uns minutos tranquila, quieta, tinha a certeza de que as forças voltariam, e era necessário que voltassem, os sacos de plástico continuavam vazios. Não queria deitar-se sobre a imundície do passeio, voltar ao supermercado nem morta. Olhou em redor. No outro lado da rua, um pouco adiante, estava uma igreja. Haveria gente lá dentro, como em toda a parte, mas devia ser um bom sítio para descansar, pelo menos antigamente tinha sido assim. Disse ao marido, Preciso recuperar forças, leva-me para além, Além, onde, Desculpa, vai-me amparando, eu digo-te, Que é, Uma igreja, se me pudesse deitar um pouco ficaria como nova, Vamos lá. Entrava-se no templo por seis degraus, seis degraus, nota bem, que a mulher do médico venceu com grande custo, tanto mais que também tinha de guiar o marido. As portas estavam abertas de par em par, foi o que lhes valeu, um guarda-vento, mesmo que fosse dos mais singelos, teria sido, nesta ocasião, um obstáculo difícil de transpor. O cão das lágrimas parou indeciso no limiar. É que, apesar da liberdade de movimentos de que têm gozado os cães nos últimos meses, mantinha-se geneticamente incorporado no cérebro de todos eles a proibição que um dia, em remotos tempos, caiu sobre a espécie, a proibição de entrarem nas igrejas, provavelmente a culpa teve-a aquele outro código genético que lhes ordena marcar o terreno aonde quer que cheguem. Não serviram de nada os bons e leais serviços prestados pelos antepassados deste cão das lágrimas, quando lambiam asquerosas chagas de santos antes que como tal eles tivessem sido aprovados e declarados, misericórdia, portanto, das mais desinteressadas, porque bem sabemos que não é qualquer mendigo que consegue ascender à santidade, por muitas chagas que possa ter no corpo, e também na alma, aonde a língua dos cães não chega. Atreveu-se agora este a penetrar no sagrado recinto, a porta estava aberta, porteiro não havia, e, razão sobre todas forte, a mulher das lágrimas já entrou, nem sei como poderá ela arrastar-se, vai murmurando ao marido uma só palavra, Segura-me, a igreja está cheia, quase que não se encontra um palmo de chão livre, em verdade se poderia dizer que não há aqui uma pedra onde descansar a cabeça, valeu uma vez mais o cão das lágrimas, com dois rosnidos e duas investidas, tudo sem maldade, abriu um espaço onde se foi deixar cair a mulher do médico, rendendo o corpo ao desmaio, fechados enfim por completo os olhos. O marido tomou-lhe o pulso, está firme e regular, só um pouco longínquo, depois fez um esforço para levantá-la, não é boa esta posição, é preciso fazer voltar rapidamente o sangue ao cérebro, aumentar a irrigação cerebral, o melhor de tudo seria sentá-la, pôr-lhe a cabeça entre os joelhos, e confiar na natureza e na força da gravidade. Por fim, depois de alguns esforços falhados, conseguiu levantá-la. Passados minutos, a mulher do médico suspirou profundamente, moveu-se um quase nada, começava a voltar a si. Não te levantes ainda, disse-lhe o marido, deixa-te estar mais um pouco de cabeça baixa, mas ela sentia-se bem, não havia sinal de vertigem, os olhos já podiam entrever as lajes do chão, que o cão das lágrimas, graças às três enérgicas raspaduras que dera para deitar-se ele próprio, deixara aceitavelmente limpas. Levantou a cabeça para as colunas esguias, para as altas abóbadas, a comprovar a segurança e a estabilidade da circulação sanguínea, depois disse, Já me sinto bem, mas naquele mesmo instante pensou que tinha enlouquecido, ou que desaparecida a vertigem ficara a sofrer de alucinações, não podia ser verdade o que os olhos lhe mostravam, aquele homem pregado na cruz com uma venda branca a tapar--lhe os olhos, e ao lado uma mulher com o coração trespassado por sete espadas e os olhos também tapados por uma venda branca, e não eram só este homem e esta mulher que assim estavam, todas as imagens da igreja tinham os olhos vendados, as esculturas com um pano branco atado ao redor da cabeça, as pinturas com uma grossa pincelada de tinta branca, e estava além uma mulher a ensinar a filha a ler, e as duas tinham os olhos tapados, e um homem com um livro aberto onde se sentava um menino pequeno, e os dois tinham os olhos tapados, e um velho de barbas compridas, com três chaves na mão, e tinha os olhos tapados, e outro homem com o corpo cravejado de flechas, e tinha os olhos tapados, e uma mulher com uma lanterna acesa, e tinha os olhos tapados, e um homem com feridas nas mãos e nos pés e no peito, e tinha os olhos tapados, e outro homem com um leão, e os dois tinham os olhos tapados, e outro homem com um cordeiro, e os dois tinham os olhos tapados, e outro homem com uma águia, e os dois tinham os olhos tapados, e outro homem com uma lança dominando um homem caído, chavelhudo e com pés de bode, e os dois tinham os olhos tapados, e outro homem com uma balança, e tinha os olhos tapados, e um velho calvo segurando um lírio branco, e tinha os olhos tapados, e outro velho apoiado a uma espada desembainhada, e tinha os olhos tapados, e uma mulher com uma pomba, e as duas tinham os olhos tapados, e um homem com dois corvos, e os três tinham os olhos tapados, só havia uma mulher que não tinha os olhos tapados porque já os levava arrancados numa bandeja de prata. A mulher do médico disse para o marido, Não me acreditarás se eu te disser o que tenho diante de mim, todas as imagens da igreja estão com os olhos vendados, Que estranho, por que será, Como hei de eu saber, pode ter sido obra de algum desesperado da fé quando compreendeu que teria de cegar como os outros, pode ter sido o próprio sacerdote daqui, talvez tenha pensado justamente que uma vez que os cegos não poderiam ver as imagens, também as imagens deveriam deixar de ver os cegos, As imagens não veem, Engano teu, as imagens veem com os olhos que as veem, só agora a cegueira é para todos, Tu continuas a ver, Cada vez irei vendo menos, mesmo que não perca a vista tornar-me-ei mais e mais cega cada dia porque não terei quem me veja, Se foi o padre quem tapou os olhos das imagens, É só uma ideia minha, É a única hipótese que tem um verdadeiro sentido, é a única que pode dar alguma grandeza a esta nossa miséria, imagino esse homem a entrar aqui vindo do mundo dos cegos, aonde depois teria de regressar para cegar também, imagino as portas fechadas, a igreja deserta, o silêncio, imagino as estátuas, as pinturas, vejo-o ir de uma para outra, a subir aos altares e a atar os panos, com dois nós, para que não deslacem e caiam, a assentar duas mãos de tinta nas pinturas para tornar mais espessa a noite branca em que entraram, esse padre deve ter sido o maior sacrílego de todos os tempos e de todas as religiões, o mais justo, o mais radicalmente humano, o que veio aqui para declarar finalmente que Deus não merece ver. A mulher do médico não chegou a responder, alguém ao lado falou antes dela, Que conversa é essa, quem são vocês, Cegos como tu, disse ela, Mas eu ouvi-te dizer que vias, São maneiras de falar que custam a perder, quantas vezes ainda vai ser preciso dizê-lo, E que é isso de estarem as imagens com os olhos tapados, É verdade, E tu como o sabes, se estás cega, Também tu o ficarás a saber se fizeres como eu fiz, vai lá e toca-lhes com as mãos, as mãos são os olhos dos cegos, E por que foi que o fizeste, Pensei que para termos chegado ao que chegamos alguém mais teria de estar cego, E essa história de ter sido o padre da igreja quem tapou os olhos das imagens, conheci-o muito bem, seria incapaz de fazer tal coisa, Nunca se pode saber de antemão de que são capazes as pessoas, é preciso esperar, dar tempo ao tempo, o tempo é que manda, o tempo é o parceiro que está a jogar do outro lado da mesa, e tem na mão todas as cartas do baralho, a nós compete-nos inventar os encartes com a vida, a nossa, Falar de jogo numa igreja é pecado, Levanta-te, usa as tuas mãos, se duvidas do que digo, Juras-me que é verdade que as imagens têm os olhos tapados, Que jura é suficiente para ti, Jura pelos teus olhos, Juro duas vezes

pelos olhos, pelos meus e pelos teus, É verdade, É verdade. A conversa estava a ser ouvida pelos cegos que se encontravam mais perto, e escusado seria dizer que não foi
preciso esperar pela confirmação do juramento para que
a notícia começasse a girar, a passar de boca em boca,
num murmúrio que aos poucos foi mudando de tom, primeiro incrédulo, depois inquieto, outra vez incrédulo, o
mau foi haver no ajuntamento umas quantas pessoas su-
persticiosas e imaginativas, a ideia de que as sagradas
imagens estavam cegas, de que os seus misericordiosos
ou sofredores olhares não contemplavam mais que a sua
própria cegueira, tornou-se subitamente insuportável,
foi o mesmo que terem vindo dizer-lhes que estavam rodeados de mortos-vivos, bastou ter-se ouvido um grito, e
depois outro, e outro, logo o medo fez levantar toda a
gente, o pânico empurrou-os para a porta, repetiu-se
aqui o que já se sabe, como o pânico é muito mais rápido
que as pernas que o têm de levar, os pés do fugitivo acabam por enrolar-se na corrida, muito mais se é cego, e
ei-lo de repente no chão, o pânico diz-lhe Levanta-te,
corre, que te vêm matar, bem o quisera ele, mas já outros
correram e caíram também, é preciso ser-se dotado de
muito bom coração para não desatar a rir diante deste grotesco emaranhado de corpos à procura de braços para
libertar-se e de pés para escapar. Aqueles seis degraus lá
fora vão ser como um precipício, mas, enfim, a queda
não será grande, o costume de cair endurece o corpo, ter
chegado ao chão, só por si, já é um alívio, Daqui não pas-
sarei, é o primeiro pensamento, e às vezes o último nos
casos fatais. O que também não muda é aproveitarem-se
uns do mal dos outros, como muito bem o sabem, desde o
princípio do mundo, os herdeiros e os herdeiros dos herdeiros. A fuga desesperada desta gente fê-la deixar para

trás os seus pertences, e quando a necessidade tiver venci-
do o medo e por eles voltarem, além do difícil problema
que vai ser aclarar de modo satisfatório o que era meu e o
que era teu, veremos que se sumiu parte da pouca comida
que tínhamos, se calhar tudo isto foi uma cínica artimanha
da mulher que disse que as imagens tinham os olhos tapados, a maldade de certas pessoas não tem limites, inventa-
rem tais patranhas só para poderem roubar à pobre gente
uns restos de comidas indecifráveis. Ora, a culpa teve-a o
cão das lágrimas, ao ver livre a praça foi farejar por ali,
pagou-se do seu trabalho, como era justo e natural, mas
mostrou, por assim dizer, a entrada da mina, do que resultou terem saído da igreja a mulher do médico e o marido
sem remorsos do furto, levando os sacos meio cheios. Se
vierem a aproveitar metade do que apanharam poderão
dar-se por satisfeitos, diante da outra metade dirão, Não
sei como as pessoas podiam comer isto, mesmo quando a
desgraça é comum a todos, sempre há uns que passam pior
do que outros.

O relato destes acontecimentos, cada um no seu género, deixou consternados e assombrados os companheiros,
sendo de notar, contudo, que a mulher do médico, talvez
por se lhe recusarem as palavras, não logrou comunicar-
-lhes o sentimento de horror absoluto que experimentara
diante da porta do subterrâneo, aquele retângulo de pá-
lidos e vacilantes lumes que dava para a escada por onde
se chegaria ao outro mundo. Já as imagens de olhos vendados impressionaram fortemente, ainda que de diverso
modo, a imaginação de todos, no primeiro cego e na mulher, por exemplo, notou-se um certo mal-estar, para eles
tratava-se, principalmente, de uma indesculpável falta de
respeito. Que todos eles, os humanos, se encontrassem
cegos, era uma fatalidade de que não tinham a culpa, são

desgraças de que ninguém está livre, mas ir, só por isso, tapar os olhos às santas imagens, parecia-lhes um atentado sem perdão possível, e se o cometeu o padre da igreja, pior ainda. O comentário do velho da venda preta foi assaz diferente, Percebo o choque que te terá causado, estou aqui a pensar numa galeria de museu, as esculturas todas com os olhos tapados, não porque o escultor não tivesse querido desbastar a pedra até chegar aonde estavam os olhos, mas tapados assim como dizes, com esses panos atados, como se uma cegueira só não bastasse, é curioso que uma venda como a minha não causa a mesma impressão, às vezes chega mesmo a dar um ar romântico à pessoa, e riu-se do que tinha dito e de si próprio. Quanto à rapariga dos óculos escuros, essa contentou-se com dizer que esperava não ter de ver em sonhos essa maldita galeria, de pesadelos já estava servida. Comeram do mau que havia, era o melhor que tinham, a mulher do médico disse que estava a tornar-se cada vez mais difícil encontrar comida, que talvez devessem sair da cidade e ir viver no campo, ali, pelo menos, os alimentos que apanhassem seriam mais sãos, e deve haver cabras e vacas à solta, podemos ordenhá-las, teremos leite, e há a água dos poços, podemos cozer o que quisermos, a questão está em encontrar um bom sítio, cada um deu depois a sua opinião, umas mais entusiastas do que outras, mas para todos era claro que a oportunidade apertava e obrigava, quem exprimiu um contentamento sem reticências foi o rapazinho estrábico, possivelmente por serem boas as suas recordações de férias. Depois de terem comido deitaram-se a dormir, faziam-no sempre, já no tempo da quarentena, quando a experiência lhes ensinou que corpo deitado aguenta realmente muita fome. À noite não comeram, só o rapazinho estrábico recebeu algo para entretenimento dos queixos e engano do apetite, os outros sentaram-se a ouvir ler o livro, ao menos o espírito não poderá protestar contra a falta de nutrimento, o mau é que a debilidade do corpo levava algumas vezes a distrair-se a atenção da mente, e não era por falta de interesse intelectual, não, o que acontecia era deslizar o cérebro para uma meia modorra, como um animal que se dispôs a hibernar, adeus mundo, por isso não era raro cerrarem estes ouvintes mansamente as pálpebras, punham-se a seguir com os olhos da alma as peripécias do enredo, até que um lance mais enérgico os sacudia do torpor, quando não era simplesmente o ruído do livro encadernado ao fechar-se de estalo, a mulher do médico tinha destas delicadezas, não queria dar a entender que sabia que o devaneador estava a dormir.

Neste suave embalo parecia ter entrado o primeiro cego, e contudo não era assim. É verdade que tinha os olhos fechados e que dava à leitura uma atenção mais do que vaga, mas a ideia de irem todos viver para o campo impedia-o de adormecer, parecia-lhe um grave erro afastar-se tanto da sua casa, por muito simpático que fosse o tal escritor convinha mantê-lo sob vigilância, aparecer por lá de vez em quando. Encontrava-se portanto bem desperto o primeiro cego, e se alguma outra prova fosse necessária, aí estaria a brancura ofuscante dos seus olhos, que provavelmente só o sono escurecia, mas nem disto se podia ter a certeza, uma vez que ninguém podia estar ao mesmo tempo dormindo e velando. Julgou o primeiro cego ter finalmente esclarecido esta dúvida quando de repente o interior das pálpebras se lhe tornou escuro, Adormeci, pensou, mas não, não tinha adormecido, continuava a ouvir a voz da mulher do médico, o rapazinho estrábico tossiu, então entrou-lhe na alma um grande medo, acreditou que tinha passado de uma cegueira a outra, que tendo vivido na cegueira da luz iria viver agora na cegueira da treva, o pavor fê-lo gemer, Que tens, perguntou-lhe a mulher, e ele respondeu estupidamente, sem abrir os olhos, Estou cego, como se essa fosse a última novidade do mundo, ela abraçou-o com carinho, Deixa lá, cegos estamos nós todos, que lhe havemos de fazer, Vi tudo escuro, julguei que tinha adormecido, e afinal não, estou acordado, É o que deverias fazer, dormir, não pensar nisso. O conselho aborreceu-o, ali estava um homem angustiado como só ele sabia, e a sua mulher não tinha mais nada para lhe dizer senão que fosse dormir. Irritado, já com a resposta azeda a sair-lhe da boca, abriu os olhos e viu. Viu e gritou, Vejo. O primeiro grito ainda foi o da incredulidade, mas com o segundo, e o terceiro, e quantos mais, foi crescendo a evidência, Vejo, vejo, abraçou-se à mulher como louco, depois correu para a mulher do médico e abraçou-a também, era a primeira vez que a via, mas sabia quem ela era, e o médico, e a rapariga dos óculos escuros, e o velho da venda preta, com este não poderia haver confusão, e o rapazinho estrábico, a mulher ia atrás dele, não o queria largar, e ele interrompia os abraços para abraçá-la a ela, agora volta-ra ao médico, Vejo, vejo, senhor doutor, não o tratou por tu como se tinha tornado quase regra nesta comunidade, explique, quem puder, a razão da súbita diferença, e o médico perguntava, Vê mesmo bem, como via antes, não há vestígio de branco, Nada de nada, até me parece que vejo ainda melhor do que via, e olhe que não é dizer pouco, nunca usei óculos. Então o médico disse o que todos estavam a pensar, mas que não ousavam pronunciar em voz alta, É possível que esta cegueira tenha chegado ao fim, é possível que comecemos todos a recuperar a vista, a estas palavras a mulher do médico começou a chorar, deveria estar contente e chorava, que singulares reações têm as pessoas, claro que estava contente, meu Deus, se é tão fácil de compreender, chorava porque se lhe tinha esgotado de golpe toda a resistência mental, era como uma criancinha que tivesse acabado de nascer e este choro fosse o seu primeiro e ainda inconsciente vagido. O cão das lágrimas veio para ela, este sabe sempre quando o necessitam, por isso a mulher do médico se agarrou a ele, não é que não continuasse a amar o seu marido, não é que não quisesse bem a todos quantos se encontravam ali, mas naquele momento foi tão intensa a sua impressão de solidão, tão insuportável, que lhe pareceu que só poderia ser mitigada na estranha sede com que o cão lhe bebia as lágrimas.

A alegria geral fora substituída pelo nervosismo, E agora, que vamos fazer, perguntara a rapariga dos óculos escuros, eu não conseguirei dormir depois do que sucedeu, Ninguém conseguirá, acho que deveríamos continuar aqui, disse o velho da venda preta, interrompeu-se como se ainda duvidasse, depois rematou, À espera. Esperaram. As três luzes da candeia iluminavam o círculo de rostos. Ao princípio ainda tinham conversado com animação, queriam saber exatamente como acontecera, se a mudança se dera só nos olhos ou se também sentira alguma coisa no cérebro, depois, pouco a pouco, as palavras foram esmorecendo, em certa altura o primeiro cego teve a lembrança de dizer à mulher que no dia seguinte iriam a casa, Mas eu ainda estou cega, respondeu ela, Não faz mal, eu guio-te, só quem ali se encontrava, e portanto ouviu com os seus próprios ouvidos, foi capaz de perceber como em tão simples palavras puderam caber sentimentos tão distintos como são os da proteção, do orgulho e da autoridade. O segundo a recuperar a vista, ia adiantada a noite, e já a candeia, no fim do azeite, bruxuleava, foi a rapariga dos óculos escuros. Tinha estado com os olhos abertos sempre, como se por eles é que a visão tivesse de entrar, e não renascer de dentro, de repente disse, Parece-me que estou a ver, era melhor ser prudente, nem todos os casos são iguais, costuma-se até dizer que não há cegueiras, mas cegos, quando a experiência dos tempos não tem feito outra coisa que dizer-nos que não há cegos, mas cegueiras. Aqui já são três os que veem, um mais fará maioria, mas ainda que a felicidade de voltar a ver não viesse a contemplar os restantes, a vida para estes passaria a ser muito mais fácil, não a agonia que foi até hoje, veja-se o estado a que aquela mulher chegou, está como uma corda que se partiu, como uma mola que não aguentou mais o esforço a que esteve continuamente sujeita. Talvez por isso foi a ela que a rapariga dos óculos escuros abraçou em primeiro lugar, então não soube o cão das lágrimas a qual delas acudir, porque tanto chorava uma como a outra. O segundo abraço foi para o velho da venda preta, agora iremos saber o que verdadeiramente valem palavras, comoveu-nos tanto no outro dia aquele diálogo de que saiu o formoso compromisso de viverem juntos estes dois, mas a situação mudou, a rapariga dos óculos escuros tem diante de si um homem velho que ela já pode ver, acabaram-se as idealizações emocionais, as falsas harmonias na ilha deserta, rugas são rugas, calvas são calvas, não há diferença entre uma pala preta e um olho cego, é o que ele lhe está a dizer por outros termos, Olha-me bem, sou eu a pessoa com quem disseste que irias viver, e ela respondeu, Conheço-te, és a pessoa com quem estou a viver, afinal há palavras que ainda valem mais do que tinham querido parecer, e este abraço tanto como elas. O terceiro a recuperar a vista, quando a manhã começava a clarear, foi o médico, agora já não podia haver dúvidas, recuperarem-na os outros era só uma questão de tempo. Passadas as naturais e previsíveis expansões, que, por delas ter ficado, com anterioridade, registo suficiente, não se vê agora necessidade de repetir, mesmo tratando-se de figuras principais deste vero relato, o médico fez a pergunta que tardava, Que se estará a passar lá fora, a resposta veio do próprio prédio onde estavam, no andar de baixo alguém saiu para o patamar aos gritos, Vejo, vejo, por este andar o sol vai nascer sobre uma cidade em festa.

De festa foi o banquete da manhã. O que estava sobre a mesa, além de ser pouco, repugnaria a qualquer apetite normal, a força dos sentimentos, como em momentos de exaltação sucede sempre, tinha ocupado o lugar da fome, mas a alegria servia-lhes de manjar, ninguém se queixou, mesmo os que ainda estavam cegos riam como se os olhos que já viam fossem os seus. Quando acabaram, a rapariga dos óculos escuros teve uma ideia, E se eu fosse pôr na porta da minha casa um papel a dizer que estou aqui, se os meus pais aparecerem poderão vir procurar-me, Leva-me contigo, quero saber o que está a acontecer lá fora, disse o velho da venda preta, E nós também saímos, disse para a mulher o que tinha sido primeiro cego, pode ser que o escritor já veja, que esteja a pensar em voltar para a casa dele, de caminho tratarei de descobrir algo que se coma, Eu farei o mesmo, disse a rapariga dos óculos escuros. Minutos depois, já sozinhos, o médico foi sentar-se ao lado da mulher, o rapazinho estrábico dormitava num canto do sofá, o cão das lágrimas, deitado, com o focinho sobre as patas dianteiras, abria e fechava os olhos de vez em quando para mostrar que continuava vigilante, pela janela aberta, apesar da altura a que estava o andar, entrava o rumor das vozes alteradas, as ruas deviam estar cheias de gente, a multidão a gritar uma só palavra, Vejo, diziam-na os que já tinham recuperado a vista, diziam-na os que de repente a recuperavam, Vejo, vejo, em verdade começa a parecer uma história doutro mundo aquela em que se disse, Estou cego. O rapazinho estrábico murmurava, devia de estar metido num sonho, talvez estivesse a ver a mãe, a perguntar-lhe, Vês-me, já me vês. A mulher do médico perguntou, E eles, e o médico disse, Este, provavelmente, estará curado quando acordar, com os outros não será diferente, o mais certo é que estejam agora mesmo a recuperar a vista, quem vai apanhar um susto, coitado, é o nosso homem da venda preta, Porquê, Por causa da catarata, depois de todo o tempo que passou desde que o examinei, deve estar como uma nuvem opaca, Vai ficar cego, Não, logo que a vida estiver normalizada, que tudo comece a funcionar, opero-o, será uma questão de semanas, Por que foi que cegamos, Não sei, talvez um dia se chegue a conhecer a razão, Queres que te diga o que penso, Diz, Penso que não cegamos, penso que estamos cegos, Cegos que veem, Cegos que, vendo, não veem.

A mulher do médico levantou-se e foi à janela. Olhou para baixo, para a rua coberta de lixo, para as pessoas que gritavam e cantavam. Depois levantou a cabeça para o céu e viu-o todo branco, Chegou a minha vez, pensou. O medo súbito fê-la baixar os olhos. A cidade ainda ali estava.

O autor e a gênesis da obra*

* Seleção editada pela revista *Ensaios Saramaguianos*, n. 2, pp. 87-99, jul. 2015. (N. E.)

Tão logo foi morar em Lanzarote José Saramago começou a registrar o seu dia a dia num diário: acontecimentos triviais, opinião sobre o que se passava no mundo, a
convivência com os do meio cultural e o embate com uma
ideia quando ficava obcecado por ela a ponto de torná-la
obra literária. Foi nesse tempo que o escritor português
se dedicou à escrita de, entre outros títulos, *Ensaio sobre a
cegueira* (idealizado em 1991); e, embora o processo cria-
tivo tenha ficado guardado dos olhos comuns, achou por
bem nos revelar o passo a passo de concepção e feitura do
romance. Os excertos apresentados aqui são dos três primeiros volumes dos *Cadernos de Lanzarote* e compreendem a data de início da escrita da obra e sua apresentação
(inclusive com a demarcação das primeiras leituras), em
finais de 1995.

20 DE ABRIL

Esta manhã, quando acordei, veio-me à ideia o *Ensaio sobre a cegueira*, e durante uns minutos tudo me pareceu claro — exceto que do tema possa vir a sair alguma vez um romance, no sentido mais ou menos consensual da palavra e do objeto. Por exemplo: como meter no relato personagens que durem ao dilatadíssimo lapso de tempo narrativo de que vou necessitar? Quantos anos serão precisos para que se encontrem substituídas, por outras, todas as pessoas vivas num momento dado? Um século, digamos que um pouco mais, creio que será bastante. Mas, neste meu *Ensaio*, todos os videntes terão de ser substituídos por cegos, e estes, todos, outra vez, por videntes... As pessoas, todas elas, vão começar por nascer cegas, viverão e morrerão cegas, a seguir virão outras que serão sãs da vista e assim vão permanecer até à morte. Quanto tempo requer isto? Penso que poderia utilizar, adaptando-o a esta época, o modelo "clássico", do "conto filosófico", inserindo nele, para servir as diferentes situações, personagens temporárias, rapidamente substituíveis por outras no caso de não apresentarem consistência suficiente para a duração maior na história que estiver a ser contada.

21 DE ABRIL

Chegou uma cópia da segunda edição de *In nomine dei*. Mais cinco mil exemplares, que vão se juntar aos dez mil da edição inicial. Pergunto: que se passa, para que uma peça de teatro atraia tanta gente? Já não é só o romance que interessa aos leitores? Terá isto que ver, apenas, com a simples felicidade de quem se habituou a ler-me? Ou será que neste tempo de violência e frivolidade ("moer o juízo" é uma expressão com muito mais força) daqueles que não querem conformar-se? Se assim é, espero que venham a sentir-se bem servidos com o *Ensaio sobre a cegueira*...

21 DE JUNHO
Dificuldade resolvida. Não é preciso que as personagens de *Ensaio sobre a cegueira* tenham de ir nascendo cegas, uma após outra, até substituírem, por completo as que têm visão: podem cegar em qualquer momento. Desta maneira fica encurtado o tempo narrativo.

2 DE AGOSTO
Escrevi as primeiras linhas do *Ensaio sobre a cegueira*.

13 DE AGOSTO
Continuo a trabalhar no *Ensaio sobre a cegueira*. Após um princípio hesitante, sem norte nem estilo, à procura das palavras como o pior dos aprendizes, as coisas parecem querer melhorar. Como aconteceu em todos os meus romances anteriores, de cada vez que pego neste, tenho de voltar à primeira linha, releio e emendo, emendo e releio, com uma exigência intratável que modera na continuação. É por isto que o primeiro capítulo de um livro é sempre aquele que me ocupa mais tempo. Enquanto essas poucas páginas iniciais não me satisfizerem, sou incapaz de continuar. Tomo como um bom sinal a repetição desta cisma. Ah, se as pessoas soubessem o trabalho que me deu a página de abertura do *Ricardo Reis*, o primeiro parágrafo do *Memorial*, quanto eu tive de penar por causa do que veio a tornar-se em segundo capítulo da *História do cerco*, antes de perceber que teria de principiar com um diálogo entre Raimundo Silva e o historiador... E um outro segundo capítulo, o do *Evangelho*, aquela noite

que ainda tinha muito para durar, aquela candeia, aquela frincha de porta...

15 DE AGOSTO

Decidi que não haverá nomes próprios no *Ensaio*, ninguém se chamará António ou Maria, Laura ou Francisco, Joaquim ou Joaquina. Estou consciente da enorme dificuldade que será conduzir uma narração sem a habitual, e até certo ponto inevitável, muleta dos nomes, mas justamente o que não quero é ter de levar pela mão essas sombras a que chamamos personagens, inventar-lhes vidas e preparar-lhes destinos. Prefiro, desta vez, que o livro seja povoado por sombras de sombras, que o leitor não saiba nunca de *quem* se trata, que quando *alguém* lhe apareça na narrativa se pergunte se é a primeira vez que tal sucede, se o cego da página cem será ou não o mesmo da página cinquenta, enfim, que entre, *de facto*, num mundo dos outros, esses a quem não conhecemos, nós todos.

20 DE AGOSTO

Uma hipótese: talvez essa necessidade imperiosa de organizar uma lembrança coerente do meu passado, dessa sempre, feliz ou infeliz, única infância, quando a esperança ainda estava intacta, ou, ao menos, a possibilidade de vir a tê-la, se tenha constituído, sem que eu o pensasse, como uma resposta vital para contrapor ao mundo medonho que estou a caminho de imaginar e descrever no *Ensaio sobre a cegueira*.

30 DE AGOSTO

Terminado o primeiro capítulo do *Ensaio*. Um mês para escrever quinze páginas... Mas Pilar, leitora emérita, diz que não me saí mal da empresa.

25 DE NOVEMBRO

Em que ponto está o *Ensaio sobre a cegueira*? Parado, dormindo, à espera de que as circunstâncias ajudem. Mas as circunstâncias, mesmo quando parecem propícias, não perdem a sua volubilidade natural, precisam de uma mão firme e boa conselheira. Até ao fim do ano (por causa da viagem às terras do Mais Antigo Aliado, e depois as festas, com a casa cheia de gente), não terei mais remédio que deixá-las à solta (falo das circunstâncias, claro) mas logo a seguir tratarei de as prender curto.

17 DE DEZEMBRO

Voltei — timidamente — ao *Ensaio*. Modifiquei umas quantas coisas, e o capítulo ficou bastante melhor: a importância que pode ter usar uma palavra em vez de outra, aqui, além, um verbo mais certeiro, um adjetivo menos visível, parece nada e afinal é quase tudo.

1994

3 DE JANEIRO

Zeferino Coelho regressou hoje a Lisboa. Enquanto cá esteve leu tudo quanto tenho escrito nos últimos tempos: estes *Cadernos*, o capítulo do *Ensaio*, as notas para as *Tentações*. Propôs-me levar já os *Cadernos*, para publicar em abril um primeiro volume. O trabalho que tive para contrariar-lhe a ideia não precisou de ser grande, mas obrigou-me a pensar sobre o que quero fazer, ou melhor, sobre a ordem por que haverão de sair estes livros, por enquanto ainda só promessas deles. Concluí que devo lançar-me de vez ao *Ensaio* e não buscar desculpas cómodas ao tempo que as *Tentações* e os *Cadernos* vão continuar a tomar-me. Nestas duas semanas pouco poderei adiantar (primeiro vem o José Manuel Mendes, depois aparecerá o João Mário Grilo com a equipa de filmagem), mas, passadas elas, terei de voltar ao trabalho, desviar os olhos deste céu, deste mar, destas montanhas. Contra o meu desejo, duramente. (Há dias saiu-me "brutalmente"... Enfim, palavras.)

Há que se reconhecer, no entanto, que as circunstâncias não me têm ajudado nada a instituir e manter a disciplina sem a qual escrever um romance se torna na mais penosa de todas as tarefas.

29 DE ABRIL
Passaram as horas, e eu, ansioso, à espreita de uma ideia aproveitável que aparecesse, como um golfinho, à tona da consciência, para fisgar no rápido instante em que mostrasse o dorso luzidio. Ora, ou porque flagrantemente não serviam aos fins em vista, ou porque, de tão rápidas, nem me davam tempo a fazer-lhes pontaria, as ideias tornavam a mergulhar na inescrutável profundidade donde tinham subido, deixando-me perdido diante da folha de papel em que me tinha prometido registar, de modo sucinto, para ulterior desenvolvimento, os assuntos, os episódios, as reflexões, os temas com que haveria de rechear o texto destinado ao *Nouvel Obs*. Lembrei-me então de que precisamente hoje, e talvez na hora precisa em que lembrava, se estaria anunciando em Lisboa o lançamento de uma colecção cujo primeiro volume é, em cento e cinquenta mil exemplares, o *Memorial do convento*... Depois, por dever de modéstia, perguntei-me se deveria mencionar um facto como este, de tão ostensivo perfil comercial, mas, tendo ponderado que os cento e cinquenta mil exemplares darão

de comer à família por algum tempo, decidi proceder como o agricultor que olha a seara que tanto trabalho lhe deu e faz legítimas contas ao que lhe renderá. Na continuação destes pensamentos, e tal como o agricultor que depois de contemplar a seara foi ao pomar ver se estão madurando os frutos, sentei-me a trabalhar no *Ensaio sobre a cegueira*, ensaio que não é ensaio, romance que talvez o não seja, uma alegoria, um conto "filosófico", se este fim de século necessita de tais coisas. Passadas duas horas achei que devia parar: os cegos do relato resistiam a deixar-se guiar aonde a mim mais me convinha. Ora, quando tal sucede, sejam as personagens cegas ou videntes, o truque é fingir que nos esquecemos delas, dar-lhes tempo a que se creiam livres, para no dia seguinte, desprevenidas, lhes deitarmos outra vez a mão, e assim por diante. A liberdade final da personagem faz-se de sucessivas e provisórias prisões e libertações.

8 DE JULHO

O *Ensaio* saiu do atoleiro em que tinha caído há já não sei quantos meses. Pode vir a cair noutro, mas deste safou--se. Há uns poucos dias que eu tinha decidido deixar de lado dois capítulos que se haviam convertido numa daquelas armadilhas onde se pode entrar com toda a facilidade, mas donde não se sai. O novo rumo parecia-me animador, abria perspectivas. Em todo caso, ainda não me sentia completamente seguro. Foi então que andando por aí, hoje, ao vento, me sucedeu algo muito semelhante ao episódio de Bolonha, quando, depois de meses sem saber o que poderia fazer com a ideia do *Evangelho*, nascida em Sevilha, toda a sequência do livro — enfim, quase nada — se me apresentou com uma claridade fulgurante. Estava na Pinacoteca, vira a pintura da primeira sala à esquerda da

entrada, e foi ao entrar na segunda (ou teria sido na terceira?) que os pilares fundamentais da narrativa se me de-
finiram com tal simplicidade que ainda hoje me pergunto
como foi que não tinha visto antes o que ali me parecia óbvio. Não era nada de complicado, basta ler o livro. Neste
caso — o do *Ensaio* — a "revelação" não foi tão completa,
mas sei que vai determinar um desenvolvimento coerente da história, antes atascada e sem esperanças. Todos os
motivos que vinha dando, a mim mesmo e a outros, para
justificar a inação em que me achava — viagens, correspon-
dência, visitas —, podiam, afinal de contas, ter sido resu-
midos desta maneira: o caminho por onde estava a querer
ir não me levaria a lado nenhum. A partir de agora, o livro,
se falhar, será por inabilidade minha. Antes, nem um génio seria capaz de salvá-lo.

24 DE JULHO
Uma coisa seria querer fazer um romance sem personagens, outra pensar que seria possível fazê-lo sem gente. E
esse foi o meu grande equívoco quando imaginei o *Ensaio
sobre a cegueira*. Tão grande ele foi que me custou meses
de desesperante impotência. Levei demasiado tempo a
perceber que os meus cegos podiam passar sem nome,
mas não podiam viver sem humanidade. Resultado: uma
boa porção de páginas para o lixo.

26 DE OUTUBRO
João Cabral de Melo Neto recebeu hoje, aqui em Madri, das
mãos da Rainha, o prémio Reina Sofía de Poesia Iberoa-
mericana. Disse-me que perdeu a visão central, as suas
primeiras palavras foram mesmo: "Estou cego", e eu só
pude abraçá-lo com força. Mais tarde pensei nos meus cegos do *Ensaio* e achei-os insignificantes diante da reali-

dade pungente daqueles olhos perdidos. Cego, João Cabral, o maior poeta de língua portuguesa vivo, com perdão de outros que também são grandes... O discurso de agradecimento, lido pelo embaixador do Brasil, foi muito belo, de uma serenidade profunda, como de alguém que, por cima das tristes dores da vida, está em paz consigo mesmo.

1995

8 DE JANEIRO

Há tempos prometi a Lakis Proguidis, para o seu L'atelier du roman, um ensaio sobre Ernesto Sábato, para o qual até já dispunha de título, uma vez que, como é minha incorrigível tineta, batizo sempre a criança antes de ela ter nascido. Chamar-se-ia O olhar sobrevivente. O condicional já está aí a dizer que a promessa não chegou a ser cumprida. Talvez regresse um dia a esse projeto, mas nunca antes de me libertar da legião de cegos que me rodeia. Aliás, é bem possível que o título me tenha vindo, por desconhecidos caminhos, daquele "olhar sobrevivente" que, em sentido literal, existe no *Ensaio sobre a cegueira*. Isso e, por diferentes vias, o *Informe sobre os cegos* do mesmo Sábato (onde o número de cegos não conta comparado com os do *Ensaio*...), é o que provavelmente me terá levantado ao título desse outro "ensaio" que ficou por escrever.

12 DE JANEIRO

José Manuel Mendes pergunta-me num fim de carta: "Como vai o *Ensaio*?". Vou responder-lhe com uma palavra simples: "Avança". Provavelmente, ele pensará: "Enfim... já não era sem tempo".

15 DE JANEIRO

Contra mim falo: o melhor que às vezes os livros têm são as epígrafes que lhes servem de credencial e carta de rumos. *Objeto quase*, por exemplo, ficaria perfeito se só contivesse a página que leva a citação de Marx e Engels. Lamentavelmente, a crítica salta por cima dessas excelências e vai aplicar as suas lupas e os seus escalpelos ao menos merecedor que vem depois. Não foi esse o caso de um certo crítico que, atento à matéria, não deixou passar em claro a epígrafe da *História do cerco de Lisboa*, aquela que diz: "Enquanto não alcançares a verdade, não poderás corrigi-la. Porém, se a não corrigires, não a alcançarás". São palavras do *Livro dos conselhos*, confirmava com toda a seriedade, movido provavelmente por uma reminiscência, de direta ou indireta via, do *Leal conselheiro* de D. Duarte. Ora, convém dizer que são também palavras do *Livro* as que irão servir agora de epígrafe ao *Ensaio sobre a cegueira*, em andamento. Estas rezam assim: "Se podes olhar, vê. Se podes ver, repara". Espero que o bem-intencionado crítico, tendo refletido sobre a profundidade do assunto, não se esqueça, com idêntica circunspecção, de mencionar a fonte, salvo se, desta vez, tomado de súbita desconfiança ou de científico escrúpulo, se decidir a perguntar: "Que diabo de *Livro dos conselhos* é este?".

4 DE MARÇO

Dia de chuva e frio em Braga. Colóquio de inauguração da Feira do Livro, com a escritora espanhola Soledad Puértolas e Luísa Mellid Franco, que foi a moderadora. Apesar do mau tempo, que terá retido muita gente em casa, o auditório durou. Soledad Puértolas falou em castelhano (a sorte dos espanhóis, que os portugueses sejam tão benévolos...) e foi escutada com a maior atenção. Deve ter ido satisfeita com o público de Braga. Quanto a mim, porque não tinha nenhum livro recente que pudesse servir-me de bengala, resolvi levantar um pouco mais o véu que ainda cobre o *Ensaio sobre a cegueira* e desenvolver algumas reflexões a propósito. À medida que ia falando, tornava-se-me cada vez mais claro quanto a mim próprio me inquieta o pessimismo deste livro. *Imago mundi* lhe chamei, já em conversa com o Luiz Francisco Rabello, visão aterradora de um mundo trágico. Desta vez, a expressão do pessimismo de um escritor de Portugal não vai manifestar-se pelos habituais canais do lirismo melancólico que nos caracteriza. Será cruel, descarnado, nem o estilo lá estará para lhe suavizar as arestas. No *Ensaio* não se lacrimejam as mágoas íntimas de personagens inventadas, o que ali se estará gritando é esta interminável e absurda dor do mundo.

24 DE MARÇO

Maria Alzira Seixo diz-me que comecei a pagar o ter estado tanto tempo na mó de cima e dá como indício de uma passagem para a mó de baixo a reação que estes *Cadernos* têm provocado nuns quantos modestíssimos portugueses, cujo virtuoso recato tenho andado a escandalizar com a exibição impudica dos meus "triunfos" literários e sociais... Como se isto fosse pouco, conta-me de alguém que, tendo ela falado de andar eu às voltas com um romance onde há uma porção de cegos, declarou rotundamente que o Ernesto Sábato já tinha feito coisa parecida, o que, trocado em miúdos, significa que, na opinião deste polícia dos costumes, devo ter caído em flagrante delito de imitação ou plágio... Não importa que o tal censor não tenha lido uma única palavra do *Ensaio*, se calhar não fez mais que ouvir falar de *Sobre heroes y tumbas*, mas nada disso conta perante a ocasião de insinuar que os meus cegos provêm em linha torta dos cegos de Sábato. Discreta mais do que deveria, Maria Alzira não disse de quem veio a perfídia. É pena. Calar o nome do autor de uma calúnia não serve ao caluniado, serve, sim, ao caluniador porque lhe assegura a impunidade. Amanhã encontro por aí o sujeito, capaz ele de me dar um abraço, uma palmadinha nas costas, de amigo, e eu não saberei de que se trata dum pequeno velhaco.

18 DE JUNHO
Voltei ao *Ensaio*. Com a disposição firme de levá-lo desta vez ao fim, custe o que custar. Durante todo o tempo que andei por fora, amigos e conhecidos não pararam de me perguntar pelos meus cegos. Chegou a altura de eles responderem por si mesmos.

15 DE JULHO
Pausa de vinte e quatro horas no *Ensaio* para apresentar em Las Palmas o livro de Juan Cruz, *Exceso de equipaje*, que é uma brilhante demonstração da arte do fragmento intimista e da observação do quotidiano imediato. Fez-me bem o derivativo, aliviei a tensão que me andam a causar os cegos, conheci gente simpática e inteligente, reencontrei amigos, como o poeta Manuel Padorno, e Toni, Luz e María del Carmen, as professoras do Coletivo Andersen.

9 DE AGOSTO
Terminei o *Ensaio sobre a cegueira*, quase quatro anos após o surgimento da ideia, sucesso ocorrido no dia 6 de setembro de 1991, quando, sozinho, almoçava no restaurante Varina da Madragoa, do meu amigo António Oliveira

(apontei a data e a circunstância num dos meus cadernos de capa preta). Exatamente três anos e três meses passados, em 6 de dezembro de 1994, anotava no mesmo caderno que, decorrido todo esse tempo, nem cinquenta páginas tinha ainda conseguido escrever: viajara, fui operado de uma catarata, mudei-me para Lanzarote... E lutei, lutei muito, só eu sei quanto, contra as dúvidas, as perplexidades, os equívocos que a toda a hora se me iam atravessando na história e me paralisavam. Como se isto não fosse o bastante, desesperava-me o próprio horror do que ia narrando. Enfim, acabou, já não terei de sofrer mais. Seria agora a altura de fazer a pergunta que nenhum escritor gosta: "Que ficou dessa primeira ideia?". (Não gostamos porque preferiríamos que o leitor imaginasse que o livro nos saiu da cabeça já armado e equipado.) Da ideia inicial direi que ficou tudo e quase nada: é verdade que escrevi *o que* queria, mas não o escrevi *como o* tinha pensado. Basta comparar a *inspiração* de há quatro anos com aquilo que o *Ensaio* veio a ser. Eis o que então anotei, com nenhumas preocupações de estilo: "Começam a nascer crianças cegas. Ao princípio sem alarme: lamentações, educação especial, asilos. À medida que se compreende que não vão nascer mais crianças de visão normal, o pânico instala-se. Há quem mate os filhos à nascença. Com o passar do tempo, vão morrendo os 'visuais' e a proporção 'favorece' os cegos. Morrendo todos os que ainda tinham vista, a população da terra é composta de cegos apenas. Um dia nasce uma criança com vista normal: reação de estranheza, algumas vezes violenta, morrem algumas dessas crianças. O processo inverte-se até que — talvez — volte ao princípio uma vez mais". Compare-se... Quanto à palavra "inspiração" que aí ficou atrás, esclareço que a empreguei em sentido estritamente pneumático e fisiológico: a ideia andava a flutuar por ali, no oloroso ambiente de Varina da Madragoa, eu *inspirei-a*, e foi assim que o livro nasceu... Depois, pensá-lo, fazê-lo, sofrê-lo, já foi, como tinha de ser, obra de *transpiração*...

Chegaram a Lanzarote, e instalamo-los cá em casa, José Luis García Sánchez e Rosa León. Vieram para a estreia, em Canárias, de *Suspiros de España* (*y Portugal*), que ele dirigiu. Motivos para a viagem, apenas os da amizade, porquanto não é costume dos realizadores de cinema andarem atrás dos seus filmes, a estreá-los aqui e ali. Não sei como se agradece isto. Rosa e José Luis tiraram-se do seu trabalho, viajaram de Madri a Lanzarote, muito mais para me festejarem a mim do que para receberem, eles, aplausos. A rever e a corrigir o *Ensaio*, não poderei fazer-lhes toda a companhia que deveria, mas dei hoje com eles uma rápida volta pela ilha, de que me resultou uma estranha impressão: encerrado em casa há tanto tempo, dei por que me inquietava o mundo exterior.

18 DE AGOSTO
Lá foram, uma cópia para Zeferino Coelho, outra para Maria Alzira Seixo, ele porque é o editor, ela por ter escolhido o *Ensaio* para o tema do estudo que prometeu escrever para um volume que Giulia Lanciani está a preparar sobre o autor destes *Cadernos*. Daqui por poucos dias já saberei o que pensam estes primeiros leitores. Primeiros depois de Pilar, claro está. E que disse Pilar? Que o livro é bom. Será? Leitora exigente e criteriosa é ela, sem dúvida, mas sempre temo que se deixe iludir (enganar, cegar), pouco que seja, pelos sentimentos.

Um pensamento que me tem ocupado nestes dias: há vinte anos chamei "ensaio de romance" ao *Manual de pintura e caligrafia* (a designação só aparece na primeira edição, a da Moraes), hoje ponho ponto final num romance que dei o nome de *Ensaio*. Vinte anos de vida e de trabalho para ir dar, por assim dizer, ao mesmo sítio: de falta de persistência e sentido de orientação não poderão acusar-me...

20 DE AGOSTO

Zeferino Coelho telefonou para dizer que gostou do livro. O autor apreciou sabê-lo e disse consigo mesmo que, agora sim, o *Ensaio* está terminado.

8 DE SETEMBRO

Já tenho a opinião de Maria Alzira Seixo acerca do *Ensaio*. Gostou, disse-mo pelo telefone, lá da sua praia de Odeceixe onde estava a passar um reanimador mês de agosto, e agora presenteia-me com seis páginas de uma lúcida e sensível análise, destinadas ao *Jornal de Letras*. Não as transcreverei, claro está, e não me atreveria a resumi-las. Apenas colho, um tanto ao acaso, uma certa passagem do artigo: "Que o leitor repare ainda em como esta cegueira epidémica corresponde a um mar de brancura luminosa e não às tradicionais trevas da privação da visão, e como, do ponto de vista poético e simbólico, Saramago nos guia através dessa perdição na luz pelos caminhos atulhados da imundície física e moral de uma comunidade inorgânica e carente...". Disse que tomei estas palavras ao acaso, o que obviamente não é verdade. Quis foi deixar constância da reflexão que elas me tinham suscitado, a saber: a possível verificação de uma simetria entre a situação ali descrita (uma "brancura luminosa" avançando *cega* "através de caminhos atulhados de imundície física e moral") e o atual consumo, já pouco menos do que obsessivo, dos produtos denominados de higiene e limpeza corporal, vivendo nós, como estamos a viver, intoxicados por todas as poluições imagináveis, em meios ambientes onde o lixo passou a ser soberano senhor. Saímos para a rua puros e luminosos, lavados da cabeça aos pés, desodorizados, perfumados, e caminhamos, outra vez cegos, pelas cidades, pelas praias, pelos campos de um mundo que nós próprios estamos a converter em estrumeira. Depois de termos destruído a natureza, arruinamos o meio tecnológico e cultural fora do qual mais seremos capazes de imaginar a vida...

18 DE SETEMBRO
Diz-me José Manuel Mendes que "nunca fui tão longe na reiteração de um ceticismo radical" como neste *Ensaio* que está à espera de ver a luz. Assim é, de facto. Em todos os outros meus romances, desde o *Manual de pintura e caligrafia*, mas sobretudo desde *Levantado do chão*, é comum encontrarem-se expressões de ceticismo, em geral veiculadas pelas observações e comentários do narrador irónico, mas em todos os casos tratou-se de um ceticismo localizado, referido só às situações, às intrigas, aos enredos descritos, e que, por assim dizer, deixava ao redor de si como uma balaustrada protetora (de esperança? de ilusão? de ingenuidade?) que deveria poder evitar qualquer desastrosa queda. O ceticismo do *Ensaio sobre a cegueira* é radical porque se enfrenta, desta vez diretamente, com o mundo. Dirão alguns que o ceticismo é uma doença da velhice, um achaque dos últimos dias, uma esclerose da vontade. Não ousarei dizer que este diagnóstico esteja completamente errado, mas direi

que seria demasiado cómodo querer escapar às dificuldades por essa porta, como se o estado atual do mundo fosse simplesmente consequência de os velhos serem velhos... As esperanças dos novos não conseguiram nunca, até hoje, tornar o mundo melhor, e o azedume renovado e acrescentado dos velhos nunca foi tanto que chegasse para torná-lo pior. Claro que o pobre mundo, coitado dele, não tem culpa dos males de que sofre.

16 DE OUTUBRO

Em Lisboa para o lançamento do *Ensaio sobre a cegueira* e o mais que há de ver. Assinar livros, dar entrevistas, repetir o já redito, perguntar-me uma e outras vezes se vale a pena, e apesar disso continuar, porque direi a mim mesmo que o devo fazer. Miguel Torga não concedia autógrafos, Herberto Helder não dá entrevistas: quanto a mim, ainda que me pusesse a procurá-las, sei que não conseguiria encontrar razões para não assinar a um leitor o livro que escrevi e para não lhe explicar o porquê o fiz. É uma fraqueza, reconheço, mas lembro-me do que dizia minha eterna avó Josefa, a propósito doutras histórias: "O que o berço deu, a tumba o leva", o que, aplicado ao meu berço e ao meu caso, teria de significar que quando nasci, lá naquela rua da Azinhaga a que chama da Alagoa, já estava fadado para vir a dar autógrafos e entrevistas, coisa em que nem mesmo a dita e confiada avó acreditaria, vendo com que competência eu mandava a palha das pocilgas ou desnocava a nuca aos coelhos com uma pancada seca do cutelo da mão... Ai, os destinos!

2 DE NOVEMBRO

Disseram-me que no lançamento do *Ensaio* terão estado presentes entre quinhentas e seiscentas pessoas.

De facto, custava a crer no que os olhos viam: aquela sala do Hotel Altis, enorme, completamente cheia de gente amiga, nada mais que para ver e ouvir o autor e apresentador, que foi, belissimamente, o Francisco José Viegas. "Ora, ora, aquilo é tudo *marketing*, é propaganda, é publicidade...", rosnaram com certeza os meus inimigos de estimação, como lhes chama Zeferino Coelho. Sim, publicidade, a mesma publicidade, caríssima, sofisticada e avassaladora, que os editores usam o *cursus publicus* do imperador Augusto: enviar convites pelo correio. Claro que no meu caso não deve ser esquecida a ação do departamento de *agitprop* do Partido, cuja eficácia mobilizadora, desta vez, até lá conseguiu levar, imagine-se, um primeiro-ministro, António Guterres...

Fortuna crítica

Crônica sobre um livro anunciado*

MARIA ALZIRA SEIXO

Uma apresentação e crítica, em primeira mão absoluta, do novo romance de José Saramago, Ensaio sobre a cegueira, *que será lançado no princípio de novembro*

Tive oportunidade de ler, por estes dias, o novo romance de José Saramago que vai sair em breve e que tem por título *Ensaio sobre a cegueira*. É um livro impressionante, de leitura muito incómoda, mas que nos mantém presos até à última linha, e ainda bem, porque os últimos capítulos são uma espécie de libertação para as personagens, mas muito especialmente para o leitor, que se sente reconciliado com os problemas que lhe foram sendo postos ao longo dos capítulos, numa reconciliação que não é apagamento, mas antes intensificação dos problemas e das perplexidades que o texto levanta e configura, em proposta de reflexão e advertência para um olhar mais atento sobre o quotidiano.

A história é simples: num país não identificado, que pode ser o nosso ou qualquer outro de mediana civiliza-

---

* Texto publicado em 11 de outubro de 1995 no *Jornal de Letras, Artes e Ideias*, de Portugal. A primeira edição de *Ensaio sobre a cegueira* só foi lançada no dia 16 naquele mesmo mês. (N. E.)

ção de tipo ocidental, um homem, que está ao volante do seu automóvel parado num semáforo no momento em que surge o sinal amarelo, fica de repente cego, e a cena de perturbação que se gera é a que eventualmente se passaria em circunstâncias reais efetivas. Relatados os distúrbios provocados pela ocorrência, o narrador comunica que um dos transeuntes se oferece para conduzir o cego a casa, no automóvel deste, onde fica aguardando a mulher, e esta, ao chegar, imediatamente marca uma consulta para o marido, dando parte ao médico do insólito da situação; antes, porém, o amável transeunte, que não passava afinal de um ladrão de carros, abalara, levando o automóvel do cego, embora com alguns remorsos na consciência que o fazem abandonar a viatura e prosseguir o seu caminho pela rua, onde, em determinado momento, cega também.

Entretanto, o primeiro cego vai ao médico e, embora vários clientes estejam no consultório aguardando a sua vez, ele é imediatamente atendido, e o oftalmologista verifica que o seu estado, do ponto de vista clínico, é perfeitamente normal, sendo assim inexplicável a cegueira que o atacou. A história prossegue com as consultas dos outros doentes (uma rapariga que usa óculos escuros devido a conjuntivite, um rapazinho estrábico e um velho com cataratas que usa uma venda preta num olho já inutilizado), e com as reflexões do médico ao serão, em conversa com a mulher, sobre a misteriosa afecção do cego que o consultou.

A primeira parte do romance, constituída pelos três primeiros capítulos (e que de algum modo se assemelha à exposição da tragédia clássica, constituindo uma espécie de primeiro ato que encontra seguimento no que poderíamos designar como os dois atos seguintes, se seguíssemos os critérios da unidade de intriga e da variabilidade do lugar), narra ainda a súbita cegueira da rapariga dos óculos escuros, assim como a do próprio médico, que imediatamente procura alertar as instituições para o perigo de contágio referente a tão estranha e ameaçadora epidemia, e esta primeira parte termina com o internamento do médico e restantes cegos num edifício desabitado, antigo manicômio que expressamente se designou para o efeito, acontecendo no entanto que a mulher do médico, no momento em que levavam o marido, se declarou cega também, sendo assim internada com os outros mas conservando o estado normal da sua visão.

Que se passa em seguida? Passa-se que o leitor se defronta com mais catorze capítulos de uma história alegórica estranha, que pode resolver-se em duas ou três frases sentenciosas, do gênero de *ver é saber*, ou de *já estávamos cegos no momento em que cegamos*, ou ainda *o medo nos cegou, o medo nos fará continuar cegos*, frases que, no entanto, isoladas no contexto e sem um trabalho de interpretação cuidado, reduzem o livro a um simplismo errôneo; penso mesmo que o trabalho interpretativo não poderá apresentar hipóteses unívocas quanto a este texto riquíssimo, onde paradoxalmente nunca se encontram efeitos *poéticos* de superfície nem concessões à ambiguidade que conforta a leitura crítica, sendo, como é, escrito numa linguagem enxuta e seca, de extrema sobriedade criativa, que raramente Saramago utilizou até agora, mantendo embora o seu estilo de pontuação interior e de cadência oralizada, e trabalhando o ponto de vista narrativo com maleabilidade irônica que lhe é habitual.

Trata-se, no fundo de um livro sobre abjeção, que aprofunda os efeitos de irradiação humana que ela pode integrar, e a vários níveis: pessoal, de relação, de ambiente, afetivo, institucional etc., culminando na questão essencial (e não o é, neste momento mais que todos temível no plano de ameaças várias, entre as quais a epidêmica e a nuclear?) da sobrevivência do ser humano, e na valorização das questões mais elementares: o ambiente limpo, o aconchego das relações afetivas, a quietação de um interior de casa preservado, a pureza da água que se bebe — e estou a falar de um magnífico e tocante capítulo, com cenas de uma sobriedade estética exemplar, e que é exatamente o antepenúltimo, assim estabelecendo, em rigorosa simetria, com o terceiro, a que já aludi, uma espiral de relativo *happy end* que só as incertezas da proposta ficcional em jeito de alegoria (ou, talvez, melhor, como o próprio texto refere, de parábola) mantêm instável: *agora tudo era duvidoso*, diz-se a certa altura.

Gostaria, entretanto, de chamar a atenção do leitor para certos núcleos de sentido que este texto desenvolve, assim como para vários pormenores da sua construção. Em primeiro lugar, o caráter indefinido do sentido alegórico, que prolonga decerto uma tendência abertamente manifestada em *A jangada de pedra*, mas que, em *Ensaio sobre a cegueira*, é de caráter abstrato e polivalente, podendo fundamentar tanto as reivindicações ambientalistas quanto a inoperância dos sistemas democráticos, e suportando teorizações que problematizem a questão do transcendental (palavra que aliás aparece no texto) na sua figuração imaginária de proposta de radicação subjetiva do objeto que baliza o mundo real. Não se assuste o leitor com esta formulação um tanto ou quanto abstrusa (muito afastada do discurso límpido do texto de Saramago...), porque o que eu quero dizer é que, no estilo "realista" deste autor, a simplicidade referencial com que são enunciados os objetos é de tal ordem que acaba por subverter a transparência da comunicação verbal na sua imediatez aparente para a fazer depender de categorias reflexivas não explícitas, alusivas a coordenadas determinantes que não são fornecidas ao leitor, e que deste modo encaminham o texto para o domínio das significações segundas, alusivas, alegóricas ou sobrenaturais (a certa altura deste romance, por exemplo, coloca-se a questão do *inominável*, no plano de uma concepção não só verbal mas também ontológica, que se irá ligar a problemas relevando do sagrado, o que também não é inédito na obra de Saramago).

Por isso, o texto anterior deste escritor que imediatamente me vem à ideia, na leitura deste seu *Ensaio sobre a cegueira*, é *O ano de 1993*, onde a escrita alusiva me parece deter idêntica função, embora com investimentos semânticos diversos. Aliás, um outro núcleo de sentido que imana estes dois livros é o da concepção das personagens. À primeira vista, elas compõem um conjunto afim do grupo deambulante de *A jangada de pedra*, não só porque, a certa altura, também prosseguem uma caminhada, que é matriz na maioria dos livros de Saramago, mas porque constituem um grupo heterogêneo que se torna coeso e no seio do qual surgem relações afetivas de cruzamento — e que neste livro formam uma espécie de plêiade, grupo de seis cegos guiados pela mulher que vê, estrela polar ou cadente, no seio dos restantes ceguinhos deste livro: a mulher do médico, o médico, o primeiro cego, sua mulher, a rapariga dos óculos escuros, o velho da venda preta e o rapazinho estrábico, acrescidos de um elemento mais, o inevitável cão dos romances de Saramago, que neste romance adquire especial proeminência, enquanto "cão das lágrimas". No entanto, reparando melhor, este grupo não se diferencia tanto do meio em que se integra como o de *A jangada de pedra*, na medida em que ele reforça o sentido do sofrimento integral da comunidade, noção que aqui é essencial (para exprimir o conjunto de centenas de cegos que são postos de quarentena, assim como o conjunto da população do país, que a certa altura se verifica ter cegado toda) e que, tal como em *O ano de 1993*, age em conjunto, e é constituída por personagens nos dois casos sem nome.

Que o leitor repare ainda em como esta cegueira epidêmica corresponde a um mar de brancura luminosa e não às tradicionais trevas da privação da visão, e como, do ponto de vista poético e simbólico, Saramago nos guia através dessa perdição na luz pelos caminhos atulhados da imundície física e moral de uma comunidade de instauração inorgânica e carente onde emergem os instintos mais sinistros, mas onde vários marcos progressivos são de assinalar: o negrume da cidade desfuncionalizada ao branco inesperado do céu; da ausência ou do conjunto de todas as cores (simbólica do negro e do branco) à escolha dos tons condizentes das indumentárias, partindo aliás o livro do amarelo cautelas ou expectante inicial, e sublinhando no seu percurso jarras de flores que se partem, jarras de flores que secam, ou que vicejam em quintais, e que finalmente aparecem estampadas num vestido lavado de mulher; ocorrências de fogo destruidor e fantasmagórico, assim como de águas límpidas, correntes e lustrais; e a simbiose de tudo isto (digo-o para simplificar, por agora, porque a mistura não é pacífica nem perfeita...) em mares concretos de leite e de sangue, em gestos de tocante ingenuidade e crimes de hedionda natureza.

Termino esta apresentação recordando Blimunda. Sim, Blimunda está presente, de certa forma, aqui. Sabemos como a mulher sempre tem um papel preponderante na ficção de José Saramago, o que se verifica ainda neste *Ensaio sobre a cegueira*, onde a mulher do médico, a única que não cega e que pode guiar a comunidade, é de certa forma uma Blimunda transformada que deixou de ver o interior dos corpos, no seu estado de jejum, para ver agora, de forma também única, o exterior em que eles estão desta vez cegamente imersos e lhes fornecer o seu pão. A mulher que vê é aqui também a mulher que verifica que as próprias imagens deixaram de ver, ao entrar numa igreja e ao reparar numa forma inesperada, e inexplicável, da excusa do transcendente à consideração do horror em que o mundo se transformou; as imagens sagradas, e as outras, as literárias...

Porque, a certa altura, naquele desmando de cegos, aparece o Escritor, numa alusão autonímica simultaneamente irônica e terna, não vos digo como, que já vos disse mais do que devia, mas que, e com isto acabo, integra escritores e narradores na comunidade dos cegos por igual, que eles também são gente, isto é, seres humanos sujeitos à cegueira de brancura intensa fulgurante, e por conseguinte ao bloqueio e à falência também. Faltava a Saramago colocar-se assim no plano do eventual desgaste e usura comum, o que agora faz. Talvez por isso tenha chamado ao livro "ensaio", não sei, como tentativa de implicação pessoal no terrível mundo de todos. Mas o leitor verá. Digo bem, verá.

José Saramago passeia pelo mundo das trevas*
MARCO LUCCHESI

José Saramago não é um escritor, é um acontecimento. Tem como pátria a língua portuguesa, sendo um de seus ilustres imperadores. Tudo o que diz é novo, porque depende dos clássicos. Eis o caso de *Memorial do convento*, essa obra de grande densidade romanesca e de admirável espessura literária, podendo ser apenas comparada com as *Pedras de Veneza*, de Ruskin, por guardarem o mesmo drama e o mesmo segredo.

As pedras de Mafra e as de Veneza trazem a marca de um passado, quando a areia ainda não se transformara em vitral, quando a parede ainda não recebera o afresco, ou quando o amarelo ainda não recobrira a aura dos anjos. Mas não é somente isso. Penso na alta literatura, como quando Euclides da Cunha tratou do drama da terra, em *Os sertões*. O milagre do *Memorial do covento* é o milagre da língua: Camões, Vieira e Bernardes — absorvidos por Saramago — fazem cantar as pedras e os nomes, os verbos e os adjetivos, seguindo uma rigorosa engenharia literária. Já não se trata de uma palavra peregrina, mas de uma palavra comprometida. O sistema do *Memorial* depende dessa tradição. Eis o acontecimento.

* Texto publicado em 12 de novembro de 1995, no jornal *O Globo*. (N. E.)

Agora, em *Ensaio sobre a cegueira*, Saramago vai além dos limites da história, que demarcavam a paisagem do convento, para atingir a metáfora em estado puro, como em *O deserto dos tártaros* de Dino Buzzati. Uma estranha e misteriosa epidemia vai se espalhando por toda a cidade. De modo inesperado, as pessoas ficavam totalmente cegas. Para evitar a contaminação do "mal-branco", as autoridades decidem isolar os doentes, matando a tiros os que decidissem porventura abandonar o cativeiro. E o número de internos vai aumentando. Todos abandonados à própria sorte. Alguns cegos tornam-se tiranos, outros sofrem calados. O quadro é desolador. Finalmente explode a rebelião contra os cegos malvados. Terminada a batalha, deixam a prisão sem encontrar resistência. Compreendem em breve que o isolamento de nada adiantou. Todos ficaram cegos (menos a esposa do médico).

O paralelo com Machado de Assis, de "O alienista", é evidente: o sanatório tornou-se demasiadamente pequeno diante das contradições do universo humano. A cidade está desordenada. Carros abandonados. Casas abertas. Cegos perdidos, que já não sabem como voltar. Até mesmo os santos de uma igreja estão com os olhos vendados. Se os cegos não podem ver as imagens, as imagens não podem ver os cegos. Lentamente, contudo, alguns homens começam a recuperar a visão, do mesmo modo inexplicável pelo qual se tornaram cegos. O livro de Saramago, profundamente escuro, vai aos poucos apontando para a luz. Como chegou a dizer em *Memorial do convento* (cuja espessura repousa na pedra e não na escuridão): "Amanhã Blimunda terá os seus olhos, hoje é dia de cegueira".

No *Ensaio*, deparamo-nos com situações surpreendentes, tais como a supressão da ordem civil, a dissolução da história e a instauração do absurdo. O mito platônico da caverna passa longe daqui. Como também não podemos reduzir o *Ensaio* a uma demonstração cabal do desconcerto do mundo. Insistimos que Saramago atingiu a metáfora pura. Tudo se lhe pode atribuir como também nada se lhe pode atribuir. Não existe na cegueira nenhum fim prático ou político, metafísico ou partidário, embora tais aspectos pudessem indiretamente (mas apenas indiretamente) surgir daquele terrível "mal-branco". Trata-se, portanto, de um ensaio sem conclusão. De uma história sem moral. Pois o que mais importa é a capacidade ficcional de seu autor. De um mundo fechado, que norteia seu espaço mítico, Saramago consegue uma narração bela e espessa, tempestiva e clara, sabendo, quando necessário, aumentar ou diminuir a velocidade narrativa, usando um *presto* ou um *addagio*. Este *Ensaio sobre a cegueira* é uma sonata de Domenico Scarlatti. Toda pequena variação é absolutamente esperada sem deixar de ser ao mesmo tempo absolutamente surpreendente.

Mas é bom insistir: a obra de José Saramago alcançou neste livro uma abertura, uma flutuação e uma riqueza de significados que se mantêm assim como estão, sem endereço ou destinatário, testemunhando, afinal, que o desconcerto do mundo só pode acontecer no concerto da literatura. Além de seus limites, apenas a morte.

As artimages de Saramago*

LEYLA PERRONE-MOISÉS

Desde que o prêmio Nobel concedido a José Saramago foi anunciado, as notícias e reações, nos jornais portugueses e brasileiros, apresentaram algumas recorrências dignas de nota. Essas manifestações se concentraram em três pontos: o consenso internacional sobre o merecimento do prêmio, o fato de este ser "um prêmio concedido à língua portuguesa" e o "milagre" desse acontecimento.

De fato, os jornalistas da Suécia e de outros países destacaram, no dia seguinte, que nunca a escolha do premiado fora tão consensual e a repercussão tão favorável. O jornal liberal *Dagens Nyheter* de Estocolmo (meio milhão de tiragem diária) estampava: "Ao escolher José Saramago, a Academia Sueca premiou uma obra literária que é apreciada por toda gente e que não será posta em questão por ninguém". O *New York Times* dizia: "Nenhum candidato ao prêmio Nobel merece mais um reconhecimento duradouro do que este romancista". Na França, até mesmo *Le Figaro*, jornal politicamente à direita, tinha como manchete: "Um Nobel indiscutível". Só destoavam

* Texto publicado em 14 de outubro de 1998 no jornal *Folha de S.Paulo*, na ocasião da premiação do escritor português pelo Nobel de literatura. (N. E.)

o jornal do Vaticano, lamentando que se desse o prêmio a um "comunista inveterado", e alguns inimigos locais do premiado.

Quanto às outras duas reações recorrentes, elas são compreensíveis, mas, de certa maneira, equivocadas. O prêmio pode ser sentido como pertencente a todos os grandes escritores de língua portuguesa deste século, e o próprio Saramago teve a generosidade de dizê-lo. Mas não nos esqueçamos de que o prêmio Nobel não contempla literaturas nacionais em seu conjunto. Alguns dos laureados anteriores pertenciam a literaturas e línguas numericamente pouco expressivas; outros, a literaturas e línguas largamente consagradas. Alguém diria que o prêmio de Claude Simon, em 1985, foi dado à francofonia? O argumento de que um Nobel leva os leitores do mundo todo a lerem outras obras na língua do premiado também é duvidoso, mesmo porque o reconhecimento internacional ocorre pela via da tradução e, traduzido, o escritor é apreciado por outros parâmetros que não a língua natal. Por acaso todos se puseram a ler literatura islandesa só porque Halldór Laxness ganhou o prêmio em 1955? O próprio Saramago comentava há dois anos, numa entrevista: "O prêmio Nobel não aumenta o prestígio de uma literatura e isso, ao contrário do que, erradamente, se vai dizendo por aí. Se amanhã a literatura portuguesa tiver a honra de um prêmio Nobel não ganhará mais prestígio no mundo. Que ideia!" (*Jornal de Letras*, 1997).

E, finalmente, o prêmio só foi um "milagre" se o considerarmos a partir do velho complexo de exclusão dos lusófonos, ou com a pouca confiança que tínhamos na isenção política do júri de Estocolmo. Se o considerarmos, porém, do ponto de vista do valor literário, o prêmio não foi nenhum milagre. Foi dado a um escritor "inveterado" que, ao contrário do que se diz, não apareceu de repente, mas que tem produzido, ao longo de décadas, uma obra vasta que abarca vários gêneros literários (poesia, crônica, dramaturgia, conto, romance, diário). Digamos, então, de uma vez por todas: Saramago recebeu o prêmio por sua obra pessoal, inconfundível e intransferível. Conquistou-o por seu enorme talento, por seu obstinado trabalho, e o júri não fez mais do que sua obrigação.

Dizer por que Saramago merecia esse prêmio não é necessário. Desde o *Memorial do convento* (1982) ele tem conseguido uma proeza raríssima na literatura moderna: ser respeitado pela crítica especializada, ser objeto de pesquisa e ensino em universidades de vários países e ter imediatamente um vasto público leitor, nos países de sua língua e em todos aqueles em que foi traduzido. Isso, sim, é um milagre. Um milagre para o qual, se formos ateus como ele, buscaremos uma explicação racional; entretanto, se também entendermos de arte como ele, saberemos de antemão que a explicação nunca será completa. O êxito de uma obra artística depende de uma combinação de fatores que nunca pode ser totalmente explicada. Em *Manual de pintura e caligrafia* (1977) Saramago lembrava que, no Alentejo, o povo usava a palavra "artemages" para designar as artes mágicas. Tentemos, então, recapitular alguns aspectos das "artemages" desse nobelizado.

Para os leitores de sua própria língua, Saramago é antes de tudo um estilo. Em sua escrita, a frase portuguesa adquire um ritmo particular, obtido por simetrias, incisas, retomadas e inversões, num balanço harmonioso que conduz a um acabamento perfeito. É como se a língua chegasse aí a uma beleza e a uma funcionalidade plenas. Poderíamos dizer, acerca das melhores páginas de Saramago, o que Pessoa disse de Vieira: "Aquele movimento hierático da nossa clara língua majestosa, aquele exprimir das ideias nas palavras inevitáveis, correr de água porque há declive [...], aquela grande certeza sinfônica" (Bernardo Soares, *Livro do desassossego*).

O aspecto ao mesmo tempo artificioso e natural do português de Saramago resulta de uma engenhosa aliança do erudito com o popular, do livresco com a oralidade. Sua prosa incorpora uma rica tradição literária, de Fernão Lopes a Vieira, Camilo Castelo Branco, Eça de Queirós e Pessoa, aí presentes num intertexto que não é apenas alusivo ou citacional, mas que age num nível mais difícil de captar, o da arquitetura sintática, da prosódia, das técnicas narrativas e descritivas. A essa tradição, Saramago trouxe sua nota pessoal que, na superfície do texto, consiste na supressão da maior parte dos sinais convencionais de pontuação, marcadores de pausas ou de entoação. Esse modo de escrever, segundo ele, lhe ocorreu de repente após a vigésima página de *Levantado do chão* (1980) e tornou-se desde então sua marca registrada.

A supressão total ou parcial de pontuação, largamente praticada desde o início do século pelos prosadores de vanguarda (em Portugal por Almada Negreiros), não tem, em Saramago, um intuito puramente experimental, mas decorre do caráter oral de sua prosa, mais proferida do que escrita, e proferida com larguíssimo fôlego. Essa prática só funciona plenamente porque Saramago tem o domínio absoluto da lógica discursiva, do ritmo da frase e da respiração do falante, de modo que seu leitor jamais se extravia nos segmentos do discurso ou confunde os interlocutores de um diálogo.

A oralidade de Saramago é a do contador de histórias, que embala o ouvinte com sua voz, mas, sobretudo, o mantém suspenso a uma fabulação. Esta capacidade de fabular e de manter o interesse do receptor é uma qualidade que independe da língua, e é ela que tem garantido o êxito do escritor junto aos leitores das inúmeras traduções de suas obras. Não por acaso *Levantado do chão*, livro inaugural de sua grande fase romanesca, foi precedido de uma viagem ao Alentejo, onde ele se reabasteceu das histórias ouvidas desde a infância. O paralelo com Guimarães Rosa, nesse ponto, é inevitável. As obras de ambos alcançam plena comunicabilidade na leitura em voz alta, quando reatam com suas raízes orais. E ambos alcançam a universalidade a partir do regional.

Embora tendo alcançado o domínio de seu estilo próprio com o *Memorial do convento* (1982), Saramago não cedeu à facilidade de nele se instalar definitivamente. Desde então, e de romance a romance, seu estilo tem se transformado. Das volutas barrocas adequadas ao tema setecentista do *Memorial*, ele passou a um discurso enxuto de relato policial em *O ano da morte de Ricardo Reis* (1984) e chegou, depois, ao milagre estilístico de *O Evangelho segundo Jesus Cristo* (1991), em que reciclava com maestria o profetismo evangélico e o lirismo do Cântico dos Cânticos. Em seus últimos romances, *Ensaio sobre a cegueira* (1995) e principalmente *Todos os nomes* (1997), sua escrita se despojou de toda pirotecnia estilística, para alcançar um ideal clássico: a clareza luminosa e a precisão incisiva, aquela aparente simplicidade que só se conquista com muito trabalho e experiência. O escritor tem consciência dessa evolução de seu estilo, como declarou em conversa com Carlos Reis, em janeiro deste ano: "Julgo estar a assistir, nestes últimos livros, a uma espécie de ressimplificação. Hoje verifico que há em mim como que uma recusa a qualquer coisa em que me divertia, que era essa espécie de barroquismo, qualquer coisa que eu não levava, mas que de certo modo me levava a mim; e estou a assistir, nestes últimos dois livros, a uma necessidade maior de clareza".

A evolução do estilo de Saramago é correlata à evolução de sua temática e, em decorrência desta, da escolha de gênero. As histórias por ele narradas sempre tiveram uma função de parábola, isto é, uma narração alegórica que remete a realidades e reflexões de ordem geral e superior a dos eventos narrados. Essa tendência à parábola, que no *Evangelho segundo Jesus Cristo* pôde explicitar-se pela remissão alusiva ao próprio texto evangélico, glosado e subvertido em múltiplos microrrelatos, expandiu-se no *Ensaio sobre a cegueira* e *Todos os nomes*, que podem ser lidos como parábolas desenvolvidas, o primeiro remetendo à cegueira coletiva da humanidade atual, e o segundo remetendo à busca individual de liberdade e amor num mundo burocratizado, totalitário e necrófilo.

Quem leu apenas uma ou duas obras do escritor ignora a riqueza e a variedade do conjunto e pode formar uma opinião equivocada a seu respeito. Somente aqueles que não captaram ou não apreciam o caráter alegórico da ficção de Saramago podem dizer que suas personagens são esquemáticas, carentes de espessura psicológica, ou que suas histórias são inverossímeis. Tal alegação revela uma total incompreensão de seu projeto romanesco. Saramago não é um escritor analítico, um esmiuçador de ideias ou de estados de alma (embora prove, em muitos momentos, que sabe fazer isso). As histórias que ele narra não valem por elas mesmas, mas por seu sentido alegórico. E é justamente a generalização alegórica que lhe garante a recepção universal desde sempre concedida aos aedos, aos fabulistas, aos contadores de "estórias".

O que ele busca é mais geral e concreto. Geral, como alegoria moderna, isto é, aquela que nasce da história e a ela remete. E concreto em vários sentidos. Concreto primeiramente pela capacidade que ele tem de dar concretude aos objetos e aos seres, o que confere a seu texto um permanente apelo sensual. Concreto também porque ele sente e trabalha a palavra em sua materialidade fônica, como poeta que é: "Penso hoje que os escritores têm andado com demasiada pressa: problematizam micrometricamente sentimentos sem antes terem dado uma simples volta de dicionário às palavras" (*Manual de pintura e caligrafia*).

A obra toda de Saramago se esteia num projeto ético e político, sem se tornar doutrinária e sem deixar de ser prioritariamente estética. "Dificílimo ato é o de escrever, responsabilidade das maiores", diz ele. Saramago é um homem politicamente engajado, com opiniões firmes, que podemos ou não compartilhar. Mas sua obra literária não é uma obra de mensagem explícita e fechada; é sempre uma busca e uma proposta de sentido, e não uma imposição do mesmo. Sua enunciação escapa à tentação do dogmatismo pela presença constante da ironia, do humor, da ternura e sobretudo pela prudência de quem conhece a especificidade de sua arte. As questões que ele levanta, embora sempre convidando à reflexão sobre a realidade atual, ultrapassam essa contingência imediata; são questões que os historiadores chamariam "de longa duração": o poder, a opressão do indivíduo na sociedade, a dignidade fundamental do ser humano, a relação com o outro, a força do sonho e da arte.

Dessa proposta geral decorre o aparente paradoxo de um escritor comunista que não é realista, e nem mesmo acredita no realismo de representação: "Às vezes, contamos certo, mas o acerto é muito maior quando inventamos. A invenção não pode ser confrontada com a realidade, logo, tem mais probabilidade de ser exacta"; "toda a verdade é ficção" (*Manual de pintura e caligrafia*). Seria, portanto, mais correto dizer que Saramago é um comunista escritor do que um escritor comunista, nuança que ele mesmo esclarece: "Eu não considero que o meu partido seja competente em matéria literária e, em geral, artística" (*Jornal de Letras*, 1989). Saramago também não é, como pensam alguns, um marxista jurássico aferrado às palavras de ordem de seu partido: "O modelo falhou, não tenho dúvidas. É mais do que óbvio. Poderemos dar-lhe os nomes que quisermos, socialismo científico, socialismo real, mas os fatos estão aí, a dizê-lo e a prová-lo claramente: o modelo real falhou. Este era um dos modelos possíveis. Mas penso que o ideal não morre. Sobreviverá, disso tenho certeza, e haverá tempo para pensar nele noutra escala, noutras condições" (*Ler*, 1991).

A descrença na representação realista e o caráter alegórico de sua ficção levam frequentemente Saramago ao domínio do fantástico. Desde o *Memorial*, todas as suas histórias contêm intervenções do extraordinário ou do maravilhoso. No uso do fantástico, o escritor também tem evoluído, no sentido de uma sutileza maior. Nos últimos romances não há mais bruxarias espetaculares (como no *Memorial*), cães com fio de lã azul na boca (como em *A jangada de pedra*) — traços que o aproximavam do realismo maravilhoso latino-americano, comparação que ele agora rejeita —, mas uma passagem quase imperceptível do real a um irreal simbólico, no mais das vezes sombrio, como a cidade em que quase todos ficaram cegos ou como a Conservatória Geral de *Todos os nomes*, ao mesmo tempo banal repartição pública e assombroso labirinto sem fim nem fundo, mais para Kafka do que para García Márquez. Nesse sentido, o escritor também se despojou de certas facilidades a que antes se deixava levar. Enfim, Saramago está cada dia melhor.

O fundamento crítico e ético da obra de Saramago está presente desde as primeiras obras e ele pode ser subsumido na expressão "levantar do chão". Numa belíssima passagem de *Manual de pintura e caligrafia*, o narrador-personagem reflete sobre a morte, e rejeita a afirmação de Raul Brandão de que "é preciso matar segunda vez os mortos". Sua posição é oposta: "Despeço-me dos mortos, mas não para os esquecer. Esquecê-los, creio, seria o primeiro sinal de morte minha. Além disso, após esta viagem de escrever tantas páginas, fez-se-me a convicção de que devemos levantar do chão os nossos mortos, afastar dos seus rostos, agora só ossos e cavidades vazias, a terra solta, e recomeçar a aprender a fraternidade por aí". O romance seguinte seria *Levantado do chão*, em que ele narra a luta dos "sem-terra" alentejanos, ressuscitando aqueles homens cujo sofrimento teve pouca possibilidade de se exprimir e de se fazer ouvir. "Como se eu tivesse de agarrar naquela gente que foram os meus avós, os meus pais e os meus tios, essa gente toda, analfabetos e ignorantes, e tivesse de escrever um livro" (Carlos Reis, *Diálogos com José Saramago*). No *Memorial*, ele recua a um tempo ainda mais remoto, para trazer de novo à vida, dar um nome e uma biografia às centenas de atores anônimos da construção do Convento de Mafra e às vítimas obscuras da Inquisição. A questão do nome próprio, direito humano fundamental, é uma constante em sua obra.

Se Saramago escreve romances históricos, nunca o faz para diversão ou evasão temporal do leitor.

Ele não busca simplesmente transportar-se e transportar o leitor ao passado, por uma reconstituição de época pretendendo à objetividade, ao realismo ou ao pitoresco. Embora seja mestre em dar vida e ação aos dados documentais, em reconstituir ambientes e personagens de outras épocas, também é mestre na desconstrução de todo realismo, pelos voluntários anacronismos, pelas bruscas mudanças de enunciador e de tom, pela mistura de registros altos e baixos, pela introdução de eventos fantásticos na trama oficial ou cotidiana, pela interferência irônica do narrador.

Se bem observarmos, veremos que todos os romances de Saramago são um "não" oposto à infelicidade histórica do homem. O ato rebelde de Raimundo Silva, em *História do cerco de Lisboa* (1989) — acrescentar a palavra "não" a um relato histórico —, é emblemático da atitude do escritor cada vez que este narra histórias da História. No *Memorial do convento*, a rebeldia das personagens é um "não" oposto à opressão monárquica e religiosa. *A jangada de pedra* pode ser lido como um "não" à Comunidade Europeia. *O Evangelho segundo Jesus Cristo*, um "não" as religiões que culpabilizam e sacrificam os homens. E assim por diante.

O "não" proferido por Saramago no *Memorial do convento* está implícito em vários aspectos do romance. Esse "não" está, primeiramente, no estilo em que ele reescreve seu "memorial". Os fatos históricos, atestados em documentos, não podem ser negados. Mas a maneira de narrá-los pode modificar o seu sentido. Assim, desde o início, o relato histórico vai sendo ironizado e satirizado pela inclusão de dados indignos de uma crônica real — a cama "recozendo a cheiros e secreções", a rainha "enroscada como toupeira", os incômodos percevejos etc., e pelo estilo pouco canônico do cronista — "Agora só falta colocar a cúpula de Miguel Ângelo [...]. Que espere. Por enquanto, ainda el-rei está a preparar-se para a noite". O "não" aparece também no nível da ação. As personagens principais, que não são o rei e a rainha, mas os plebeus Blimunda e Baltasar, dirão "não", por seus atos, à ortodoxia religiosa, a todas as convenções hipócritas, a todas as ordens injustas e opressivas. O mesmo farão, em maior ou menor escala, as outras personagens positivas do romance. Como sempre acontece aos que dizem "não" à doxa dominante, essas personagens passam, aos olhos da sociedade, por loucas, e aos olhos do poder, por perigosas, devendo então ser eliminadas.

Já em *História do cerco de Lisboa*, a negação está no âmago da trama e no próprio enunciado. Ao colocar a palavra "não" num discurso histórico, a personagem altera tanto a História como sua vida pessoal. Introduzir um "não" num discurso histórico é, além de uma falsificação do texto, uma maneira de contrariar a própria natureza assertiva desse tipo de discurso. A intriga da *História do cerco de Lisboa* alegoriza a posição do próprio romancista com relação à história de Portugal e à história dos homens, em geral. Saramago, como Raimundo Silva, não gosta dessa história na forma em que ela ocorreu, ou como os documentos atestam que ela ocorreu. A tentação de corrigi-la é grande; mas também é total a consciência de que não se podem alterar os fatos passados. A modificação introduzida pelo revisor revela-se, na prática da reescritura, como difícil; e, afinal, ele tem de contentar-se com uma mudança mínima. Porque o fato presente de que a Lisboa em que ele escreve a nova versão não é mais uma cidade moura impede uma alteração total. Assim, o revisor limita-se a introduzir uma pequena mudança: dizer que alguns cruzados não ajudaram os portugueses, fato que, mesmo hipotético, em nada muda o resultado final que é o massacre e a expulsão dos mouros. A única alteração obtida por Raimundo Silva não é a da história passada de Portugal, mas a de sua própria história pessoal, que está no presente e tem futuro. O gesto temerário de escrever "não" tem efeitos na vida do revisor, e não no texto do historiador traído, onde fica como um mero erro lógico, em contradição com o resto do discurso, e de onde pode ser deletado facilmente por um outro revisor. E a grande alteração obtida por Saramago está na maneira de ler e refletir sobre a "História Acreditada".

Embora, neste romance, a negação esteja na própria trama e no enunciado, aí também ressoa, como no *Memorial*, o "não" geral da enunciação. É nítida a simpatia do narrador, e do próprio Raimundo, narrador em segundo (ou terceiro) grau, pelos mouros sitiados ("pobres deles, feridos e desgraçados"), e o repúdio pelos atos dos sitiantes. Esse repúdio se manifesta de modo muito sutil; por exemplo, na ironia que resulta de juntar, no discurso do rei, as razões de ordem divina e civilizacional com a proclamação de atos de barbárie: "Foi toda a população passada à espada, homens, mulheres e meninos, sem diferença de idades e terem ou não armas na mão [...] mas ainda não falei doutras melhores razões, que é contarmos nós, portugueses, com a ajuda de Nosso Senhor Jesus Cristo, cala-te, Afonso". Fica claro, entretanto, que os sitiados têm a simpatia do narrador, não por serem mouros, mas por serem, naquele momento, as vítimas.

Em *O Evangelho segundo Jesus Cristo*, Saramago diz "não" ao nosso mito fundador judeu-cristão. Mais do que isso, diz "não" a um Deus que sacrifica seu próprio filho e deixa que, em seu nome, corram rios de sangue ao longo dos séculos. Esse "não", como era de esperar, foi o que custou mais caro ao escritor, que sofreu toda espécie de recriminação e de censura por causa dele. Como no caso do revisor do *Cerco de Lisboa*, o "não" do narrador não altera o fim da história. No nível da narrativa, o próprio Jesus tenta dizer "não" à sua morte anunciada e ao futuro cruel dos mártires, que de sua morte decorreria: "Não quero esta glória", diz ele a Deus; "Mas eu quero esse poder", responde-lhe aquele. A assertiva de Deus é mais forte do que a negativa de Jesus. O "não" pode não ser vitorioso no nível da narrativa, mas ele se impõe no nível da enunciação, alterando a significação da história e induzindo o leitor a encará-la de modo crítico.

O "não" de *O ano da morte de Ricardo Reis* e de *Ensaio sobre a cegueira*, embora proferido pelo romancista contra os mesmos poderes opressores, é mais complexo no que diz respeito às personagens e suas ações. Nos dois romances, as personagens principais assumem uma postura de denegação, no sentido psicanalítico do termo. Ricardo Reis recusa-se a participar da história, pretendendo manter-se apenas como observador da mesma. "Não agir" é sua divisa, como a de Bernardo Soares, autor de uma das epígrafes do romance. Sua atitude é a da denegação do real: "O que eu não quero saber, não existe". Dessa denegação, resulta uma funesta asserção negativa: "Não somos nada", que aproxima perigosamente Ricardo Reis do slogan da juventude nazista.

Ensaio sobre a cegueira não é um romance histórico, mas pode ser lido como um romance de antecipação, que relata um momento presente-futuro da humanidade. As personagens desse livro cegam porque denegam a própria cegueira; porque, como Ricardo Reis, não querem ver o que ocorre à sua volta, ou fazem de conta que não veem. Ressoa, em toda a parábola que é essa narrativa, a moral contida no ditado popular: "O pior cego é o que não quer ver". O final do romance esclarece: "Por que foi que cegamos, Não sei, talvez um dia se chegue a conhecer a razão, Queres que te diga o que penso, Diz, Penso que não cegamos, penso que estamos cegos, Cegos que veem, Cegos que, vendo, não veem". Tanto no caso de Ricardo Reis como no dos cegos, a denegação é fatal, porque aquilo que faz a infelicidade humana deve ser recusado, e não apenas denegado como não existente. O enunciador dos dois romances diz "não" ao "não agir" e ao "não ver" de suas personagens. A negação de uma negação, como se sabe, produz uma afirmação. A afirmação (implícita) de Saramago é: agir é inevitável e necessário; ver é preciso. Se toda a obra de Saramago é um dizer "não" à infelicidade dos homens, ela é um dizer "sim" ao seu contrário. Embora em suas narrativas, como na vida, a infelicidade seja a mais constante, em todas elas são indicadas as possibilidades de a ela escapar: pelo amor, pela solidariedade, pela arte, pela recusa de pactuar com o status quo.

Há, em Saramago, um permanente desejo de que a fatalidade brutal da história se detenha. É pelo "não" contraposto aos fatos históricos que o romancista deixa de ser historiador, opondo a liberdade da fabulação à prisão da história, escapando da lógica exclusiva do "sim" ou "não" que preside aos fatos passados e documentados. Os próprios documentos históricos, tantas vezes contraditórios entre si, abrem brechas por onde a fabulação pode esgueirar-se. Essas contradições, que tanto embaraço causam aos historiadores, obrigando-os a lembrarem-se de que a história é um discurso, são, para o ficcionista, um convite ao exercício da imaginação. No real, as coisas estão submetidas à lógica mutuamente exclusiva do "sim" ou "não". Na literatura, que é apenas linguagem, mas linguagem com poder infinito de significância, as coisas podem ser e não ser, ao mesmo tempo. Diferentemente das obras históricas, as ficções permitem "um infinito Talvez", que não deixa "pedra sobre pedra nem facto sobre facto". As ficções "fazem-se todas com uma continuada dúvida" (*História do cerco de Lisboa*). Elas escapam, assim, ao determinismo da história.

O escritor quer recuperar o passado: "Todo romance é isso, desespero, intento frustrado de que o passado não seja coisa definitivamente perdida" (*História do cerco de Lisboa*). A diferença, porém, está no fato de que o escritor tem a permissão de alterar o passado e, com isso, sugerir que o presente e o futuro podem ser outros. O passado não pode ser alterado pelo presente, mas o futuro sim. Ao falar do passado, é sempre no presente que Saramago está pensando. Daí a função dos paralelismos, espelhismos e anacronismos que, em sua obra, não são meros jogos narrativos, mas aproximações para fazer pensar, projeção e projeto. Nos romances de Saramago, a evocação do passado, como a visão do presente, abre-se para o futuro. Um futuro que é tanto o destino real dos homens como aquele, essencial para que este não seja mero destino, isto é, fatalidade cega: o da preservação de seus valores, dentre os quais a arte.

À luz desse projeto humanista de Saramago, a censura que lhe têm oposto os católicos tradicionalistas aparece como a mais absurda. Cegados pelos dogmas, eles não veem o quanto o humanismo de Saramago está próximo do ideal cristão de justiça e solidariedade. Também não atentam para o fato de que a existência ou não de Deus, assim como a questão da redenção dos homens, mortos ou vivos, são inquietações permanentes do escritor, fazendo dele o mais crente dos ateus. "Para ser ateu como eu sou, deve ser preciso um alto grau de religiosidade" (*Ler*, 1991).

Saramago não é um otimista; ele é demasiadamente lúcido para o ser. *Ensaio sobre a cegueira* pode mesmo parecer, à primeira vista, um agravamento de seu pessimismo. Mas o próprio fato de continuar a dizer "não" à desgraça humana, nesse livro como nos outros, mostra que pode haver uma saída: "Enquanto puder, disse a rapariga dos óculos escuros, manterei a esperança, a esperança de vir a encontrar meus pais, a esperança de que a mãe desse rapaz apareça, Esqueceste-te de falar da esperança de todos, Qual, A de recuperar a visão". O ceticismo que Saramago tem manifestado, em conferências e entrevistas, em relação à possibilidade de a literatura melhorar os homens e influir na história, é felizmente desmentido em suas obras, por suas personagens e pela própria beleza de seus textos, provas, como toda arte, de que o homem é capaz de transcender a estupidez do real.

O fato de esta obra alcançar um grande público (e, no Brasil, um grande público jovem) demonstra o quanto os leitores estão carentes de histórias e de sentido, e não de qualquer historinha de entretenimento, ou de qualquer mensagem piegas ou esotérica. "São os grandes sentimentos, e não os sentimentalismos, que nos exaltam, que nos fazem acreditar", disse o romancista à *Folha* em 1996. Saramago sabe muito bem para que serve a literatura: "Se a literatura nesta terra ainda serve para alguma coisa, isto é, se for mais do que alguns estarem a escrever para alguns estarem ainda a ler, torna-se urgente recuperá-la, já que a nossa sociedade corre o risco, devido aos audiovisuais, de emudecer, ou seja, de haver cada vez mais uma minoria com grande capacidade para falar e uma maioria crescente limitada a ouvir, não entendendo sequer muito bem aquilo que escuta" (*Jornal de Letras*, 1983).

O Nobel de Saramago não reconforta apenas nossos corações lusófonos. Reconforta a todos que ainda acreditam na necessidade da grande literatura.

Esta obra foi composta em Filosofia
por Alexandre Pimenta e impressa em
ofsete pela Geográfica sobre papel Pólen Soft
da Suzano S. A. para a Editora Schwarcz
em junho de 2022

FSC
www.fsc.org
MISTO
Papel produzido
a partir de
fontes responsáveis
FSC® C019498

A marca fsc® é a garantia de que a madeira utilizada
na fabricação do papel deste livro provém de florestas
que foram gerenciadas de maneira ambientalmente
correta, socialmente justa e economicamente viável,
além de outras fontes de origem controlada.